陳振孫研究六種合編

第 15 冊

陳振孫之文學
及其《直齋書錄解題》集錄考證
（第四冊）

何廣棪 著

花木蘭文化出版社

國家圖書館出版品預行編目資料

陳振孫之文學及其《直齋書錄解題》集錄考證（第四冊）／
何廣棪 著 -- 初版 -- 新北市：花木蘭文化出版社，2015〔民
104〕

目 30+242 面；19×26 公分

（陳振孫研究六種合編；第 15 冊）

全套 ISBN 978-986-404-459-7

ISBN-978-986-404-459-7

9 789864 044597

陳振孫研究六種合編

第十五冊　　　　　　　　　　　全套 ISBN 978-986-404-459-7

陳振孫之文學及其《直齋書錄解題》集錄考證（第四冊）

作　　者	何廣棪
總 編 輯	杜潔祥
編　　輯	許郁翎
出　　版	花木蘭文化出版社
社　　長	高小娟
聯絡地址	235 新北市中和區中安街七二號十三樓
	電話：02-2923-1455／傳真：02-2923-1452
網　　址	http://www.huamulan.tw 信箱 hml 810518@gmail.com
印　　刷	普羅文化出版廣告事業
初　　版	2015 年 12 月
定　　價	共 17 冊（精裝）新台幣 30,000 元

陳振孫之文學
及其《直齋書錄解題》集錄考證（第四冊）

何廣棪　著

第五冊

詩集類上　廣棪案：盧校本作五十二〈詩集類〉上。注曰：「有元本，多脫漏。」

凡無他文而獨有詩，及雖有他文而詩集復獨行者，別爲一類。

阮步兵集四卷

《阮步兵集》四卷，魏步兵校尉陳留阮籍嗣宗撰。其題皆曰〈詠懷〉。首卷四言十三篇，餘皆五言，八十篇，通為九十三篇。

　　廣棪案：《隋書》卷三十五、〈志〉第三十、〈經籍〉四〈集〉著錄：「魏步兵校尉《阮籍集》十卷，梁十三卷，《錄》一卷。」《崇文總目》著錄同。錢東垣輯釋本。《舊唐書》卷四十七、〈志〉第二十七、〈經籍〉下、〈丁部集錄・別集類〉二著錄：「《阮籍集》五卷。」《新唐書》卷六十、〈志〉第五十、〈藝文〉四、〈丁部集錄・別集類〉著錄同。《通志》卷六十九、〈藝文略〉第七、〈別集〉一〈魏〉著錄：「《步兵校尉阮籍集》十三卷。」《郡齋讀書志》卷第十七、〈別集類〉上著錄：「《阮籍集》十卷。」《宋志》著錄同。是《隋書》等著錄此《集》卷數無作四卷者。蓋《解題》此《集》所收僅其〈詠懷詩〉也。籍字嗣宗，陳留尉氏人。《三國志》卷二十一、〈王衛二劉傅傳〉第二十一載：「〈阮〉瑀子籍，才藻艷逸，而倜儻放蕩，行己寡欲，以莊周爲模則。官至步兵校尉。」《晉書》卷四十九、〈列傳〉第十九有傳。其〈傳〉謂：「籍能屬文，初不留思。作〈詠懷詩〉八十餘篇，爲世所重。」是僅計其五言八十餘篇，而未及四言十三篇。近人逯欽立《先秦漢魏晉南北朝詩》，其〈魏詩〉卷十、〈阮籍〉載：「黃節曰：『阮步兵〈詠懷詩〉五言八十二首，余已爲之注。其四言〈詠懷詩〉十三首，據近人丁福保所編《全三國詩》云：「按《讀書敏求記》謂阮嗣宗〈詠懷詩〉行世本，惟五言詩八十首。朱子儋取家藏舊本刊於存餘堂，多四言〈詠懷〉十三首云云。」余歷訪海上藏書家，都無朱子儋本，今所存四言詩僅三首耳。據丁氏之言，則僅存〈天地〉、〈月明〉、〈清風〉三首。余亦未見朱子儋本，惟舊藏潘璁本，乃明崇禎間翻嘉靖刻者，有嘉靖癸卯陳德文〈序〉，有崇禎丁丑潘璁〈序〉。分上下兩卷，四言詩十三首，其一至三與丁氏刻同，其四至十三，則丁氏所未見者。意與朱子儋本必無大異，或且潘本在朱本之前也。因並取而注釋之。注有見於五言詩內

者不重出。』逯案，潘本、朱本《阮集》今皆不易見。即用黃氏所校潘本比勘之。」今逯書所錄阮籍〈詠懷詩〉，其四言者十三首，其五言者八十二首，通爲九十五首，較《解題》所言，其五言多二首。

《文選》所收十七篇而已。

案：《文選》卷二十三、〈詠懷〉收阮嗣宗〈詠懷詩〉十七首。李善注曰：「五言。顏延年曰：『說者阮籍在晉之代，常慮禍患，故發此詠耳。』」其詩題下標「顏延年、沈約等注」。是《文選》阮籍〈詠懷詩〉十七首，皆顏、沈注，而李善注引用之矣。

宋武帝集一卷

《宋武帝集》一卷，孝武駿也。

廣棪案：《隋書》卷三十五、〈志〉第三十、〈經籍〉四〈集〉著錄：「《宋武帝集》十二卷，梁二十卷，《錄》一卷。」《新唐書》卷六十、〈志〉第五十、〈藝文〉四、〈丁部集錄·別集類〉著錄：「《宋武帝集》二十卷。」《通志》著錄同。《隋書》等所著錄均其全集。武帝諱裕，字德輿，小名寄奴，彭城縣綏輿里人，漢高帝弟楚元王交之後。《宋書》卷一、〈本紀〉第一、二、三與《南史》卷一、〈宋本紀〉上第一有傳。惟《解題》所著錄之撰人作「孝武駿」。駿字休龍，小字道民，宋文帝第三子。《宋書》卷六、〈本紀〉第六，《南史》卷二、〈宋本紀〉中第二有傳。考嚴可均《全上古三代秦漢三國六朝文》，其〈全宋文〉卷一爲「武帝」，稱有《集》二十卷；卷五爲「孝武帝」，稱有《集》三十一卷。是武帝與孝武帝各自有集。此《宋武帝集》一卷，應爲劉裕撰，《解題》作「孝武」，應誤。

梁簡文帝集五卷

《梁簡文帝集》五卷，簡文帝綱也。按：《隋志》八十五卷，唐已缺五卷。

廣棪案：《隋書》卷三十五、〈志〉第三十、〈經籍〉四〈集〉著錄：「《梁簡文帝集》八十五卷，陸罩撰，並錄。」《舊唐書》卷四十七、〈志〉第二十七、〈經籍〉下、〈丁部集錄·別集類〉二著錄：「《梁簡文帝集》八十卷。」

《新唐志》同。是《解題》所述據《隋》、《唐志》。簡文帝諱綱，字世纘，小字六通，梁高祖第三子。《梁書》卷四、〈本紀〉第四，《南史》卷八、〈梁本紀〉下第八有傳。

《中興書目》止存一卷，詩百篇，又缺其三首。

案：《中興館閣書目·集部·別集類》著錄：「《梁簡文帝集》一卷。《直齋書錄解題》卷十九。」趙士煒輯考本。考《宋史》卷二百八、〈志〉第一百六十一、〈藝文〉七、〈別集類〉著錄：「《梁簡文帝集》一卷。」與《中興館閣書目》同，或即據《中興館閣書目》也。

今五卷皆詩，總二百四十四篇。

案：《先秦漢魏晉南北朝詩·梁詩》卷二十至二十二，所收簡文帝詩凡二百七十餘首。

梁元帝詩一卷

《梁元帝》詩一卷，即湘東王繹。

廣校案：《隋書》卷三十五、〈志〉第三十、〈經籍〉四〈集〉著錄：「《梁元帝集》五十二卷。《梁元帝小集》十卷。」《舊唐書》卷四十七、〈志〉第二十七、〈經籍〉下、〈丁部集錄·別集類〉二著錄：「《梁元帝集》五十卷。《梁元帝集》十卷。」《新唐志》、《通志·藝文略》著錄同。然所著錄者皆其全集。元帝諱繹，字世誠，小字七符，高祖第七子。天監十三年封湘東郡王。《梁書》卷五、〈本紀〉第五，《南史》卷八、〈梁本紀〉下第八有傳。《先秦漢魏晉南北朝詩·梁詩》卷二十五收梁元帝蕭繹詩，凡一百二十三首。

謝惠連集一卷

《謝惠連集》一卷，宋司徒參軍謝惠連撰。《本集》五卷，今惟詩二十四首。

廣校案：《隋書》卷三十五、〈志〉第三十、〈經籍〉四〈集〉著錄：「宋司徒參軍《謝惠連集》六卷，梁五卷，《錄》一卷。」《新唐書》卷六十、〈志〉第五十、〈藝文〉四、〈丁部集錄·別集類〉著錄：「《謝惠連集》五卷。」

《郡齋讀書志》、《宋志》著錄同。是此《集》初作六卷，梁後作五卷，而直齋所藏者爲一卷，詩僅二十四首，則屬一不全之本。惠連，元嘉七年爲司徒彭城王劉義康法曹參軍，《宋書》卷三十五、〈列傳〉第十三，《南史》卷十九、〈列傳〉第九均附其父〈謝方明〉有傳。

惠連得名早，輕薄多尤累，故仕不顯，死時財三十七歲。

案：《宋書》惠連本傳載：「子惠連，幼而聰敏，年十歲，能屬文，族兄靈運深相知賞，事在〈靈運傳〉。本州辟主簿，不就。惠連先愛會稽郡吏杜德靈，及居父憂，贈以五言詩十餘首，文行於世。坐被徙廢塞，不豫榮伍。尚書僕射殷景仁愛其才，因言次白太祖：『臣小兒時，便見世中有此文，而論者云是謝惠連，其實非也。』太祖曰：『若如此，便應通之。』元嘉七年，方爲司徒彭城王義康法曹參軍。是時義康治東府城，城壍中得古冢，爲之改葬，使惠連爲祭文，留信待成，其文甚美。又爲〈雪賦〉，亦以高麗見奇。文章並傳於世。十年，卒，時年三十七。既早亡，且輕薄多尤累，故官位不顯。」可參證。至惠連之卒歲，中華書局標點本《宋書》改作二十七，其所作注曰：「『二十七』各本並作『三十七』，據《文選》〈雪賦〉注引《宋書》改。按惠連父謝方明任會稽郡在景平末，以元嘉三年卒官。又〈謝靈運傳〉載元嘉初何長瑜在會稽教惠連讀書，則惠連是時當不出二十歲。至元嘉十年，惠連卒，時年當二十七歲，故稱『早亡』。」可參考。

劉孝綽集一卷

《劉孝綽集》一卷，梁秘書監彭城劉孝綽撰。

廣棪案：《隋書》卷三十五、〈志〉第三十、〈經籍〉四〈集〉著錄：「梁廷尉卿《劉孝綽集》十四卷。」《通志》著錄同。《舊唐書》卷四十七、〈志〉第二十七、〈經籍〉下、〈丁部集錄・別集類〉二著錄：「《劉孝綽集》十一卷。」《新唐書》卷六十、〈志〉第五十、〈藝文〉四、〈丁部集錄・別集類〉著錄：「《劉孝綽集》十二卷。」是直齋所得者乃其詩集。孝綽，彭城人。梁武帝大同間除秘書監。《梁書》卷三十三、〈列傳〉第二十七有傳，《南史》卷三十九、〈列傳〉第三十九附〈劉勔〉。

宋僕射勔之孫。

案:《梁書》孝綽本傳載:「劉孝綽字孝綽,彭城人,本名冉。祖勔,宋司空忠昭公。父繪,齊大司馬霸府從事中郎。」可參證。

本傳稱《文集》數十萬言,今所存止此。

案:《梁書》孝綽本傳云:「孝綽辭藻為後進所宗,世重其文,每作一篇,朝成暮遍,好事者咸諷誦傳寫,流聞絕域。《文集》數十萬言,行於世。」可參證。

又言兄弟及群從子姪,當時有七十人,並能屬文,近古未有。

案:《梁書》孝綽本傳載:「孝綽兄弟及群從諸子姪,當時有七十人,並能屬文,近古未之有也。」可參證。

其三妹亦並有才學,適徐悱者,文尤清拔,所謂劉三娘者也。

案:《梁書》孝綽本傳載:「其三妹適琅邪王叔英、吳郡張嵊、東海徐悱,並有才學;悱妻文尤清拔。悱,僕射徐勉子,為晉安郡,卒,喪還京師,妻為祭文,辭甚悽愴。勉本欲為哀文,既覩此文,於是閣筆。」《南史》孝綽本傳載:「其三妹,一適琅邪王叔英,一適吳郡張嵊,一適東海徐悱,並有才學。悱妻文尤清拔,所謂劉三娘者也。悱為晉安郡卒,喪還建鄴,妻為祭文,辭甚悽愴。悱父勉本欲為哀辭,及見此文,乃閣筆。」均可參證。

今《玉臺集》中有悱妻詩。

案:《玉臺集》即徐陵《玉臺新詠》,其書卷六、「徐悱妻劉令嫻」項下載〈答外詩〉二首。其一云:「花庭麗景斜,蘭牖輕風度。落日更新妝,開簾對春樹。鳴鸝葉中響,戲蝶花間騖。調瑟本要憐,心愁不成趣。良會誠非遠,佳期今不遇。欲知幽怨多,春閨深且暮。」其二云:「東家挺奇麗,南國擅容輝。夜月方神女,朝霞喻洛妃。還看鏡中色,比豔自知非。摛辭徒妙好,連類頓乖違。智夫雖已麗,傾城未敢希。」可參考。

柳吳興集一卷

《柳吳興集》一卷,梁吳興太守河東柳惲文暢撰。僅有十八首。

廣棪案:《秘書省續編到四庫闕書目》卷二、〈集類‧別集〉著錄:「《柳

憚詩》一卷，闕。輝按：陳《錄・詩集類》作《柳吳興集》一卷，云：『吳
興太守柳憚文暢撰，僅有十八首。』」葉德輝考證本。可參證。憚字文暢，
河東解人。天監二年爲吳興太守。六年，徵爲散騎常侍，遷左民尚書。
八年，復爲吳興太守。爲政清靜，民吏懷之。《梁書》卷二十一、〈列傳〉
第十五有傳，《南史》卷三十八、〈列傳〉第二十八附〈柳元景〉。

徐孝穆集一卷

《徐孝穆集》一卷，陳太子太傅東海徐陵孝穆撰。

廣棪案：《隋書》卷三十五、〈志〉第三十、〈經籍〉四〈集〉著錄：「陳尚
書左僕射《徐陵集》三十卷。」兩《唐志》、《通志》著錄同。《崇文總目》
卷五、〈別集類〉一著錄：「《徐陵文集》二卷。鑒按：《舊唐志》、《通志
略》並三十卷。」《宋史》卷二百八、〈志〉第一百六十一、〈藝文〉七、
〈別集類〉著錄：「《徐陵詩》一卷。」是《解題》所著錄者與《宋志》
同。陵字孝穆，東海郯人。陳後主即位，遷左光祿大夫、太子少傅。《陳
書》卷二十六、〈列傳〉第二十，《南史》卷六十二、〈列傳〉第五十二附
〈徐摛〉。《解題》作「太子太傅」，誤。

本傳稱其文喪亂散失，存者二十卷。今惟詩五十餘篇。

案：《陳書》陵本傳載：「自有陳創業，文檄軍書及禪授詔策，皆陵所製，
而〈九錫〉尤美。爲一代文宗，亦不以此矜物，未嘗詆訶作者。其於後進
之徒，接引無倦。世祖、高宗之世，國家有大手筆，皆陵草之。其文頗變
舊體，緝裁巧密，多有新意。每一文出手，好事者已傳寫成誦，遂被之華
夷，家藏其本。後逢喪亂，多散失，存者三十卷。」是其證。《解題》謂「存
者二十卷」，疑乃「三十卷」之誤。

江總集一卷

《江總集》一卷，陳尚書令考城江總總持撰。

廣棪案：《新唐書》卷六十、〈志〉第五十、〈藝文〉四、〈丁部集錄・別
集類〉著錄：「《江總集》二十卷。」《宋史》卷二百八、〈志〉第一百六
十一、〈藝文〉七、〈別集類〉著錄：「《江總集》七卷。」《解題》著錄作
一卷，乃其詩集，詩收近百首。總字總持，濟陽考城人。後主時除尚書

令。《陳書》卷二十七、〈列傳〉第二十一有傳，《南史》卷三十六、〈列傳〉第二十六附〈江夷〉。

總在陳為太子詹事，以宮禁為長夜之飲。及後主即位，當權任，日為艷詩，君臣昏亂，以至亡國。

　　案：《陳書》總本傳載：「天嘉四年，以中書侍郎徵還朝，直侍中省。累遷司徒右長史，掌東宮管記，給事黃門侍郎，領南徐州大中正。授太子中庶子、通直散騎常侍，東宮、中正如故。遷左民尚書，轉太子詹事，中正如故。以與太子為長夜之飲，養良娣陳氏為女，太子微行總舍，上恕免之。……總篤行義，寬和溫裕。好學，能屬文，於五言七言尤善；然傷於浮豔，故為後主所愛幸。多有側篇，好事者相傳諷翫，于今不絕。後主之世，總當權宰，不持政務，但日與後主遊宴後庭，共陳暄、孔範、王〔瑗〕〔瑳〕等十餘人，當時謂之狎客。由是國政日頹，綱紀不立，有言之者，輒以罪斥之，君臣昏亂，以至于滅。」可參證。

入隋，為上開府。

　　案：《陳書》總本傳載：「禎明二年，進號中權將軍。京城陷，入隋，為上開府。開皇十四年，卒於江都，時年七十六。」可參證。

《唐志》：《集》三十卷，廣棪案：盧校本作二十卷。《中興書目》七卷，今惟存詩近百首云。

　　案：《陳書》總本傳載：「有《文集》三十卷，竝行於世焉。」《新唐志》著錄作二十卷。《解題》誤。《中興館閣書目·集部·別集類》著錄：「《江總集》七卷。《書錄解題》十九。」趙士煒輯考本。則與《宋志》著錄同。

陰鏗集一卷

《陰鏗集》一卷，陳散騎常侍南平陰鏗子堅撰。

　　廣棪案：《隋書》卷三十五、〈志〉第三十、〈經籍〉四〈集〉著錄：「陳鎮南府司馬《陰鏗集》一卷。」《通志》、《郡齋讀書志》著錄同。鏗字子堅，南平人，世祖時除員外散騎常侍。《陳書》卷三十四、〈列傳〉第二十八、〈文學〉附〈阮卓〉，《南史》卷六十四、〈列傳〉第五十四附〈陰子春〉。其〈傳〉曰：「有《文集》三卷，行於世。」與《隋志》等不同。

財三十餘篇。杜子美云:「李侯有佳句,往往似陰鏗。」今考之,未見鏗之所以似太白者。太白固未易似也,子美云爾,殆必有說。

　　案:《郡齋讀書志》卷第十七、〈別集類〉上著錄:「《陰鏗集》一卷。右陳陰鏗字子堅,幼聰慧,五歲能誦詩賦,日千言。及長,博涉史傳,尤善五言詩。徐陵言之於世祖,使賦安樂宮,援筆立成。累遷散騎常侍。有《集》三卷,《隋志》已亡其二,今所存者十數詩而已。杜少陵嘗贈李太白詩,有云:『李侯有佳句,往往似陰鏗。』今觀斯《集》,白蓋過之遠矣,甫之慎許,可乃如此。」可參證。

薛道衡集一卷

《薛道衡集》一卷,隋內史侍郎河東薛道衡玄卿撰,詩凡十九篇。本《集》三十卷,所存止此。大抵隋以前文集存全者亡幾,多好事者於類書中鈔出,以備家數也。廣校案:《文獻通考》以下有「史言道衡每至構文,必隱空齋,踏壁而臥,聞戶外人聲便怒。其沈思如此」五句,《四庫》本闕。

　　廣校案:《隋書》卷三十五、〈志〉第三十、〈經籍〉四〈集〉著錄:「司隸大夫《薛道衡集》三十卷。」兩《唐志》、《通志》著錄同。是《解題》謂「本《集》三十卷」,殆據《隋志》也。道衡字玄卿,河東汾陰人。晉王廣愛其才,授內史侍郎。《隋書》卷五十七、〈列傳〉第二十二有傳,《北史》卷三十六、〈列傳〉第二十四附〈薛辯〉。其〈傳〉謂:「有《集》七十卷,行於世。」所記不同。

杜必簡集一卷

《杜必簡集》一卷,唐著作郎襄陽杜審言必簡撰。

　　廣校案:《舊唐書》卷四十七、〈志〉第二十七、〈經籍〉下、〈丁部集錄·別集類〉二著錄:「《杜審言集》十卷。」《新唐志》、《通志》著錄同。《郡齋讀書志》卷第十七、〈別集類〉上著錄:「《杜審言集》一卷。」《宋史》卷二百八、〈志〉第一百六十一、〈藝文〉七、〈別集類〉著錄:「《杜審言詩》一卷。」應與此同。是審言《集》另有十卷本。審言字必簡,襄州襄陽人。卒,詔贈著作郎。《舊唐書》卷一百九十上、〈列傳〉第一百四十一上、〈文苑〉上附〈杜易簡〉、《新唐書》卷二百一、〈列傳〉第一百二十六、〈文藝〉上有傳。

工部之祖也。唐初沈、宋以來，律詩始盛行，然未以平側失眼爲忌。審言詩雖不多，句律極嚴，無一失粘者，甫之家傳有自來矣。然遂欲衙官屈、宋，則不可也。

案：《舊唐書》審言本傳載：「次子閑。閑子甫，別有〈傳〉。」是甫乃審言之孫。《舊唐書》又載：「審言，進士舉，初爲隰城尉。雅善五言詩，工書翰，有能名。然恃才謇傲，甚爲時輩所嫉。乾封中，蘇味道爲天官侍郎，審言預選，試判訖，謂人曰：『蘇味道必死。』人問其故，審言曰：『見吾判，即自當羞死矣！』又嘗謂人曰：『吾之文章，合得屈、宋作衙官；吾之書跡，合得王羲之北面。』其矜誕如此。」是乃《解題》所本。考《郡齋讀書志》著錄：「《杜審言集》一卷。右唐杜審言必簡也。襄陽人。預之後裔。擢進士，恃高才以傲世。對武后賦〈歡喜詩〉，后歎重其文。與李嶠、崔融、蘇味道爲『文章四友』。《集》有詩四十餘篇而已。」是直齋所得之《杜必簡集》一卷所收詩亦四十餘篇。《皕宋樓藏書志》卷六十八、〈集部‧別集類〉二著錄：「《杜審言集》二卷，明初活字本，葉石君舊藏。唐杜審言撰。」其下引楊萬里〈序〉曰：「襄陽杜審言字必簡，嘗爲吉州司戶。今戶曹趙君彥清旁搜遠撫，得其詩四十三首，將刻棗以傳好事，且以爲戶廳之寶玉大弓，屬余序之。余觀必簡之詩，若『牽絲紫蔓長』，即其孫甫『水荇牽風翠帶長』之句；若『鶴子曳童衣』，即『儒衣山鳥怪』之句也；若『雲陰送晚雷』，即『雷聲忽送千峰雨』之句也；『風光新柳報，宴賞落花催』，即『星霜玄鳥變，身世白駒催』之句也。余不知祖孫之相似，其有意乎？抑亦偶然乎？至如『往來花不廢，新舊雪仍殘』；如『日氣抱殘虹』，如『愁思看春不當春，明年春色倍還人』；如『飛花攪獨愁』，皆佳句也。三世之後，莫之與京，宜哉！乾道庚寅冬十月甲辰，廬陵楊萬里序。」丁丙《善本書室藏書志》卷二十四、〈集部〉三著錄：「《杜審言集》二卷，明刊本。前有乾道庚寅廬陵楊萬里序云：『襄陽杜審言字必簡，嘗爲吉州司戶曹。趙君彥清旁蒐遠撫，得其詩四十三首，將刻棗以傳好事，且爲戶廳寶玉大弓，屬余序之云云。』按審言，京兆人，預之遠裔，甫之祖也。咸亨元年進士，爲隰城尉，恃才傲世，坐事貶吉州司戶。及武后召還，令賦〈歡喜詩〉，稱旨，授著作郎，修文館直學士。有《集》十卷，今不存，但傳詩四十餘篇。天一閣范氏、海

源閣楊氏《書目》均載此書，楊乃宋刻也。」可參考。是《杜審言集》，
海源閣曾藏宋刻，而明刊本作二卷。

薛少保集一卷

《薛少保集》一卷，唐太子少保河東薛稷嗣通撰。

廣棪案：《新唐書》卷六十、〈志〉第五十、〈藝文〉四、〈丁部集錄‧別
集類〉著錄：「《薛稷集》三十卷。」《通志略》著錄同。是《解題》所著
錄者爲其詩集，僅一卷。稷字嗣通，蒲州汾陰人。睿宗時除太子少保。《舊
唐書》卷七十三、〈列傳〉第二十三，《新唐書》卷九十八、〈列傳〉第二
十三均附〈薛收〉。

稷，道衡曾孫，

案：《新唐書》稷本傳載：「稷字嗣通，道衡曾孫。」可參證。

魏徵外孫。

案：《舊唐書》本傳載：「稷外祖魏徵家富圖書，多虞、褚舊跡，稷銳精
模倣，筆態遒麗，當時無及之者。」是稷爲魏徵外孫。

喬知之集一卷

《喬知之集》一卷，唐右司郎喬知之撰。

廣棪案：《舊唐書》卷四十七、〈志〉第二十七、〈經籍〉下、〈丁部集錄‧
別集類〉二著錄：「《喬知之集》二十卷。」《新唐志》、《通志略》著錄同。
是《解題》所著錄者乃其詩集。知之，同州馮翊人，武則天時，除右補
闕，遷左司郎中。《舊唐書》卷一百九十中、〈列傳〉第一百四十中、〈文
苑〉中有傳。《解題》作「右司郎」，疑誤。

天授中爲酷吏所陷死。《集》中有〈綠珠怨〉，蓋其所由以致禍也。

案：《舊唐書》知之本傳載：「喬知之，同州馮翊人也。父師望，尚高祖
女廬陵公主，拜駙馬都尉，官至同州刺史。知之與弟侃、備，並以文詞
知名。知之尤稱俊才，所作篇詠，時人多諷誦之。則天時，累除右補闕，
遷左司郎中。知之有侍婢曰窈娘，美麗善歌舞，爲武承嗣所奪。知之怨

惜，因作〈綠珠篇〉以寄情，密送與婢，婢感憤自殺。承嗣大怒，因諷
酷吏羅織誅之。」可參證。

孟襄陽集三卷

《孟襄陽集》三卷，唐進士孟浩然撰。

　　廣棪案：《新唐書》卷六十、〈志〉第五十、〈藝文〉四、〈丁部集錄・別
　　集類〉著錄：「《孟浩然詩集》三卷，弟浩然。宜城王士源所次，皆三卷也。士
　　源別為七類。」《郡齋讀書志》卷第十七、〈別集類〉上著錄：「《孟浩然詩》
　　一卷，右唐孟浩然也。襄陽人。工五言詩，隱鹿門山，年四十，乃遊京
　　師。一日，諸名士集祕省聯句，浩然句曰：『微雲淡河漢，疎雨滴梧桐。』
　　眾皆欽服。張九齡、王維雅稱道之。維私邀入禁林，遇玄宗臨幸，浩然
　　匿牀下，維以聞。上曰：『素聞其人。』因召見，命自誦所為詩，至『不
　　才明主棄』之句，上曰：『不求進而誣朕棄人。』命放歸。所著詩二百
　　一十首。宜城處士王士源序次為三卷，今併為一，又有天寶中韋縚序。」
　　《宋史》卷二百八、〈志〉第一百六十一、〈藝文〉七、〈別集類〉著錄：
　　「《孟浩然詩》三卷。」《秘書省續編到四庫闕書目》卷二、〈集類・別
　　集〉著錄：「《孟浩然別集》一卷。」輝按：《新唐志》有《孟浩然詩集》
　　三卷，《宋志》、《崇文目》：《孟浩然詩》三卷，《晁志》：《孟浩然詩》一
　　卷，《陳錄・詩集類》：《孟襄陽集》三卷。」葉德輝考證本。《崇文總目》
　　實未著錄此書。是此書或作三卷，又作一卷。浩然，襄州襄陽人。《舊
　　唐書》卷一百九十下〈列傳〉第一百四十下、〈文苑〉下，《新唐書》卷
　　二百三、〈列傳〉第一百二十八〈文藝〉下有傳。《舊唐書》稱其「年四
　　十來遊京師，應進士不第，還襄陽」，是《解題》稱「唐進士」固誤矣。

宜城王士源序之，凡二百十八首，分為七類。

　　案：王士源〈序〉曰：「孟浩然字浩然，襄陽人也。骨貌淑清，風神散朗。
　　救患釋紛，以立義表，灌蔬藝竹，以全高尚。交游之中，通脫傾蓋，機警
　　無匿。學不為儒，務掇菁藻；文不按古，匠心獨妙；五言詩，天下稱其盡
　　美矣。間遊秘省，秋月新霽，諸英華賦詩作會，浩然句曰：『微雲淡河漢，
　　疎雨滴梧桐。』舉坐嗟其清絕，咸閣筆不復為繼。丞相范陽張九齡、侍御
　　史京兆王維、尚書侍郎河東裴朏、范陽盧僎、大理評事河東裴總、華陰太

守鄭倩之、守河南獨孤策，率與浩然爲忘形之交。山南採訪使、本郡守昌黎韓朝宗，謂浩然間代清律，寘諸周行，必詠穆如之頌。因入秦，與偕行，先揚于朝，與期約日引謁。及期，浩然會寮友文酒講好甚適，或曰：『子與韓公預諾而怠之，無乃不可乎？』浩然叱曰：『僕已飲矣，身行樂耳，遑恤其他。』遂畢席不赴，由是間罷。既而浩然亦不之悔也，其好樂忘名如此。士源他時嘗筆讚之曰：『導漾挺靈，寔生楚英，浩然清發，亦其自名。』開元二十八年，王昌齡遊襄陽，時浩然疾疹發背且愈，相得歡甚，浪情宴謔，食鮮疾動，終於治城南園，年五十有二。子曰儀甫。浩然文不爲仕，佇興而作，故或遲；行不爲飾，動以求眞，故似誕；遊不爲利，期以放性，故常貧。名不繼于選部，聚不盈于擔石，雖屢空不給而自若也。士源幼好名山，行年十八，首事陵山，踐止恆嶽，咨求通玄丈人。又過蘇門，問道隱者元知運。太行採藥，經王屋小有洞太白。習隱訣終南，修《亢倉子》九篇。天寶四載徂夏，詔書徵謁京邑，與冢臣八座討論，山林之士麇至，始知浩然物故。嗟哉！未祿于代，史不必書，安可哲蹤妙韻從此而絕？故詳問文者，隨述所論，美行嘉聞，十不紀一。浩然凡所屬綴，就輒毀棄，無復編錄，常自歎爲文不逮意也。流落既多，篇章散逸，鄉里購採不有其半，敷求四方，往往而獲。既無他事，爲之傳次，遂使海內衣冠搢紳經襄陽思覯其文，蓋有不備見而去，惜哉！今集其詩二百一十八首，分爲四卷。詩或缺逸未成，而製思清美，及他人酬贈，咸錄次而不棄耳。宜城王士源撰。」可參考。士源所編次者凡四卷。

太常卿韋縚爲之重〈序〉。

案：韋縚〈序〉曰：「宜城王士源者，藻思清遠，深鑒文理，常遊山水，不在人間，著《亢倉子》數篇，傳之於代。余久在集賢，常與諸學士命此子不可得見。天寶中，忽獲《浩然文集》，乃士源爲之〈序傳〉。詞理卓絕，吟諷忘疲，書寫不一，紙墨薄弱。昔虞坂之上，逸駕與駑駘俱疲；吳竈之中，孤桐與樵蘇共爨。遇伯樂與伯喈，遂騰聲於千古。此詩若不遇王君，乃十數張故紙耳；然則王君之清鑒，豈減孫、蔡而已哉！余今繕寫，增其條目，復貴士源之清才，敢重述於卷首。謹將此本送上秘府，庶久而不泯，傳芳無窮。天寶九載正月初三日，特進、行太常卿、禮儀使、集賢院修撰、上柱國、沛國郡開國公，韋縚敘。」可參考。

崔顥集一卷

《崔顥集》一卷，唐司勳員外郎崔顥撰。

廣棪案：《新唐書》卷六十、〈志〉第五十、〈藝文〉四、〈丁部集錄·別集類〉著錄：「《崔顥詩》一卷，汴州人，才俊無行，娶妻不愜即去之者三四，歷司勳員外郎。」《宋志》著錄同。顥，《舊唐書》卷一百九十下、〈列傳〉第一百四十下、〈文苑〉下，《新唐書》卷二百三、〈列傳〉第一百二十八、〈文藝〉下有傳，累官至司勳員外郎。

開元十年進士。才俊無行，

案：《舊唐書》顥本傳載：「崔顥者，登進士第，有俊才，無士行，好蒲博飲酒。及遊京師，娶妻擇有貌者，稍不愜意，即去之，前後數四。累官司勳員外郎。天寶十三年卒。」《新唐書》顥本傳載：「崔顥者，亦擢進士第，有文無行。好蒲博，嗜酒。娶妻惟擇美者，俄又棄之，凡四五娶。終司勳員外郎。初，李邕聞其名，虛舍邀之。顥至獻詩，首章曰：『十五嫁王昌。』邕叱曰：『小兒無禮！』不與接而去。」可參證。至顥登第之年，兩《唐書》無記。辛文房《唐才子傳》卷一「崔顥」條載：「顥，汴州人。開元十一年源少良下及進士第。」疑《解題》「十」字下脫「一」字。

〈黃鶴樓〉詩盛傳於世。

案：顥〈黃鶴樓〉詩云：「昔人已乘黃鶴去，此地空餘黃鶴樓。黃鶴一去不復返，白雲千載空悠悠。晴川歷歷漢陽樹，芳草萋萋鸚鵡洲。日暮鄉關何處是？煙波江上使人愁。」《唐才子傳》卷一、「崔顥」載：「後遊武昌，登黃鶴樓，感慨賦詩。及李白來，曰：『眼前有景道不得，崔顥題詩在上頭。』無作而去，為哲匠斂手云。」是此詩已盛傳於世之證。

祖詠集一卷

《祖詠集》一卷，唐祖詠撰。開元十二年進士。

廣棪案：《新唐書》卷六十、〈志〉第五十、〈藝文〉四、〈丁部集錄·別集類〉著錄：「《祖詠詩》一卷。」《宋志》同。祖詠，兩《唐書》無傳。《唐才子傳》卷一、「祖詠」載：「詠，洛陽人。開元十二年杜綰榜進士。有文名。殷璠評其詩：『剪刻省靜，用思尤苦。氣雖不高，調頗凌俗。』

足『稱爲才子也』。少與王維爲吟侶。維在濟州，寓官舍，〈贈祖三〉詩
有云：『結交三十載，不得一日展。貧病子既深，契闊余不淺。』蓋亦流
落不偶，極可傷也。後移家歸汝墳間別業，以漁樵自終。有詩一卷，傳
於世。」可參證。

崔國輔集一卷

《崔國輔集》一卷，唐集賢直學士禮部員外郎崔國輔撰。

　　廣棪案：《新唐書》卷六十、〈志〉第五十、〈藝文〉四、〈丁部集錄・別
　　集類〉著錄：「《崔國輔集》卷亡。應縣令舉，授許昌令，集賢直學士、禮部員
　　外郎。坐王鉷近親，貶竟陵郡司馬。」《通志略》同。《宋史》卷二百八、〈志〉
　　第一百六十一、〈藝文〉七、〈別集類〉著錄：「《崔國輔詩》一卷。」是
　　此書應作一卷。國輔，兩《唐書》無傳。《唐才子傳》卷二有傳，謂國
　　輔「累遷集賢直學士、禮部郎中」，證之《新唐志》，《唐才子傳》作「禮
　　部郎中」，疑誤。

開元十三年進士，應縣令舉，為許昌令。天寶中加學士，後以王鉷近親
坐貶。

　　案：《唐才子傳》國輔本傳載：「國輔，山陰人。開元十四年嚴迪榜進士，
　　與儲光羲、綦毋潛同時舉縣令。累遷集賢直學士、禮部郎中。天寶間，
　　坐是王鉷近親，貶竟陵司馬。」可參證。

詩凡二十八首。臨海李氏本。後又得石林葉氏本，多六首。

　　案：《唐才子傳》國輔本傳載：「有文及詩，婉變清楚，深宜諷詠。樂府
　　短章，古人有不能過也。」可見其文學成就。臨海李氏，指李庚；石林
　　葉氏，指葉夢得。李、葉本均佚。今人萬競君有《崔國輔詩注》，一九八
　　二年十月上海古籍出版社印行。

綦毋潛集一卷

《綦毋潛集》一卷，唐待制集賢院南康綦毋潛孝通撰。南康，今贛州。

　　廣棪案：《新唐書》卷六十、〈志〉第五十、〈藝文〉四、〈丁部集錄・別
　　集類〉著錄：「《綦毋潛詩》一卷，字孝通。開元中，縣宜壽尉入集賢院待制，

遷右拾遺，終著作郎。」《宋志》同。潛，兩《唐書》無傳。《唐才子傳》
卷二、〈綦毋潛〉載：「潛，字孝通，荊南人。開元十四年嚴迪榜進士及
第，授宜壽尉。遷右拾遺，入集賢院待制。復授校書，終著作郎。與李
端同時。詩調『屹崒峭蒨，足佳句，善寫方外之情』，『歷代未有，荊南
分野，數百年來，獨秀斯人。』後見兵亂，官況日惡，挂冠歸隱江東別
業，王維有詩送之，曰：『明時久不達，棄置與君同。天命無怨色，人
生有素風。』一時文人咸賦詩祖餞，甚榮。有《集》一卷行世。今人周
本淳《唐才子傳校正》曰：「《直齋書錄解題》十九：『《綦毋潛集》一卷，
唐待制集賢院南康綦毋潛孝通撰。南康，今贛州。』疑辛氏因『荊南分
野』之語，定爲荊南，失之於泛。《唐詩紀事》卷二十未言籍貫。」是
潛應爲南康人。

儲光羲集五卷

《儲光羲集》五卷，唐監察御史魯國儲光羲撰。與崔國輔、綦毋潛皆同
年進士，天寶末任僞官，貶死。

廣棪案：《新唐書》卷六十、〈志〉第五十、〈藝文〉四、〈丁部集錄・別
集類〉著錄：「《儲光羲集》七十卷。」《通志略》同。《宋史》卷二百八、
〈志〉第一百六十一、〈藝文〉七、〈別集類〉著錄：「《儲光羲集》二卷。」
所著錄卷數均與《解題》異。《郡齋讀書志》卷第十七、〈別集類〉上著
錄：「《儲光羲集》五卷。右唐儲光羲也。魯人。登開元十四年進士第，
嘗爲監察御史。後從安祿山僞署。賊平，貶死。」則與《解題》同。光
羲，兩《唐書》無傳。《唐才子傳》卷一、〈儲光羲〉載：「光羲，兗州
人。開元十四年嚴迪榜進士。有詔中書試文章。嘗爲監察御史，值安祿
山陷長安，輒受僞署。賊平後自歸，貶死嶺南。工詩，『格高調逸，趣
遠情深，削盡常言。挾〈風〉、〈雅〉之道，養浩然之氣。』覽者猶聽〈韶〉、
〈濩〉音，先洗桑、濮耳，庶幾乎賞音也。有《集》七十卷，《正論》
十五卷，《九經分義疏》二十卷，並傳。」是《唐才子傳》亦謂有《集》
七十卷。

顧況爲〈集序〉。

案：況，蘇州人。以校書郎徵，遷著作郎，後貶饒州司戶，有《文集》二

十卷。《新唐書》卷一百三、〈列傳〉第八十有傳。所撰〈儲光羲集序〉云：「聖人賢人皆鍾運而生，述聖賢之意，亦鍾運盛衰矣。開元十四年，嚴黃門知考魯國儲公進士高第，與崔國輔員外、綦毋潛著作同時。其明年，擢常建少府、王龍標昌齡，此數人者皆當時之秀，而侍御聲價隱隱轔轔諸子，其文篇、賦論凡七十卷，雖無雲雷之會，意氣相感，而扶危急病，綽有賢達之風。挾身虜庭，竟陷危邦，士生不融，何以言命。然窺其鴻黃窈邃之氣、金石管磬之聲，如登瑤臺而進玉府。靈篇邃宇，景物寥映，綠流翠草，嘉禾瑞鳥，不足稱珍。嗣息曰溶，亦鳳毛駿骨，恐墜先志，泝洄千里，泣拜告予云：『我先人與王右丞伯仲之懽也，相國縉雲嘗以〈序〉冠編次，會縉雲之謫亡焉，後輩據文之士，風流不接，故小子獲忝操簡。伏懼魂遊無方，嗤責造次，茫茫古道，不見來者，豈以龍戰害乎鹿門，齊竽競吹，燕石爭寶。』嗚呼！薄遊之士，未躋一峰，已伐其峻，登閬風者，乃知邐迤昏明，掩豁將盡，復通之若是乎？殷璠云：『儲公詩格高調逸，趣遠情深，削盡常言，挾風雅之迹，道得浩然之氣。〈遊茅山詩〉云：「山門入松柏，天路涵虛空。」又〈華清宮詩〉云：「山開鴻蒙色，天轉招搖星。」此例數百句，已略見《荊揚集》，不復廣引。』璠嘗觀公《正論》十五卷，《九義外義疏》卷，廣棪案：此句應作「《九經分義疏》二十卷」。言博理當，寔可謂經國之大材。《欒城遺言》云：『儲光羲詩高處似陶淵明，平處似王摩詰。』著作郎顧況撰。」可參考。

常建集一卷

《常建集》一卷，唐盱眙尉常建撰。

廣棪案：《新唐書》卷六十、〈志〉第五十、〈藝文〉四、〈丁部集錄・別集類〉著錄：「《常建詩》一卷，肅、代時人。」《宋志》同。《郡齋讀書志》卷第十七、〈別集類〉上著錄：「《常建集》一卷。右唐常建也。開元十五年進士。歐陽永叔嘗愛『竹徑通幽處，禪房花木深』之句，乃建詩也。」可參證。建，兩《唐書》無傳。《唐才子傳》卷二、〈常建〉載：「建，長安人。開元十五年與王昌齡同榜登科。大曆中，授盱眙尉。」所記宦歷與《解題》同。

王江寧集一卷

《王江寧集》一卷，唐龍標尉江寧王昌齡少伯撰。與常建俱開元十四年進士。二十二年選宏辭，超絕群類。為汜水尉，不護細行，貶龍標。世亂還里，為刺史閭丘曉所殺。廣枞案：《文獻通考》作「閻邱曉」。為詩緒密而思清。

　　廣枞案：《新唐書》卷六十、〈志〉第五十、〈藝文〉四、〈丁部集錄·別集類〉著錄：「《王昌齡集》五卷。」《通志略》同。《郡齋讀書志》卷第十七、〈別集類〉上著錄：「《王昌齡詩》六卷。右唐王昌齡少伯也。江寧人。開元十五年進士，為校書郎，又中宏詞科。不謹細行，貶龍標尉。以世亂，歸鄉里，為刺史閭丘曉所殺。昌齡工詩，績密而思清，時謂王江寧云。」又《宋史》卷二百八、〈志〉第一百六十一、〈藝文〉七、〈別集類〉著錄：「《王昌齡集》十卷。」均著錄卷數與《解題》不同。昌齡，兩《唐書》均有傳。《舊唐書》卷一百九十下、〈列傳〉第一百四十下、〈文苑〉下、〈王昌齡〉載：「王昌齡者，進士登第，補秘書省校書郎。又以博學宏詞登第，再遷汜水縣尉。不護細行，屢見貶斥，卒。昌齡為文，緒微而思清。有《集》五卷。」《新唐書》卷二百三、〈列傳〉第一百二十八、〈文藝〉下、〈王昌齡〉載：「昌齡字少伯，江寧人。第進士，補祕書郎。又中宏辭，遷汜水尉。不護細行，貶龍標尉。以世亂還鄉里，為刺史閭丘曉所殺。張鎬按軍河南，兵大集，曉最後期，將戮之，辭曰：『有親，乞貸餘命。』鎬曰：『王昌齡之親欲與誰養？』曉默然。昌齡工詩，緒密而思清，時謂王江寧云。」是《郡齋讀書志》與《解題》所述多據兩《唐書》。惟昌齡登第之年，或作開元十四年，或作十五年。孫猛《郡齋讀書志校證》云：「《書錄解題》卷十九云昌齡『與常建俱開元十四年進士』，按《文苑英華》卷七○三顧況〈監察御史儲公集序〉曰：『開元十四年，嚴黃門知考功，以魯國儲公進士高第，與崔國輔員外、綦毋潛著作同時。其明年，擢第常建少府、王龍標。此數人皆當時之秀。』《唐才子傳》卷二云：『開元十五年李嶷榜進士。』據此，《書錄解題》誤。」孫氏所考可信。

李頎集一卷

《李頎集》一卷，唐李頎撰。開元二十三年進士。

廣棪案:《新唐書》卷六十、〈志〉第五十、〈藝文〉四、〈丁部集錄・別集類〉著錄:「《李頎詩》一卷,並開元進士第。」頎,兩《唐書》無傳。《唐才子傳》卷二、〈李頎〉載:「頎,東川人。開元二十三年賈季鄰榜進士及第,調新鄉縣尉。性疏簡,厭薄世務,慕神仙,服餌丹砂,期輕舉之道。結好塵喧之外,一時名輩,莫不重之。工詩,『發調既清,修辭亦秀;雜歌咸善,玄理最長』。多為放浪之語,足可『震蕩心神』。『惜其偉才,只到黃綬。故其論道家,往往高於眾作。』有《集》今傳。」可參證。

崔曙集一卷

《崔曙集》一卷,唐崔曙撰。開元二十六年進士狀頭。

廣棪案:《秘書省續編到四庫闕書目》卷二、〈集類・別集〉著錄:「《崔曙詩》一卷,闕。輝按:陳《錄・詩集類》:『《崔曙集》一卷。』《遂初目》亦作集。」葉德輝考證本。惟此《集》仍存。陳伯海、朱易安合編《唐詩書錄》第三編、〈別集〉著錄:「崔曙《崔曙集》一卷。明銅活字《唐人詩集》印本、明朱警輯《唐百家詩・初唐二十一家》本、明黃貫曾輯《唐詩二十六家》本、明刻《唐人四集》本、明刻《唐五十家集》本、清初《唐詩二十家》抄本、1981 年 8 月上海古籍出版社《唐五十家詩集》影印明銅活字本。」可證。曙,兩《唐書》無傳。計有功《唐詩紀事》卷第二十「崔曙」條載:「曙,開元二十六年登進士第。」可參證。

杜工部集注三十六卷

《杜工部集注》三十六卷,蜀人郭知達所集九家注。世有稱東坡《杜詩故事》者,隨事造文,一一牽合,而皆不言其所自出。且其辭氣首末若出一口,廣棪案:《文獻通考》無「若」字。蓋妄人依託以欺亂流俗者,書坊輒勒入《集注》中,殊敗人意,此本獨削去之。福清曾噩子肅刻板五羊漕司,最為善本。廣棪案:《文獻通考》「最」上有「字大可考」四字,盧校本作「字大宜老」。

廣棪案:《四庫全書總目》卷一百四十九、〈集部〉二、〈別集類〉二著錄:「《九家集註杜詩》三十六卷,內府藏本。宋郭知達編。知達,蜀人。前有

〈自序〉，作於淳熙八年。又有曾噩〈重刻序〉，作於寶慶元年。噩據《書錄解題》作字子肅，閩清人。凌迪知《萬姓統譜》則作字噩甫，閩縣人。慶元中尉上高，復遷廣東漕使。與陳振孫所記小異。振孫與噩同時。迪知所敘又與〈序〉中結銜合。未詳孰是也。宋人喜言杜詩，而註杜詩者無善本。此書集王洙、宋祁、王安石、黃庭堅、薛夢符、杜田、鮑彪、師尹、趙彥材之註，頗爲簡要。知達〈序〉稱屬二三士友隨是非而去取之。如假託名氏，撰造事實，皆刪削不載。陳振孫《書錄解題》亦曰：『世有稱《東坡事實》者，_{案當作《老杜事實》}。隨事造文，一一牽合，而皆不言其所自出。且其詞氣首末出一口，蓋妄人僞託以欺亂流俗者。書坊輒鈔入《集註》中，殊敗人意。此本獨削去之』云云。與〈序〉相合，知其別裁有法矣。振孫稱噩刊版五羊漕司，字大宜老，_{案『宜老』謂『宜乎老眼』，刻本或作『可考』，非}。最爲善本。此本即噩家所初印，字畫端勁而清楷，宋版中之絕佳者。振孫所言，固不爲虛云。」可參證。有關稱蘇軾《老杜事實》之依託，宋、明人亦多有論及之者。萬曼《唐集敘錄》「《杜工部集》」條云：「再有一種，就是托名蘇軾的《老杜事實》，或稱《杜詩釋事》_{（見《集注杜工部詩姓氏》）}，宋人所謂『假坡注』是也。洪邁《容齋隨筆》云：『蜀本刻《杜集》，以《老杜事實》爲東坡所作，遂以入注，殊誤後生。』朱熹〈跋集注杜詩〉云：『其所引《東坡事實》者，非蘇公作，聞之長老，乃閩中鄭印尚明僞爲之。所引皆無根據，反用杜詩見句增減爲文，而傳其前人名字，託爲其語，至有時世先後，顛倒失次者，舊嘗考之，知其決非蘇公書也。』又陳鵠《西塘集‧耆舊續聞》九云：『世有僞作東坡注杜詩，內有〈遭田父泥飲〉篇，「欲起時被肘」，云「孔文舉就里人飲，夜深而歸，家人責其遲，曰：欲命駕，數被肘。」工部選詩要妙，胸中無國子監書者，不可讀其書，此大疏脫處，不知國子監能有幾書，亦何嘗有此書也。……後以語容齋，遂共發一笑。』這個僞蘇注的確實是貽誤後生，仇兆鰲在《杜詩凡例》中記云：『古人本無是事，特因杜句而緣飾首尾，假撰事實，前代楊用修力辯其謬妄，邵國寶、焦弱侯注，往往誤引，凌氏《五車韻瑞》援作事實，張邁可又據《韻瑞》以證杜詩，忽增某史某傳，輾轉附會矣。』這個本子也沒有單本流傳，從陳鵠所舉的例來看，的確是荒謬可笑的。」可參考。知達，生平無可考。噩，《宋史翼》卷二十二、〈列傳〉第二十二、〈循吏〉五有傳。噩刻此書，其原刊

清時尚存。《鐵琴銅劍樓藏書目錄》卷第十九、〈集部〉一、〈別集類〉著
錄：「《新刊校定集注杜詩》三十六卷，_{宋刊本}。宋郭知達編。據《四庫提
要》有淳熙八年知達〈自序〉，寶慶元年曾噩〈重刊序〉。此本二〈序〉
已佚，詩分體編次目中有注，新添者陳氏《書錄》謂福清曾噩刻板五羊
漕司，載爲善本，即此書也。原本缺卷十九、廿五、廿六、三十五、三
十六，鈔補全。每卷後有『寶慶乙酉廣東漕司鋟板』一行，『朝議大夫、
廣東路轉運使曾噩，承議郎、前通判韶州軍州事劉鎔，潮州州學賓辛安
中，進士陳大信同校勘』四行。每半葉九行，行十六字，注字同。朗、
徵、樹、構、敦字俱闕筆。《容齋隨筆》云：『蜀本刻《杜集》，以《老杜
事實》爲東坡所作，遂以入注，殊誤後生。』云云。此本但取王文公、
宋景文、黃豫章、王原叔、薛夢符、杜時可、鮑文虎、師民瞻、趙彥材，
凡九家；而不取僞蘇注，其鑒裁有識矣。字體端勁，雕鏤精善，尤宋板
之最佳者。」可與《解題》相參證。

門類杜詩二十五卷

《門類杜詩》二十五卷，稱東萊徐宅居仁編次，未詳何人。

廣棪案：《唐集敘錄》「《杜工部集》」條曰：「注釋本外，宋人還有一種分
類本，陳振孫《直齋書錄解題》云：『《門類杜詩》二十五卷，稱東萊徐
宅居仁編次，未詳何人。』徐宅居仁，由於不詳其人，所以這個《門類
杜詩》編成的年代也無從查考。」宅，《宋史》無傳。考《宋會要輯稿》
第九十九冊、〈職官〉六八之一八載：「_{（大觀三年）}（1109）七月三日，膳
部員外郎張宏、駕部員外郎徐宅放罷。宏，宋喬年所薦，宅諂事喬年故
也。」同書第一百十五冊、〈選舉〉二〇之二〇載：「_{（乾道四年）}（1168）八
月五日，國子監發解，命監察御史李簡能監試，國子司業程大昌，吏部
員外李季浩、鄭伯熊，考試祕書郎李木，國子博士陳損，國子正潘叔憲，
太學正陳駃，幹辦行在諸軍審計司徐宅，主管官告院徐大忠，點檢試卷。
考功郎中張敦實，別院考試國子錄鄭汝諧，太學錄沈清臣點檢試卷。」
同書同冊、〈選舉〉二一之一載：「_{（淳熙元年）}（1174）八月五日，國子監
發解，命監察御史陳升卿監試。國子司業兼權禮部侍郎戴幾先、戶部員
外郎周澂、將作少監兼權禮部郎官姚宗之考試。刑部郎中徐宅、太常博

士許蒼舒、祕書省著作佐郎鄭僑、太學博士章謙、國子正袁說友、權監
左藏東庫錢宇並點檢試卷。宗正少卿顏度別試所考試。太府寺丞元伯源、
太學錄樓鍔並檢試卷。」同書第一百七十八冊、〈兵〉一三之三一載：「（淳
熙二年閏九月）（1175）二十八日宰執進呈：『昨茶寇自湖北入湖南、江西，
侵犯廣東，已措置勦除，理宜黜陟。』上曰：『辛棄疾捕寇有方，雖不無
過，當然可謂有勞，宜優加旌賞。汪大猷身為帥守，督捕玩寇，不可無
罰。廣東提刑林光朝不肯避事，躬督摧鋒軍以遏賊鋒，志甚可嘉。初謂
其人物懦緩，臨事乃能如此，宜與進職。湖北提刑徐宅盜發，所部措置
乖方，宜加責罰。於是詔江西提刑辛棄疾除祕閣修撰，廣東摧鋒軍統制
路海、路鈴、黃進掩殺賊徒，不致侵犯海落，階官除正任刺史。特轉行
遙郡團練使林光朝特進職一等。江西提刑錢佃，軍前督運錢糧不闕，除
祕閣脩撰。前湖北提刑徐宅追三官。前江西帥臣汪大猷落職，送南康軍
居住。』」綜上所引，則徽宗大觀三年任駕部員外郎之徐宅，與孝宗乾道
四年任幹辦行在諸軍審計司、淳熙元年任刑部郎中、淳熙二年任湖北提
刑之徐宅應非同一人。蓋二人前後相距凡六、七十年。疑東萊徐宅居仁
乃徽宗時人，如為孝宗時人之徐宅，與直齋時代相隔匪遙，或不致「未
詳何人」也。是則《門類杜詩》應編成於北宋徽宗時或略後。

類集詩史三十卷

《類集詩史》三十卷，莆陽方醇道溫叟編。

　　廣校案：《宋史》卷二百八、〈志〉第一百六十一、〈藝文〉七、〈別集類〉
　　著錄：「方醇道《類集杜甫詩史》三十卷。」即為同一書。醇道，《宋史》
　　無傳。鄭岳《莆陽文獻傳》卷二十一載：「方醇道，興化人，次彭子。知
　　南劍州，以清儉自持。」可知其梗概。

王季友集一卷

《王季友集》一卷，唐王季友撰。

　　廣校案：《宋史》卷二百八、〈志〉第一百六十一、〈藝文〉七、〈別集類〉
　　著錄：「《王季友詩》一卷。」與此同。季友，兩《唐書》無傳。《唐詩紀事》
　　卷第二十六「王季友」條載：「季友，肅、代間詩人也。錢考功起有〈贈季

友赴洪州幕下〉詩云：『列郡皆用武，南征所從誰？諸侯重才略，見子如瓊枝。』乃知季友曾遊江西之幕。」《唐才子傳》卷第四有〈王季友傳〉。

元結《篋中集》有季友詩二首，今此《集》有七篇，而《篋中》二首不在焉。

案：元結《篋中集》成於乾元三年，錄沈千運、王季友、于逖、孟雲卿、張彪、趙微明、元季川七人之詩，凡二十四首。其中王季友詩二首為〈別李季友〉與〈寄韋子春〉。其〈別李季友〉云：「栖鳥不戀枝，嗜嗜在同聲。行子遲出戶，依依主人情。昔時霜臺鏡，醜婦羞爾形。閉匣二十年，皎潔常獨明。今日照離別，前途白髮生。」其〈寄韋子春〉云：「出山秋雲曙，山木已再春。食我山中藥，不憶山中人。山中誰余密，白髮惟相親。雀鼠晝夜無，知我廚廩貧。依依北舍松，不厭吾南鄰。有情盡棄捐，土石為同身。」是此《集》闕此二首。

杜詩所謂「酆城客子王季友」者，意即其人耶？

案：《唐詩紀事》卷第二十六「王季友」條載：「子美為季友作〈可歎行〉云：『近者抉眼去其夫，河東女兒身姓柳。丈夫正色動引經，酆城客子王季友。豫章太守高帝孫，引為賓客敬頗久。時危可致真豪傑，二人得置君側否？』」考《唐才子傳》季友本傳載：「季友，河南人。暗誦書萬卷，論必引經。家貧賣屨，好事者多攜酒就之。其妻柳氏，疾季友窮醜，遣去。來客酆城，洪州刺史李公，一見傾敬，即引佐幕府。」所記與杜詩合。是杜詩為季友而作也。

陶翰集一卷

《陶翰集》一卷，唐禮部員外郎丹陽陶翰撰。

廣棪案：《新唐書》卷六十、〈志〉第五十、〈藝文〉四、〈丁部集錄・別集類〉著錄：「《陶翰集》，卷亡。潤州人，開元禮部員外郎。」《通志略》同。《宋史》卷二百八、〈志〉第一百六十一、〈藝文〉七、〈別集類〉著錄：「《陶翰詩》一卷。」應與此同。

開元十八年進士，次年鴻詞。廣棪案：《文獻通考》作「宏詞」。

案：《唐才子傳》卷第二、〈陶翰〉載：「翰，潤州人。開元十八年崔明允

下進士及第，次年中博學宏辭，與鄭昉同時。官至禮部員外郎。爲詩詞筆雙美，『既多興象，復備風骨，三百年以前，方可論其裁製。』大爲當時所稱。今有《集》相傳。」可參證。

秦隱君集一卷

《秦隱君集》一卷，唐處士秦系公緒撰。

廣棪案：《新唐書》卷六十、〈志〉第五十、〈藝文〉四、〈丁部集錄・別集類〉著錄：「《秦系詩》一卷。」《宋史》卷二百八、〈志〉第一百六十一、〈藝文〉七、〈別集類〉著錄：「秦系《秦隱君詩》一卷。」與《解題》同。系字公緒，越州會稽人。《新唐書》卷一百九十六三、〈列傳〉第一百二十一、〈隱逸〉有傳。

系自天寶間有詩名。藩鎭奏辟，皆不就。嘗隱越之剡、泉之南安，至貞元中，年八十餘，不知所終。

案：《新唐書》系本傳載：「秦系字公緒，越州會稽人。天寶末，避亂剡溪，北都留守薛兼訓奏爲右衛率府倉曹參軍，不就。客泉州，南安有九日山，大松百餘章，俗傳東晉時所植，系結廬其上，穴石爲研，注《老子》，彌年不出。刺史薛播數往見之，歲時致羊酒，而系未嘗至城門。姜公輔之謫，見系輒窮日不能去，築室與相近，忘流落之苦。公輔卒，妻子在遠，系爲葬山下。張建封聞系之不可致，請就加校書郎。與劉長卿善，以詩相贈答。權德輿曰：『長卿自以爲五言長城，系用偏師攻之，雖老益壯。』其後東度秣陵，年八十餘卒。南安人思之，爲立子亭，號其山爲高士峯云。」可參證。

此本南安所刻，余又嘗於宋次道《寶刻叢章》得其逸詩二首，<small>廣棪案：《文獻通考》無「又」字。</small>書冊末。<small>廣棪案：盧校本「冊」作「策」。</small>

案：《鐵琴銅劍樓藏書目錄》卷第十九、〈集部〉一、〈別集類〉著錄：「《秦隱君詩集》一卷，<small>影鈔宋本。</small>唐秦公緒撰。隱君有詩名於天寶間，避亂居剡川，後隱於泉之南安山，不知所終。呂夏卿嘗錄其詩而傳之。宋紹興間有張端刻本，此即其本影寫者，有夏卿〈序〉及端〈跋〉。」是則《解題》所謂南安刻本者，或即紹興間張端所刻本也。宋次道即宋敏求，所

編《寶刻叢章》一書,《解題》卷十五、〈總集類〉有著錄,曰:「《寶刻叢章》三十卷,宋敏求次道以四方碑刻詩文,集爲此編。多有別集中所逸者。」直齋輯得隱君逸詩二首,即據此書。

岑嘉州集八卷

《岑嘉州集》八卷,唐嘉州刺史南陽岑參撰。

廣棪案:《新唐書》卷六十、〈志〉第五十、〈藝文〉四、〈丁部集錄‧別集類〉著錄:「《岑參集》十卷。」《通志略》、《郡齋讀書志》、《宋志》著錄同。疑《解題》所著錄者乃不全之本。參,兩《唐書》無傳。參,南陽人,累官爲嘉州刺史,《唐才子傳》卷第三有傳。

文本之曾孫。館臣案:《唐書》,岑參乃岑文本之曾孫。原本脫「文本」二字,今補正。**天寶三載進士,爲補闕左史郎官,與杜甫唱和。**

案:《新唐書》卷七十二中、〈表〉第十二中、〈宰相世系〉二中載:「參,庫部郎中、嘉州都督。」所記仕履不同。父、祖無可考。所記曾祖「文本,字景仁,相太宗」。《郡齋讀書志》卷第十七、〈別集類〉上著錄:「《岑參集》十卷。右唐岑參,南陽人。文本裔孫。天寶三年進士,累官補闕、起居郎,出爲嘉州刺史。杜鴻漸表置幕府,爲職方郎中兼侍御史,罷,終於蜀。參博覽史籍,尤工綴文,屬辭清尚,用心良苦,其有所得,往往超拔孤秀,度越常情。每篇絕筆,人競傳諷。至德中,裴薦、杜甫等嘗薦其『識度清遠,議論雅正,佳名早立,時輩所仰,可以備獻替之官』云。《集》有杜確序。」可參證。

李嘉祐集一卷

《李嘉祐集》一卷,唐台州刺史李嘉祐從一撰。

廣棪案:《新唐書》卷六十、〈志〉第五十、〈藝文〉四、〈丁部集錄‧別集類〉著錄:「《李嘉祐詩》一卷,別名從一,袁州、台州二刺史。」《崇文總目》錢東垣輯釋本、《宋志》同。惟《郡齋讀書志》卷第十七、〈別集類〉上著錄:「《李嘉祐詩》二卷。」是此《集》宋時有分二卷者。嘉祐,兩《唐書》無傳,《唐才子傳》卷第三有傳。

天寶七載進士。亦號《臺閣集》。李肇稱其「水田飛白鷺，夏木囀黃鸝」之句，王維取之以為七言。今按此《集》無之。

案：《唐才子傳》「李嘉祐」載：「嘉祐字從一，趙州人。天寶七年楊譽榜進士。為秘書正字。以罪謫南荒。未幾何，有詔量移為鄱陽宰，又為江陰令，後遷台、袁二州刺史。」計有功《唐詩紀事》卷第二十一、「李嘉祐」載：「字從一。上元中嘗為台州刺史，大曆間刺袁州。李肇記『漠漠水田飛白鷺，陰陰夏木囀黃鸝』之句，本嘉祐詩，而《集》中不見。」丁丙《善本書室藏書志》卷二十四、〈集部〉三著錄：「《李嘉祐集》二卷，明活字本，何夢華藏書。東山席氏得影宋本《臺閣集》於吳郡柳僉家，刊入《百家唐詩》，題『袁州刺史李嘉祐字從一』。前有建炎三年正月郡守陽夏謝克家〈序〉，云：『按嘉祐上元中嘗為台州刺史，大曆間又刺袁州。今袁州之詩多在，顧天台山水奇秀，略無連絕發揮之可恨也。李肇記王維「漠漠水田飛白鷺，陰陰夏木囀黃鸝」之句，本於嘉祐，而卷中亦不復見。然《中興間氣集》，若南薰可錄無遺，則當時所傳止此，其放失多矣。』云云，蓋克家亦刺台州，以後守而表揚前徽，因為刻之。此活字本例刪序跋，并分體分卷，然詩則一篇不闕，仍《臺閣集》也。」可參證。

皇甫冉集一卷

《皇甫冉集》一卷，館臣案：《唐書・藝文志》作三卷。唐左補闕丹陽皇甫冉茂政撰。與其弟曾齊名。

廣棪案：《新唐書》卷六十、〈志〉第五十、〈藝文〉四、〈丁部集錄・別集類〉著錄：「《皇甫冉詩集》三卷，字茂政，潤州丹陽人，祕書少監、集賢院脩撰彬姪也。天寶末無錫尉，避難居陽羨，後為左金吾衛兵曹參軍、左補闕，與弟曾齊名。曾，字孝常，歷侍御史，坐事貶徒舒州司馬，陽翟令。」《郡齋讀書志》卷第十七、〈別集類〉上著錄：「《皇甫冉詩》二卷。右唐皇甫冉茂政也。丹陽人。天寶十五年進士，為無錫尉，歷拾遺、補闕，卒。與弟曾齊名，當時比張氏景陽、孟陽云。」《宋志》亦作二卷。是此書卷數，各書著錄至不一致。冉，《新唐書》卷二百二、〈列傳〉第一百二十七、〈文藝〉中附〈蕭穎士〉，載：「皇甫冉字茂政，十歲便能屬文，張九齡歎異之。與弟曾皆善詩。天寶中，蹠登進士，授無錫尉。王縉為河南元帥，表掌書記。遷累右補闕，卒。」可參證。

《集》有獨孤及〈序〉。

案：《全唐文》卷三百八十八載獨孤及〈唐故左補闕安定皇甫公集序〉，
其文曰：「五言詩之源，生於〈國風〉，廣於〈離騷〉，著於李、蘇，盛於
曹、劉，其所自遠矣。當漢魏之間，雖以樸散爲器，作者猶質有餘而文
不足，以今揆昔，則有朱絃疏越、太羹遺味之歎。歷千餘歲，至沈詹事、
宋考功，始裁成六律，彰施五色。使言之而中倫，歌之而成聲。緣情綺
靡之功，至是乃備。雖去雅寖遠。其麗有過於古者，亦猶路鼗出於土鼓，
篆籀生於鳥跡也。沈、宋既歿，而崔司勳顥、王右丞維復崛起於開元、
天寶之間，得其門而入者，當代不過數人，補闕其人也。補闕諱冉，字
茂政，元晏先生之後，銀青光祿大夫澤州刺史諱敬德之曾孫，朝散大夫
饒州樂平縣令諱价之孫，中散大夫潭州刺史諱顥之子。十歲能屬文，十
五歲而老成，右丞相曲江張公深所歎異，謂清穎秀拔，有江、徐之風。
伯父祕書少監彬尤器之，自是令聞休暢，舉進士第一。歷無錫縣尉、左
金吾兵曹。今相國太原公之推轂河南也，辟爲書記。大曆二年遷左拾遺，
轉右補闕，奉使江表，因省家至丹陽。朝廷虛三署郎位以待君之復，不
幸短命，年方五十四而歿。嗚呼惜哉！君忠恕廉恪，居官可紀，孝友恭
讓，自內形外，言必依仁，交不苟合，得喪喜慍，罕見於容。故覩君述
作，知君所尙，以景命不永，斯文未臻其極也。蓋存於遺札者，凡三百
有五十篇。其詩大略以古之比興，就今之聲律，涵詠〈風〉、〈騷〉，憲章
顏、謝。至若麗曲感動，逸思奔發，則天機獨得，有非師資所獎。每舞
雩詠歸，或金谷文會，曲水修禊，南浦愴別，新聲秀句，輒加於常時一
等，才鍾於情故也。君母弟殿中侍御史曾，字孝常，與君同稟學詩之訓，
君有誨誘之助焉。既而麗藻競爽，盛名相亞，同乎聲者方之景陽、孟陽。
孝常既除喪，懼遺製之墜於地也，以及與茂政前後爲諫官，故銜痛編次，
以論撰見託，遂著其始終，以冠於篇。」可供參考。惟獨孤及〈序〉，謂
皇甫冉「大曆二年遷左拾遺，轉右補闕」，恐有筆誤。應作「左補闕」。

皇甫曾集一卷

《皇甫曾集》一卷，唐侍御史皇甫曾孝常撰。天寶十二載進士。兄冉，
後曾三載登第。

廣楼案：《宋史》卷二百八、〈志〉第一百六十一、〈藝文〉七、〈別集類〉
著錄：「《皇甫曾詩》一卷。」應與此同為一書。曾，《新唐書》卷二百二、
〈列傳〉第一百二十七、〈文藝〉中附〈蕭穎士〉，載：「曾字孝常，歷監
察御史。其名與冉相上下，當時比張氏景陽、孟陽云。」《唐才子傳》卷
第三、〈皇甫曾〉載：「曾，字孝常，冉之弟也。天寶十二年楊儇榜進士。
善詩，出王維之門，與兄名望相亞，當時以比張氏景陽、孟陽。協居上
品，載處下流；侍御，補闕，文詞亦然。體制清緊，華不勝文，為士林
所尚。仕歷侍御史；後坐事貶舒州司馬，量移陽翟令。有《詩》一卷，
傳於世。」可參證。

郎士元集一卷

《郎士元集》一卷，唐郢州刺史中山郎士元君胄撰。天寶十五載進士。
寶應中選畿縣官，蕭宗詔試中書，廣楼案：盧校本無「蕭宗詔」三字。補渭
南尉，歷拾遺、刺史。館臣案：《唐書》，士元於寶應元年選畿縣官，詔試中書，
補渭南尉，歷拾遺、郢州刺史。原本脫誤，今改正。

　　廣楼案：《新唐書》卷六十、〈志〉第五十、〈藝文〉四、〈丁部集錄‧別
　　集類〉著錄：「《郎士元詩》一卷，字君胄，中山人。寶應元年，選畿縣官，詔試
　　中書，補渭南尉，歷拾遺、郢州刺史。」《郡齋讀書志》卷第十七、〈別集類〉上
　　著錄：「《郎士元詩》一卷。右唐郎士元字君胄，中山人。天寶十五年進
　　士，為郢州刺史。與錢起俱有詩名，而士元尤更清雅。時朝廷公卿出牧
　　奉使，若兩人無詩祖行，人以為愧。」惟《宋史》卷二百八、〈志〉第一
　　百六十一、〈藝文〉七、〈別集類〉著錄：「《郎士元詩》二卷。」疑《宋
　　志》誤。士元，兩《唐書》無傳。《唐才子傳》卷第三、〈郎士元〉載：「士
　　元，字君胄，中山人也。天寶十五載盧庚榜進士。寶應初，選京畿縣官。
　　詔試政事中書，補渭南尉。歷左拾遺，出為郢州刺史。與員外郎錢起齊
　　名。時朝廷自丞相以下，出牧奉使，無兩君詩文祖餞，人以為愧，其珍
　　重如此。二公體調，大抵欲同，就中郎君稍更閑雅，逼近康樂，珠聯玉
　　映，不覺成編，掩映時流，名不虛矣。有別業在半日吳村，王季友、錢
　　起等皆見題詠，每誇勝絕。《詩集》今傳於世。」可參證。

包何集一卷

《包何集》一卷，唐起居舍人延陵包何幼嗣撰。_{館臣案}《唐書》，包何字幼嗣。原本作幼正，今改正。　廣棪案：《文獻通考》「幼嗣」作「幼正」，誤。**何，融之子，與弟佶齊名。**

廣棪案：《秘書省續編到四庫闕書目》卷二、〈集類・別集〉著錄：「《包何詩》一卷，闕。陳《錄・詩集類》同。」可參證。考《新唐書》卷六十、〈志〉第五十、〈藝文〉四、〈丁部集錄・別集類〉著錄：「《包融詩》一卷，潤州延陵人。歷大理司直。二子何、佶齊名，世稱『二包』。何字幼嗣，大歷起居舍人。」何，兩《唐書》無傳。《唐才子傳》卷第三、〈包何〉載：「何，字幼嗣，潤州延陵人，包融之子也。與弟佶俱以詩鳴，時稱『二包』。天寶七年楊譽榜及第。曾師事孟浩然，授格法。與李嘉祐相友善。大歷中，仕終起居舍人。詩傳者可數。蓋流離世故，卒多素辭，大播芳名，亦當時望族也。」可參考。

包佶集一卷

《包佶集》一卷，唐秘書監包佶撰。天寶六載進士，兄何後一年。

廣棪案：佶字幼正。《宋史》卷二百八、〈志〉第一百六十一、〈藝文〉七、〈別集類〉著錄：「《包幼正詩》一卷。」即此書。佶，兩《唐書》無傳。《唐才子傳》卷第三、〈包佶〉載：「佶，字幼正。天寶六年楊護榜進士。累遷秘書監。劉晏治財，奏為汴東兩稅使。及晏罷，以佶為諸道鹽鐵等使。未幾，遷刑部侍郎、太常少卿，拜諫議大夫，御史中丞。居官謹確，所在有聲。佶天才贍逸，氣宇清深，心醉古經，神和大雅，詩家老斲輪也。與劉長卿、竇叔向諸公皆莫逆之愛。晚歲沾風痺之疾，辭寵樂高，不及榮利。卒封丹陽郡公。有《詩集》行於世。」可參證。何，天寶七年楊譽榜及第，是後佶一年也。

錢考功集十卷

《錢考功集》十卷，唐考功員外郎吳興錢起撰。天寶十載進士。世所傳〈湘靈鼓瑟〉詩斷句用鬼語者，即其試作也。廣棪案：《文獻通考》闕以上二句。

廣棪案：《新唐書》卷六十、〈志〉第五十、〈藝文〉四、〈丁部集錄・別

集類〉著錄：「《錢起詩》一卷。」《崇文總目》錢東垣輯釋本、《通志·藝文略》著錄同。《宋史》卷二百八、〈志〉第一百六十一、〈藝文〉七、〈別集類〉著錄：「《錢起詩》十二卷。」是此書卷數有一卷、十卷、十二卷之別。起，《舊唐書》卷一百六十八、〈列傳〉第一百一十八附〈錢徽〉，《新唐書》卷二百八、〈列傳〉第一百二十八、〈文藝〉下附〈盧綸〉。《舊唐書》載：「錢徽字蔚章，吳郡人。父起，天寶十年登進士第。起能五言詩。初從鄉薦，寄家江湖，嘗於客舍月夜獨吟，遽聞人吟於庭曰：『曲終人不見，江上數峰青。』起愕然，攝衣視之，無所見矣，以為鬼怪，而志其一十字。起就試之年，李暐所試〈湘靈鼓瑟詩〉題中有『青』字，起即以鬼謠十字為落句，暐深嘉之，稱為絕唱。是歲登第，釋褐秘書省校書郎。大曆中，與韓翃、李端輩十人，俱以能詩，出入貴遊之門，時號『十才子』，形於圖畫。起位終尚書郎。」《新唐書》載：「起，吳興人。天寶中舉進士，與郎士元齊名，時語曰：『前有沈、宋，後有錢、郎。』終考功郎中。」《郡齋讀書志》卷第十七、〈別集類〉上著錄：「《錢起詩》二卷。右唐錢起，徽之父也。吳郡人。天寶中舉進士。初，從鄉薦，客舍月夜，聞人哦於庭曰：『曲終人不見，江上數峰青。』起攝衣從之，無所見矣。及就試，詩題乃〈湘靈鼓瑟〉也。起即以鬼謠十字為落句，主文李暐深嘉之，擢置高第，釋褐授校書郎，終考功。與郎士元齊名，時曰『前有沈、宋，後有錢、郎』。惟起乃吳興人，終考功郎中。《舊唐書》、《郡齋讀書志》作吳郡人，《舊唐書》又謂「起位終尚書郎」，皆誤也。

蜀本，作《前》、《後集》十三卷。

案：余嘉錫《四庫提要辨證》卷二十、〈集部〉一、〈別集類〉「《錢仲文集》十卷」條曰：「案《起集》除《唐志》、《讀書志》著錄外，《崇文總目》卷六十一、《通志·藝文略》均作一卷，《宋史·藝文志》作十二卷，惟《直齋書錄解題》卷十七。作十卷，且云『蜀本作《前》、《後集》十三卷』。《苕溪漁隱叢話》後集卷十七引《夷白堂小集》宋鮑慎由撰。慎由，元祐六年進士，見《書錄解題》卷十七。云：『錢起考功詩，世所藏本皆不同，宋次道舊有五卷，王仲至續為八卷，號為最完，然如「牛羊上山小，煙火隔雲深」，「鳥道掛疏雨，人家戀夕陽」，「窮通戀明主，耕桑亦近郊」，

「長樂鐘聲花外近，龍池柳色雨中深」，此等句皆當時相傳爲警絕，而八卷無之，知其所遺多矣。』鮑慎由所舉諸聯，乃《中興間氣集》所盛稱者，今十卷中皆有之，當爲最完之本。嘗試論之，錢起詩集在兩宋時當有四本，二卷者蓋即一卷本所分，五卷、八卷者各爲一本，此三本皆不傳。十卷之本，既爲慎由所未見，蓋其出最後，當爲南宋人所重編。陳振孫言蜀本作十三卷，而不言文字有異，當即一本，編次不同耳。《宋志》作十二卷，疑係傳寫之誤，《提要》謂後人分二卷爲十卷，未必然也。」是余氏以蜀刊十三卷本，與此十卷爲同一本，僅「編次不同」，細味《解題》所述，其言可信。

韓翃集五卷

《韓翃集》五卷，唐中書舍人韓翃君平撰。天寶十三載進士。^{廣棪案：《文獻通考》闕以上兩句。}

廣棪案：《新唐書》卷六十、〈志〉第五十、〈藝文〉四、〈丁部集錄·別集類〉著錄：「《韓翃詩集》五卷。」《郡齋讀書志》卷第十七、〈別集類〉上著錄：「《韓翃詩》五卷。右唐韓翃君平也。南陽人。天寶十三年進士，淄青侯希逸、宣武李勉相繼辟幕府。俄以駕部郎中知制誥，終於中書舍人。翃詩興致繁富，朝野重之。」可參證。翃字君平，官終中書舍人。《新唐書》卷二百二、〈列傳〉第一百二十六、〈文藝〉下附〈盧綸〉，另《唐才子傳》卷第四有傳，謂翃「天寶十三載楊紘榜進士」。

以「春城飛花」句受知德宗。^{廣棪案：《文獻通考》「以」字上有「翃」字。}

案：《唐詩紀事》卷第三十「韓翃」條載：「侯希逸鎮淄青，翃爲從事。後罷府閑居十年，李勉鎮夷門，辟爲幕屬。時韓已遲暮，不得意，多家居。一日夜將半，客叩門急，賀曰：『員外除駕部郎中知制誥。』翃愕然曰：『誤矣。』客曰：『邸報制誥闕人，中書兩進名，不從，又請之，曰：「與韓翃。」』時有同姓名者，爲江淮刺史。又具二人同進，御批曰：『春城無處不開花，寒食東風御柳斜。日暮漢宮傳蠟燭，青煙散入五侯家。』又批曰：『與此韓翃。』客曰：『此員外詩耶？』翃曰：『是也。是不誤矣。』時建中初也。」《唐才子傳》翃本傳亦載：「翃，字君平，南陽人。天寶十三載楊紘榜進士。侯希逸素重其才，至是，表佐淄青幕

府。罷,閑居十年。及李勉在宣武,復辟之。德宗時,制誥闕人,中書兩進除目,御筆不點。再請之,批曰:『與韓翃。』時有同姓名者爲江淮刺史,宰相請孰與,上復批曰:『「春城無處不飛花」韓翃也。』俄以駕部郎中知制誥,終中書舍人。翃工詩,興致繁富,如芙蓉出水,一篇一詠,朝士珍之。比諷深於文房,筋節成於茂政,當時盛稱焉。有《詩集》五卷,行於世。」是翃以〈寒食〉詩受知唐德宗。

顧況集五卷

《顧況集》五卷,唐著作郎吳郡顧況逋翁撰。至德二載進士。皇甫湜作〈序〉。廣棪案:《文獻通考》闕以上二句。湜嘗言吾自爲顧況作〈序〉,未嘗許他人。況在唐蓋爲人推重也。《集》本十五卷,館臣案:《唐書·藝文志》作二十卷。今止五卷,不全。

廣棪案:《新唐書》卷六十、〈志〉第五十、〈藝文〉四、〈丁部集錄·別集類〉著錄:「《顧況集》二十卷。」《郡齋讀書志》卷第十七、〈別集類〉上著錄:「《顧況集》二十卷。右唐顧況字逋翁,蘇州人。至德二年,江東進士。善爲歌詩,性詼諧。德宗時,柳渾輔政,以祕書郎召況。況素善李泌,及泌相,自謂當得達官,久之,遷著作郎。及泌卒,有調笑語,貶饒州司戶,卒。《集》有皇甫湜〈序〉。」足資參證。《宋史》卷二百八、〈志〉第一百六十一、〈藝文〉七、〈別集類〉著錄:「《顧況集》十五卷。」是則此《集》分十五卷、二十卷二種,直齋所得僅五卷,至不全。況,《舊唐書》卷一百三十下、〈列傳〉第八十附〈李泌〉。《唐才子傳》卷第三、「顧況」載:「況字逋翁,蘇州人。至德二年,天子幸蜀,江東侍郎李希言下進士。」與《解題》同。皇甫湜字持正,《新唐書》卷一百七十六、〈列傳〉第一百一附〈韓愈〉。湜所撰〈唐故著作郎顧況集序〉曰:「吳中山泉氣狀,英淑怪麗,太湖異石,洞庭朱實,華亭清唳,與虎邱天竺諸佛寺,均號秀絕。君出其中間,翕輕清以爲性,結泠汰以爲質,煦鮮榮以爲詞,偏於逸歌長句。駿發踔厲,往往若穿天心,出月脅,意外驚人語,非尋常所能及,最爲快也。李白、杜甫已死,非君將誰與哉?君字逋翁,諱況,以文入仕,其爲人類其詞章。常從韓晉公於江南,爲判官,驟成其磊落大績;入佐著作,不能慕順,爲眾所排。爲江南郡丞累

歲，脫屣無復北意。起屋於茅山，意飄然若將續古三仙，以壽九十卒。
湜以童子見君揚州孝感寺，君披黃衫，白絹韜頭，眸子瞭然，炯炯清立，
望之眞白圭振鷺也。既接歡然，以我爲揚雄、孟子，顧恨不及見，三十
年於茲矣。知音之厚，曷嘗忘諸？去年從丞相涼公襄陽，有曰顧非熊生
者在門，訊之，即君之子也。出君之《詩集》二十卷，泣請余發之。涼
公適移茳宣武軍，余裝歸洛陽，諾而未副。今又稔矣。生來速文，乃題
其《集》之首爲〈序〉。」其〈序〉於況，可謂推崇備至。

嚴維集一卷

《嚴維集》一卷，唐秘書郎山陰嚴維正文撰。至德二載辭藻宏麗科。

廣梭案：《新唐書》卷六十、〈志〉第五十、〈藝文〉四、〈丁部集錄・別
集類〉著錄：「《嚴維詩》一卷，字正文，越州人，秘書郎。」《宋志》同。維，
兩《唐書》無傳。《唐才子傳》卷第三、〈嚴維〉載：「維，字正文，越州
人。初隱居桐廬，慕子陵之高風。至德二年，江淮選補使侍郎崔渙下以
詞藻宏麗進士及第，以家貧親老，不能遠離，授諸暨尉，時已四十餘。
後歷祕書郎。嚴中丞節度河南，辟佐幕府。遷餘姚令。仕終右補闕。維
少無宦情，懷家山之樂，以業素從升斗之祿，聊代耕耳。詩情雅重，挹
魏、晉之風，鍛鍊鏗鏘，庶少遺恨。一時名輩，孰匪金蘭？《詩集》一
卷，今傳。」可參證。

韋蘇州集十卷

《韋蘇州集》十卷，唐韋應物，京兆人，天寶時為三衛，後作洛陽丞、
京兆府功曹，知滁、江二州。召還，或媢其進媒孽之計，出為蘇州刺史。
詩律自沈、宋以後日益靡嫚，鏤章刻句，揣合浮切，雖音韻諧婉，屬對
麗密，而閑雅平淡之氣不存矣。獨應物之詩，馳驟建安以還，得其風格
云。

廣梭案：《新唐書》卷六十、〈志〉第五十、〈藝文〉四、〈丁部集錄・別
集類〉著錄：「《韋應物詩集》十卷。」《郡齋讀書志》、《宋志》著錄同。
應物，兩《唐書》無傳。《唐詩紀事》卷第二十六「韋應物」條載：「周
逍遙公敻之後，待價生令儀，令儀生鑾，鑾生應物。其詩言天寶時扈從

遊幸事，疑爲三衛。永泰中，任洛陽丞、京兆府功曹。大曆十四年，自
鄠縣令制除櫟陽令，以疾辭不就。建中二年，由比部員外郎出刺滁州，
改刺江州，追赴闕，改左司郎中。貞元初，歷蘇州；罷守，寓蘇臺永定
精舍。」《郡齋讀書志》卷第十七、〈別集類〉上著錄：「《韋應物集》十
卷。右唐韋應物，京兆人。周逍遙公敻之後。左僕射扶陽公待價生令儀，
令儀生鑾，鑾生應物。天寶時，爲三衛。永泰中，任洛陽丞、京兆府功
曹。大曆十四年，自鄠縣制除櫟陽令，稱疾辭歸。建中二年，授比部郎
中，守滁州。居頃之，改江州。召還，擢左司郎中。或媢其進，媒孽之，
出爲蘇州刺史。性高潔，鮮食寡欲，所居焚香除地而坐。詩律自沈、宋
以後日益靡曼，鎪章刻句，揣合浮切，雖音韻婉諧，屬對麗密，而嫻雅
平淡之氣不存矣。獨應物之詩，馳驟建安以還，得其風格云。」《唐才
子傳》卷第四、〈韋應物〉載：「應物，京兆人也。尚俠，初，以三衛郎
事玄宗，及崩，始悔，折節讀書。爲性高潔，鮮食寡欲，所居必焚香掃
地而坐，冥心象外。天寶時，扈從遊幸。永泰中，任洛陽丞，遷京兆府
功曹。大曆十四年，自鄠縣令制除櫟陽令，以疾辭歸，寓善福寺精舍。
建中二年，由前資除比部員外郎，出爲滁州刺史。居頃之，改江州刺史，
追赴闕，改左司郎中。或媢其進，媒蘗之。貞元初，又出爲蘇州刺史。
大和中，以太僕少卿兼御史中丞，爲諸道鹽鐵轉運江淮留後，罷居永定，
齋心屏除人事。……論曰：詩律自沈、宋之下日益靡嫚，鎪章刻句，揣
合浮切；音韻婉諧，屬對藻密；而閑雅平淡之氣不存矣。獨應物馳驟建
安以還，各有風韻，自成一家之體。清深雅麗，雖詩人之盛，亦罕其倫，
甚爲時論所右，而風情不能自已。如〈贈米嘉榮〉、〈杜韋娘〉等作，皆
杯酒之間，見少年故態，無足怪矣。有《集》十卷，今傳於世。」可供
參證。惟《解題》所述，多據晁《志》隱括。

耿湋集二卷

《耿湋集》二卷，廣棪案：《文獻通考》作一卷。盧校注：「《通考》作一卷。」唐
右拾遺河東耿湋撰。寶應二年進士。

　　廣棪案：《新唐書》卷六十、〈志〉第五十、〈藝文〉四、〈丁部集錄‧別
　　集類〉著錄：「《耿湋詩集》二卷。」《郡齋讀書志》卷第十七、〈別集類〉

上著錄：「《耿緯詩》二卷。右唐耿緯。寶應元年進士，爲左拾遺。」孫猛《郡齋讀書志校證》曰：「《極玄集》卷上『耿湋』名下注云：『寶應二年進士』，《書錄解題》卷十九、《唐才子傳》卷四亦云湋爲寶應二年進士。《唐詩紀事》卷三十同原本。徐松《唐登科記考》卷十據《唐才子傳》定爲寶應二年洪源榜進士，又云寶應元年停貢舉，若此，則《郡齋讀書志》『元年』當爲『二年』之誤。」是耿湋或作耿緯，惟《郡齋讀書志》作「寶應元年進士」則誤。《宋史》卷二百八、〈志〉第一百六十一、〈藝文〉七、〈別集類〉著錄：「《耿緯詩》三卷。」其卷數與《解題》不同。湋，兩《唐書》無傳。《新唐書》卷二百三、〈列傳〉第一百二十八、〈文藝〉下〈盧綸〉：「綸與吉中孚、韓翃、錢起、司空曙、苗發、崔峒、耿湋、夏侯審、李端皆能詩，齊名，號『大曆十才子』。……湋，右拾遺。」與《解題》同。《唐詩紀事》卷第三十「耿湋」條載：「湋，寶應元年進士，爲左拾遺。詩有『家貧僮僕慢，官罷友朋疏』。世多傳之。」所載登第之年，又稱湋爲「左拾遺」，均與《郡齋讀書志》同誤。《唐才子傳》卷第四、〈耿湋〉載：「湋，河東人也。寶應二年洪源榜進士，與古之奇爲莫逆之交。初，爲大理司法，充括圖書使來江、淮，窮山水之勝。仕終左拾遺。詩才俊爽，意思不群。似湋等輩，不可多得。《詩集》二卷，今傳。」可參證。

《登科記》一作「緯」。

案：徐松《登科記考》卷十載：「唐代宗睿文孝彥武皇帝寶應二年癸卯，進士二十七人：洪源、古之奇、耿緯、杜黃裳、高郢、鄭錫、喬琛。」是《登科記考》作耿緯。

司空文明集二卷

《司空文明集》二卷，唐虞部郎中京兆司空曙文明撰。

廣棪案：《新唐書》卷六十、〈志〉第五十、〈藝文〉四、〈丁部集錄‧別集類〉著錄：「《司空曙詩集》二卷。」與此同。曙，《新唐書》卷二百三、〈列傳〉第一百二十八、〈文藝〉下附〈盧綸〉載：「曙字文初，廣平人。從韋皋於劍南，終虞部郎中。」《唐詩紀事》卷三十「司空曙」條載：「曙字文初，廣平人。登進士第，從韋皋於劍南。貞元中，爲水部郎中，終虞部郎中。」《唐才子傳》卷第四、〈司空曙〉載：「曙，字文明，廣平人

也。磊落有奇才，韋皋節度劍南，辟致幕府。授洛陽主簿，未幾，遷長林縣丞。累官左拾遺，終水部郎中。與李約員外至交。性耿介，不干權要，家無甔石，晏如也。嘗病中不給，遣其愛姬，亦自流寓長沙。遷謫江右，多結契雙林，暗傷流景。〈寄陳上人詩〉云：『欲就東林寄一身，尚憐兒女未成人。柴門客去殘陽在，藥圃蟲喧秋雨頻。近水方同梅市隱，曝衣多笑阮家貧。深山蘭若何時到？羨與閑雲作四鄰。』閑園即事，高興可知。屬調幽閑，終歸調暢。如新華笑日，不容熏染。鏘鏘美譽，不亦宜哉！有《詩集》二卷，今傳。」曙之字，或作文初，或作文明，未知孰是？或本字文初，後更文明也。

別本一卷，財數篇。

案：《宋史》卷二百八、〈志〉第一百六十一、〈藝文〉七、〈別集類〉著錄：「《司空文明集》一卷。」應即此本。

李端集三卷

《李端集》三卷，唐杭州司馬趙郡李端撰。大曆五年進士。

廣棪案：《新唐書》卷六十、〈志〉第五十、〈藝文〉四、〈丁部集錄‧別集類〉著錄：「《李端詩集》三卷。」《郡齋讀書志》、《宋志》著錄同。端，《舊唐書》卷一百六十三、〈列傳〉第一百一十三附其子〈李虞仲〉，載：「李虞仲字見之，趙郡人。祖震，大理丞。父端，登進士第，工詩。大曆中，與韓翃、錢起、盧綸等文詠唱和，馳名都下，號『大曆十才子』。時郭尚父少子曖尚代宗女昇平公主，賢明有才思，尤喜詩人，而端等十人，多在曖之門下。每宴集賦詩，公主坐視簾中，詩之美者，賞百縑。曖因拜官，會十子曰：『詩先成者賞。』時端先獻，警句云：『薰香荀令偏憐小，傅粉何郎不解愁。』主即以百縑賞之。錢起曰：『李校書誠有才，此篇宿構也。願賦一韻正之，請以起姓為韻。』端即襞牋而獻曰：『方塘似鏡草芊芊，初月如鉤未上弦。新開金埒教調馬，舊賜銅山許鑄錢。』曖曰：『此愈工也。』起等始服。端自校書郎移疾江南，授杭州司馬而卒。」《新唐書》卷二百三、〈列傳〉第一百二十八、〈文藝〉下、〈盧綸〉亦載：「端，趙州人。始，郭曖尚昇平公主，主賢明有才思，尤招納士，故端等多從曖游。曖嘗進官，大集客，端賦詩最工，錢起曰：

『素爲之,請賦起姓。』端立獻一章,又工于前,客乃服,主賜帛百。後移疾江南,終杭州司馬。」《郡齋讀書志》卷第十七、〈別集類〉上著錄:「《李端司馬集》三卷。右唐李端,趙州人。大曆五年進士,爲校書郎。卒官杭州司馬。郭曖尚昇平公主,賢明,招納士類,故端等皆客之。嘗座上賦詩,奇甚,主大加稱歎。錢起曰:『素爲之,請賦起姓。』端立獻一章云:『新開金埒看調馬,舊錫銅山許鑄錢。』錢起乃服。主喜,厚賜之。」均可參證。端,《唐才子傳》卷第四亦有傳,生平事迹更翔贍。

盧綸集十卷

《盧綸集》十卷,唐戶部郎中河東盧綸允言撰。綸與吉中孚、錢起、韓翃、司空曙、苗發、崔峒、耿湋、夏侯審、李端皆有詩名,號大曆十才子。

> 廣棪案:《新唐書》卷六十、〈志〉第五十、〈藝文〉四、〈丁部集錄・別集類〉著錄:「《盧綸詩集》十卷。」與《解題》同。《郡齋讀書志》卷第十七、〈別集類〉上著錄:「《盧綸詩》一卷。右唐盧綸與吉中孚、錢起、韓翃、司空曙、苗發、崔峒、耿湋、夏侯審、李端皆有詩名,號『大曆十才子』。綸字允言,累舉進士,不第。」《宋志》亦作一卷。綸,《舊唐書》卷一百六十三、〈列傳〉第一百一十三附其子〈盧簡辭〉,載:「盧簡辭字子策,范陽人,後徙家于蒲。祖翰。父綸,天寶末舉進士,遇亂不第,奉親避地於鄱陽,與郡人吉中孚爲林泉之友。大曆初,還京師,宰相王縉奏爲集賢學士、秘書省校書郎。王縉兄弟有詩名於世,縉既官重,凡所延辟,皆辭人名士,以綸能詩,禮待逾厚。會縉得罪,坐累。久之,調陝府戶曹、河南密縣令。建中初,爲昭應令。朱泚之亂,咸寧王渾瑊充京城西面副元帥,乃拔綸爲元帥判官、檢校金部郎中。貞元中,吉中孚爲翰林學士、戶部侍郎,典邦賦,薦綸于朝。會丁家艱,而中孚卒。太府卿韋渠牟得幸於德宗,綸即渠牟之甥也,數稱綸之才,德宗召之內殿,令和御製詩,超拜戶部郎中。方欲委之掌誥,居無何,卒。初,大曆中,詩人李端、錢起、韓翃輩能爲五言詩,而辭情捷麗,綸作尤工。至貞元末,錢、李諸公凋落,綸嘗爲〈懷舊詩〉五十韻,敘其事曰:『吾

與吉侍郎中孚、司空郎中曙、苗員外發、崔補闕峒、耿拾遺湋、李校書端，風塵追遊，向三十載。數公皆負當時盛稱，榮耀未幾，俱沉下泉。傷悼之際，暢當博士追感前事，賦詩五十韻見寄。輒有所酬，以申悲舊，兼寄夏侯審侍御。』其歷言諸子云：『侍郎文章宗，傑出淮、楚靈；掌賦若吹籟，司言如建瓴。郎中善慶餘，雅韻與琴清；鬱鬱松帶雪，蕭蕭鴻入冥。員外眞貴儒，弱冠被華纓；月香飄桂實，乳溜瀝瓊英。補闕思沖融，巾拂藝亦精；彩蝶戲芳圃，瑞雲滋翠屛。拾遺興難俸，逸調曠無程；九醞貯彌潔，三花寒轉馨。校書才智雄，舉世一娉婷；賭墅鬼神變，屬辭鸞鳳驚。差肩曳長裾，總轡奉和鈴。共賦瑤臺雪，同觀金谷笙。倚天方比劍，沉水忽如瓶。君持玉盤珠，寫我懷袖盈。讀罷涕交頤，願言躋百齡。』綸之才思，皆此類也。文宗好文，尤重綸詩，嘗問侍臣曰：『《盧綸集》幾卷？有子弟否？』李德裕對曰：『綸有四男，皆登進士第，今員外郎簡能、侍御史簡辭是也。』即遣中使詣其家，令進文集。簡能盡以所集五百篇上獻，優詔嘉之。」綸既有詩五百篇，其《集》似應作十卷爲合。《新唐書》卷二百三、〈列傳〉第一百二十八、〈文藝〉下、〈盧綸〉載：「盧綸字允言，河中蒲人。避天寶亂，客鄱陽。大曆初，數舉進士不入第。元載取綸文以進，補閿鄉尉。累遷監察御史，輒稱疾去。坐與王縉善，久不調。渾瑊鎮河中，辟元帥判官，累遷檢校戶部郎中。嘗朝京師，是時，舅韋渠牟得幸德宗，表其才，召見禁中，帝有所作，輒使賡和。異日問渠牟：『盧綸、李益何在？』答曰：『綸從渾瑊在河中。』驛召之，會卒。綸與吉中孚、錢起、韓翃、司空曙、苗發、崔峒、耿湋、夏侯審、李端皆能詩齊名，號『大曆十才子』。憲宗詔中書舍人張仲素訪集遺文。文宗尤愛其詩，問宰相：『綸文章幾何？亦有子否？』李德裕對：『綸四子：簡能、簡辭、弘正、簡求，皆擢進士第，在臺閣。』帝遣中人悉索家笥，得詩五百篇以聞。」均可參證。

李益集二卷

《李益集》二卷，唐集賢學士右散騎常侍李益君虞撰。廣棪案：《文獻通考》闕此句。

　　廣棪案：《郡齋讀書志》卷第十七、〈別集類〉上著錄：「《李益詩》一卷。右唐李益君虞也。姑臧人。大曆四年進士，調鄭縣尉，幽州劉濟辟從事。

憲宗雅聞其名，召爲集賢殿學士。負才，凌藉士類，眾不能堪，暴其〈獻濟詩〉『不上望京樓』之句，以涉怨望，詔降秩，俄復舊。益少富詞藻，長於歌詩，與宗人賀齊名。每作一篇，樂工以賂求取，被聲歌，供奉天子。〈征人〉、〈早行〉詩，天下皆施之圖繪。今《集》有〈從軍詩〉五十首，而無此詩，惜其放逸多矣。」《宋志》亦作一卷，均與《解題》作二卷者不同。益字君虞，官集賢殿學士，累遷右散騎常侍。《舊唐書》卷一百三十七、〈列傳〉第八十七，《新唐書》卷二百三、〈列傳〉第一百二十八〈文藝〉下均有傳。

益，宰相揆之族子。大曆四年進士。歌詩與宗人賀齊名，《舊史》本傳稱其少有癡病，廣棪案：《文獻通考》「稱」作「指」。又「癡病」作「癡疾」。**防閑妻妾過於苛酷，有「散灰扃戶」之說聞於時**，廣棪案：《文獻通考》「說」作「談」，盧校本同。**故時謂妒癡為李益疾。**廣棪案：《文獻通考》「妒」上有「之」字。

案：《舊唐書》益本傳載：「李益，肅宗朝宰相揆之族子。登進士第，長爲歌詩。貞元末，與宋人李賀齊名。每作一篇，爲教坊樂人以賂求取，唱爲供奉歌詞。其〈征人歌〉、〈早行篇〉，好事者畫爲屏障；『迴樂峰前沙似雪，受降城外月如霜』之句，天下以爲歌詞。然少有癡病，而多猜忌，防閑妻妾，過爲苛酷，而有『散灰扃戶』之譚聞於時，故時謂妒癡爲『李益疾』；以是久之不調，而流輩皆居顯位。益不得意，北遊河朔，幽州劉濟辟爲從事，常與濟詩而有『不上望京樓』之句。」可參證。

按：世傳〈霍小玉傳〉，所謂李十郎詩「開簾風動竹，疑是故人來」者，即益也。《舊史》所載如此，豈小玉將死，訣絕之言果驗耶？抑好事者因其有此疾，遂為此說以實之也？

案：蔣防所撰〈霍小玉傳〉，載《太平廣記》卷第四百八十七。其〈傳〉中載：「母謂曰：『汝嘗愛念「開簾風動竹，疑是故人來」，即此十郎詩也。爾終日吟想，何如一見？』」又載：「玉乃側身轉面，斜視生良久，遂舉杯酒酹地曰：『我爲女子，薄命如斯。君是丈夫，負心若此。韶顏稚齒，飲恨而終。慈母在堂，不能供養。綺羅絃管，從此永休。徵痛黃泉，皆君所致。李君，李君，今當永訣。我死之後，必爲厲鬼，使君妻妾，終日不安。』乃引左手握生臂，擲盃於地，長慟號哭數聲而絕。」直齋所述殆指此。

孟東野集一卷

《孟東野集》一卷，唐溧陽尉孟郊東野撰。

廣棪案：《解題》卷十六、〈別集類〉上著錄：「《孟東野集》十卷，唐溧陽尉武康孟郊東野撰。惟末卷有書二篇、贊一篇，餘皆詩也。郊，貞元十二年進士。」前者收有書、贊，屬別集；此則詩集也。考《新唐書》卷六十、〈志〉第五十、〈藝文〉四、〈丁部集錄·別集類〉著錄：「《孟郊詩集》十卷。」《郡齋讀書志》同。《宋史》卷二百八、〈志〉第一百六十一、〈藝文〉七、〈別集類〉著錄：「《孟東野詩集》十卷。」疑《解題》著錄卷數有訛誤。

朱放集一卷

《朱放集》一卷，唐右拾遺吳郡朱放長通撰。

廣棪案：《郡齋讀書志》卷第十七、〈別集類〉上著錄：「《朱倣詩》一卷。右唐朱倣字長通，襄陽人。隱居剡溪。嗣曹王皋鎮江西，辟節度參謀。貞元初，召爲拾遺，不就。」是《郡齋讀書志》「朱放」作「朱倣」，「吳郡」人作「襄陽」人，與《解題》不同。《宋史》卷二百八、〈志〉第一百六十一、〈藝文〉七、〈別集類〉著錄：「《朱放詩》二卷。」則所著錄卷數又不同。放，兩《唐書》無傳。《唐才子傳》卷第五有傳，惟稱放「南陽人」，所拜官爲「左拾遺」，而《集》作二卷，均與《解題》異。

按：〈藝文志〉云襄州人，隱居剡谿，貞元初召為右拾遺不就。

案：此處所言之〈藝文志〉，乃指《新唐書·藝文志》。《新唐書》卷六十、〈志〉第五十、〈藝文〉四、〈丁部集錄·別集類〉著錄：「《朱放詩》一卷。字長通，襄州人，隱居剡溪。嗣曹王皋鎮江西，辟節度參謀。貞元初召爲拾遺，不就。」可參證。惟《新唐志》僅稱「召爲拾遺」，未稱「右拾遺」。《郡齋讀書志》與《新唐志》所言，或更可據。

朱灣集一卷

《朱灣集》一卷，館臣案：《唐書‧藝文志》作四卷。唐永平從事朱灣撰。自號滄州，廣棪案：《文獻通考》作「蒼洲」，疑誤。其為從事，李勉辟之也。

廣棪案：《新唐書》卷六十、〈志〉第五十、〈藝文〉四、〈丁部集錄‧別集類〉著錄：「《朱灣詩集》四卷，李勉永平從事。」所著錄卷數不同。《宋史》卷二百八、〈志〉第一百六十一、〈藝文〉七、〈別集類〉著錄：「《朱灣詩》一卷。」與《解題》著錄者應同屬一書。灣，兩《唐書》無傳。《唐才子傳》卷第三、〈朱灣〉載：「灣，字巨川，大曆時隱君也，號滄洲子。率履貞素，潛輝不曜，逍遙雲山琴酒之間，放浪形骸繩檢之外。郡國交徵，不應。工詩，格體幽遠，興用弘深。寫意因詞，窮理盡性，尤精詠物，必含比興，多敏捷之奇。及李勉鎮永平，嘉其風操，厚幣邀來，署為府中從事，日相談讌，分逾骨肉。久之，嘗謁湖州崔使君，不得志，臨發以書別之曰：『灣聞蓬萊山，藏杳冥間，行可到；貴人門，無媒通，不可到。驪龍珠，潛混瀁之淵，或可識；貴人顏，無因而前，不可識。自假道路，問津主人。一身孤雲，兩度圓月；載請執事，三趨戟門。信知庭之與堂，不啻千里。況寄食漂母，夜眠魚舟，門如龍而難登，食如玉而難得？食如玉之粟，登如龍之門，實無機心，翻成機事。漢陰丈人聞之，豈不大笑？屬溪上風便，囊中金貧，望甘棠而歎，自引分而退。灣白。』遂歸會稽山陰別墅。其耿介類如此也。有《集》四卷，今傳。」是灣嘗謁湖州崔使君而不得志者。

麴信陵集一卷

《麴信陵集》一卷，唐望江令麴信陵撰。貞元元年進士。

廣棪案：《新唐書》卷六十、〈志〉第五十、〈藝文〉四、〈丁部集錄‧別集類〉著錄：「《麴信陵詩》一卷。」《宋志》同。《郡齋讀書志》卷第十七、〈別集類〉上著錄：「《麴信陵集》一卷。右唐麴信陵。貞元元年進士。為舒州望江令，卒。」信陵，兩《唐書》無傳。《唐才子傳》卷第五、〈麴信陵〉載：「信陵，貞元元年鄭全濟榜及第，仕為舒州望江縣令，卒。工詩，有《集》一卷。」殊簡略。考洪邁《容齋五筆》卷第七有〈書麴信陵事〉曰：「夜讀白樂天〈秦中吟〉十詩，其〈立碑〉篇云：『我聞望江

縣，麴令撫惸嫠。麴，名信陵。在官有仁政，名不聞京師。身歿欲歸葬，百
姓遮路歧。攀轅不得去，留葬此江湄。至今道其名，男女涕皆垂。無人
立碑碣，唯有邑人知。』予因憶少年寓無錫時，從錢伸仲大夫借書，正
得信陵遺集，財有詩三十三首，〈祈雨文〉三首。信陵以貞元元年鮑防下
及第，爲四人，以六年作望江令。讀其〈投石祝江文〉云：『必也私欲之
求，行於邑里，慘黷之政，施於黎元，令長之罪也。神得而誅之，豈可
移於人以害其歲？』詳味此言，其爲政無愧於神天可見矣。至大中十一
年，寄客鄉貢進士姚鞏，以其文示縣令蕭繽，繽輙俸買石刊之。樂天十
詩，作於貞元元和之際，距其亡十五年耳，而名已不傳。《新唐書‧藝文
志》但記詩一卷，略無它說。非樂天之詩，幾於與草木俱腐。乾道二年，
歷陽陸同爲望江令，得其詩於汝陰，王廉清爲刊板而致之郡庫，但無〈祈
雨文〉也。」可參證。考徐松《登科紀考》卷十二載：「唐德宗神武孝文
皇帝貞元元年乙丑。進士三十三人：鄭全濟狀元。」是容齋謂「信陵以貞
元元年鮑防下及第」，殆誤記。鮑防及第在天寶十二年楊儇榜，見《登科
記考》卷九。

長孫佐輔集一卷

《長孫佐輔集》一卷，唐長孫佐輔撰。按：《百家詩選》云：「德宗時
人，其弟公輔為吉州刺史，往依焉。」當必有所據也。其詩號《古調
集》。

> 廣棪案：《新唐書‧藝文志》、《宋史‧藝文志》均未著錄此書。佐輔，兩《唐
> 書》無傳。《唐詩紀事》卷第四十「長孫佐輔」條載：「佐輔，德宗時人，
> 弟公輔爲吉州刺史，佐輔往依焉。」《唐才子傳》卷第五、〈長孫佐輔〉載：
> 「佐輔，朔方人。舉進士下第，放懷不羈。弟公輔，貞元間爲吉州刺史，
> 遂往依焉。後卒不宦，隱居以求志。然風流醞藉，一代名儒。詩格詞情，
> 繁縟不雜，卓然有英邁之氣。每見其擬古樂府數篇，極怨慕傷感之心，如
> 水中月，如鏡中相，言可盡而理無窮也。《集》今傳。」《全唐詩》卷四百
> 六十九、「長孫佐輔」載：「長孫佐輔，德宗時人。其弟公輔爲吉州刺史，
> 往依焉。其詩號《古調集》，今存十七首。」均可參證。

柳宗元詩一卷

《柳宗元詩》一卷，唐柳宗元撰。

> 廣棪案：此爲直齋鈔出別行之柳詩，僅一卷。考《新唐書》卷六十、〈志〉第五十、〈藝文〉四、〈丁部集錄·別集類〉著錄：「《柳宗元集》三十卷。」《通志略》、《宋志》同。《郡齋讀書志》卷第十七、〈別集類〉上著錄：「《柳宗元集》三十卷，《集外文》一卷。」是柳《集》凡三十卷。宗元字子厚，《舊唐書》卷一百六十、〈列傳〉第一百一十下，《新唐書》卷一百六十八、〈列傳〉第九十三有傳。

子厚詩在唐與王摩詰、韋應物相上下，頗有陶、謝風氣，古律、絕句總一百四十五篇，在全集中不便於觀覽，因鈔出別行。

> 案：《文獻通考》卷二百四十二、〈經籍考〉六十、〈集詩集〉「《柳宗元詩》一卷」條下引蘇東坡曰：「蘇、李之天成，曹、劉之自得，陶、謝之超然，固已至矣。而杜子美、李太白以英偉絕世之資，凌跨百代，古之詩人盡廢。然魏、晉以來，高風絕塵亦少衰矣。李、杜之後，詩人繼出，雖有遠韻，而才不逮意。獨韋應物、柳子厚，發纖穠於簡古，寄至味於淡泊，非餘子所及也。唐末司空圖崎嶇兵亂之間，而得詩人高雅，獨有承平之遺風。其論詩曰：『梅止於酸，鹽止於鹹，飲食不可無鹽梅，而其美常在於鹹酸之外。』可以一唱而三歎也。子厚詩在陶淵明下，韋蘇州上。退之豪放奇險則過之，而溫麗靖深不及也。所貴於枯淡者，謂外枯而中膏，似淡而實美，淵明、子厚之流是也。若中邊皆枯，亦何足道。佛言譬如食蜜，中邊皆甜，人食五味，知其甘苦者皆是；能分別其中邊者，百無一也。」可參證。

張籍集三卷

《張籍集》三卷，<small>館臣案：《唐書·藝文志》作七卷。</small>，唐國子司業張籍文昌撰。

> 廣棪案：《新唐書》卷六十、〈志〉第五十、〈藝文〉四、〈丁部集錄·別集類〉著錄：「《張籍詩集》七卷。」《崇文總目》同。<small>錢東垣輯釋本。</small>《郡齋讀書志》卷第十七、〈別集類〉上著錄：「《張籍詩集》五卷。」《宋史》卷二百八、〈志〉第一百六十一、〈藝文〉七、〈別集類〉著錄：「《張籍集》

十二卷。」是此書板本頗多，分卷多寡亦不同。三卷本尚流傳，黃丕烈《蕘圃藏書題識》卷七、〈集類〉一著錄：「《張司業詩集》三卷，宋刊本。『宋刻《張司業集》有二：一本八卷，一本上中下三卷，而要以八卷爲勝。《百家唐詩》中所刻一卷，僅三卷中之下卷耳，其爲可笑如此。予既別鈔北宋本，復借遵王南宋本補此二卷，聞此外尚有《木鐸集》，惜無從一見之也。辛丑六月十一日，貽典識。』按敕先〈跋〉謂宋刻《張司業集》有三本，除此三卷及八卷本，當即《通考》所載《張籍詩集》五卷也。《木鐸集》凡十二卷，直齋陳氏云，然未之見也。近獲湯中季庸以諸本校定爲《張司業集》八卷本，魏峻叔高又得《木鐸集》，凡他本所無者，皆附其末。并八卷，爲勝之矣。復翁識。」是丕烈猶及見宋刊三卷本。籍字文昌，和州烏江人。《舊唐書》卷一百六十下、〈列傳〉第一百一十下有傳，《新唐書》卷一百七十六、〈列傳〉第一百一附〈韓愈〉。《舊唐書》本傳載：「張籍者，貞元中登進士第。性詭激，能爲古體詩，有警策之句，傳於時。調補太常寺太祝，轉國子助教、秘書郎。以詩名當代，公卿裴度、令狐楚，才名如白居易、元稹，皆與之遊，而韓愈尤重之。累授國子博士、水部員外郎，轉水部郎中，卒。世謂之張水部云。」闕載除國子司業，《新唐書》、《唐詩紀事》亦然。惟《郡齋讀書志》記其「終國子司業」，《唐才子傳》同。

川本作五卷。

　　案：《郡齋讀書志》卷第十七、〈別集類〉上著錄：「《張籍詩集》五卷。右唐張籍文昌也。和州人。貞元十五年登進士第。終國子司業。籍性狷急，爲詩長於樂府，多警句。元和中，與白樂天、孟東野相酬唱，天下宗之，謂之『元和體』云。其《集》五卷，張洎爲之編次。」是《郡齋讀書志》著錄者乃川本。

木鐸集十二卷

《木鐸集》十二卷，張洎所編。錢公輔名《木鐸集》，與他本相出入，亦有他本所無者。

　　廣校案：《宋史》卷二百八、〈志〉第一百六十一、〈藝文〉七、〈別集類〉著錄：「《張籍集》十二卷。」應即此書。《四庫全書總目》卷一百五十、

〈集部〉三、〈別集類〉著錄：「《張司業集》八卷，安徽巡撫採進本。唐張籍撰。……其《集》爲張洎所編。洎〈序〉稱：『自丙午至乙丑相次綴輯，得四百餘篇。』考丙午爲南唐李昪昇元元年，當晉開運三年。乙丑爲宋乾德二年。蓋洎搜茸二十年始成完本，亦云勤矣。陳振孫《書錄解題》云：『張洎所編籍詩，名《木鐸集》，凡十二卷。』『近世湯中季庸以諸本校定爲《張司業集》八卷，刻之平江。』此本爲明萬曆中和州張尙儒與張孝祥《于湖集》合刻者。尙儒稱購得河中劉侍御本，又參以朱蘭嵎太史金陵刊本，得詩四百四十九首，并錄〈與韓昌黎書〉二首，訂爲八卷。則已非張洎、湯中之舊。然其數不甚相遠，似乎無所散佚也。」今人萬曼《唐集敘錄‧張司業集》載：「比較流行的，是張洎編的《木鐸集》，凡十二卷，陳振孫云：『張洎所編，錢公輔名《木鐸集》，與他本相出入，亦有他本所無者。』張洎〈張司業集序〉云：『自皇朝多故，薦經離亂，公之遺集，十不存一。予自丙午歲（946）迨至乙丑歲（965）相次輯綴，僅得四百餘篇，藏諸篋笥，餘則便俟博訪，以廣其遺闕云爾。』張洎（933～996）是宋初人，他所說的皇朝是指南唐說的，而丙午至乙丑，張洎也是仕於南唐李煜朝，尙未入宋，所以他編的這個本子，顯是流行於江南的《張籍歌詩》，但《郡齋讀書志》著錄的五卷本，亦云張洎編，與此十二卷的《木鐸集》，異同如何，乃不能明。」可供參證。張洎字師黯，改字偕仁，南譙人。《十國春秋》卷第三十、〈南唐〉十六有傳。錢公輔，字君倚，常州武進人。《宋史》卷三百二十一、〈列傳〉第十八有傳。

張司業集八卷、附錄一卷

《張司業集》八卷、《附錄》一卷，湯中季庸以諸本校定，且考訂其爲吳郡人。魏峻叔高刻之平江，續又得《木鐸集》，凡他本所無者，皆附其末。

廣棪案：黃丕烈《蕘圃藏書題識》卷七、〈集類〉一著錄：「《張司業詩集》八卷，舊鈔本。《張司業詩集》，余所藏三卷本係影宋本，續又借試飮堂顧氏藏陸敕先手校本臨校一過。頃書友以八卷本舊鈔者示余，取對前本，知八卷爲勝，方信顧本陸敕先〈跋〉以爲八卷最勝者，果不誣矣。三卷中詩，此皆有之。而諸體中閒有多於彼者，此所以爲勝也。其聯句、拾

遺、附錄，皆八卷所錄爲獨迴，與三卷本不同矣。至於古色古香，人所共愛，余又無庸贅言。嘉慶癸酉春三月三日，復翁識。」萬曼《唐集敘錄·張司業集》載：「後來又有番陽湯中的《張司業集》八卷，《附錄》一卷本。陳振孫：『湯中季庸以諸本校定，且考訂其爲吳郡人，魏峻叔高刻之平江，續又得《木鐸集》，凡他本所無者，皆附其末。』湯中記云：『司業詩集，世所傳者，歷陽、盱江二本，編次不倫，字亦多誤。余家藏元豐八年（1085）寫本，以樂府首卷，絕句繫後，既有條理，古詩亦多二本十數首。今合三本校定八卷，復錄退之、樂天、夢得酬贈諸篇附後，差完善可觀。』此本似綜合了各本而成，篇什最多，從此這個八卷本就成爲以後諸刻的祖本了。」可參證。考湯中，《宋史》無傳。《宋元學案》卷八十四、〈存齋晦庵息庵學案·柴眞門人_{詹氏再傳}·通直陽存齋先生千_{父德威}、郡守湯晦庵先生巾、侍郎湯息庵先生中_{合傳}〉載：「中，字季庸，寶慶進士，與先生_{廣棪案：指湯千。}並師柴憲敏公中行，繼又並事西山。……季庸官司諫，至工部侍郎。」魏峻，《宋史》無傳。范成大《吳郡志》卷十一、〈牧守〉載：「魏峻，朝散大夫、集英殿修撰知平江府，兼兩淮浙西發運副使，節制許浦都統司水軍，淳祐四年四月二十六日到任，八月以經筵徽章轉朝請大夫。五年四月，御筆除寶章閣待制，賜帶。八月，招羅及數轉朝議大夫。十二月，磨勘傳中奉大夫。六年，又以招羅轉中大夫。三月十三日御筆除刑部侍郎。」是則此書乃峻刻於淳祐四年（1244）四月至八月知平江府時。

王建集十卷

《王建集》十卷，唐陝州司馬王建仲和撰。建長於樂府，與張籍相上下，大曆十年進士也。_{廣棪案：《文獻通考》無「也」字。}歷官昭應縣丞，太和中爲陝州司馬。尤長宮詞。_{廣棪案：盧校注：「歷官昭應縣丞」以下元本無。}

廣棪案：《新唐書》卷六十、〈志〉第五十、〈藝文〉四、〈丁部集錄·別集類〉著錄：「《王建集》十卷，_{大和陝州司馬。}」《宋志》同。《郡齋讀書志》卷第十七、〈別集類〉上著錄：「《王建詩》十卷。右唐王建也。大曆十年進士。爲昭應縣丞，太府寺丞。大和中，陝州司馬。尤長宮詞。」可參證。《崇文總目》卷五、〈別集類〉三：「《王建詩》二卷。」_{錢東垣}

輯釋本。應爲不全本。建，兩《唐書》無傳。《唐才子傳》卷第四、〈王建〉載：「建，字仲初，潁川人。大曆十年丁澤榜第二人及第，釋褐授渭南尉，調昭應縣丞。諸司歷薦，遷大府寺丞、祕書丞、侍御史。大和中，出爲陝州司馬。從軍塞上，弓劍不離身。數年後歸，卜居咸陽原上。初，遊韓吏部門牆，爲忘年之友，與張籍契厚，唱答尤多。工爲樂府歌行，格幽思遠。二公之體，同變時流。建性耽酒，放浪無拘。宮詞特妙前古。」可參考。建長宮詞，《文獻通考》卷二百四十三、〈經籍考〉六十九、〈集詩集〉「《王建集》十卷」條下引〈舊跋〉：「王建，太和中爲陝州司馬，與韓愈、張籍同時，而籍相友善。工爲樂府、歌行，思遠格幽。初爲渭南尉，與宦者王守澄有宗人之分，因過飲相譏戲，守澄深憾曰：『吾弟所作宮詞，禁掖深邃，何以知之？將奏劾。』建因以詩解之曰：『先朝行坐鎮相隨，今上春宮見長時。脫下御衣偏得著，進來龍馬每教騎。嘗承密旨還家少，獨奏邊情出殿遲。不是當家頻向說，九重爭遣外人知。』事遂寢。宮詞凡百絕，天下傳播，倣此體者雖有數家，而建爲之祖也。」是其證。

王建宮詞一卷

《王建宮詞》一卷，即《集》中第十卷錄出別行。

　　廣棪案：高儒《百川書志》卷之十四、〈集・唐〉著錄：「《王建宮詞》一卷，陝西司馬王建仲和撰，凡百首，爲宮詞之祖。」考《唐詩紀事》卷第四十四、「王建」下注：「宮詞一百。」所錄宮詞，疑出此本。

李長吉集一卷

《李長吉集》一卷，館臣案：《唐書・藝文志》作五卷，《文獻通考》亦云《集》四卷、《外集》一卷。唐奉禮郎李賀長吉撰。

　　廣棪案：《新唐書》卷六十、〈志〉第五十、〈藝文〉四、〈丁部集錄・別集類〉著錄：「《李賀集》五卷。」《郡齋讀書志》卷第十八、〈別集類〉中著錄：「《李賀集》四卷、《外集》一卷。右唐李賀字長吉，鄭王之孫。七歲能辭章，韓愈、皇甫湜聞之，過其家，使賦詩，援筆輒就，自目曰《高軒過》，二人大驚。年二十七，終協律郎。賀詞尚奇詭，爲詩未始先

立題，所得皆警邁，遠去筆墨畦逕，當時無能效者。樂府十數篇，雲韶工合之絃管云。或說賀卒後，為不相悅者盡取其所著投圊中，以故世傳者不多。《外集》予得之梁子美家。姚鉉頗選載《文粹》中。」《宋志》同。《解題》作一卷，如非著錄有誤，則直齋所藏者乃不全之本。賀，《舊唐書》卷一百三十七、〈列傳〉第八十七，《新唐書》卷二百三、〈列傳〉第一百二十八、〈文藝〉下有傳。惟均稱賀為協律郎，《解題》稱「奉禮郎」，蓋據李商隱所作〈李賀小傳〉。

賀不壽，仕不顯，而世多喜言其人，此不復敘。_{廣棪案：盧校本「敘」作「序」。}
案：《唐詩紀事》卷第四十三「李賀」條引杜牧序其《文集》云：「賀字長吉，元和中，韓吏部亦頗道其歌詩。雲煙綿聯，不足為其態也。水之迢迢，不足為其情也。春之盎盎，不足為其和也。秋之明潔，不足為其格也。風檣陣馬，不足為其勇也。瓦棺篆鼎，不足為其古也。時花美女，不足為其色也。荒國陊殿，梗莽丘壠，不足為其恨怨悲愁也。鯨呿鼇擲，牛鬼蛇神，不足為其虛荒幻誕也。蓋〈騷〉之苗裔，理雖不及，辭或過之。〈騷〉有感怨刺懟，言及君臣理亂，時有以激發人意。乃賀所為，無得有是。賀能探尋前事，所以深嘆恨今古未嘗經道者。如〈金銅仙人辭漢歌〉、〈補梁庾肩吾宮體謠〉，求取情狀離絕，遠去筆墨畦逕間，亦殊不能知之。賀生二十七年死矣，世皆曰：『使賀且未死，少加以理，奴僕命〈騷〉可也』。」又引李商隱作〈賀小傳〉云：「京兆杜牧為李長吉〈序〉，狀長吉之奇甚盡，世傳之。長吉姊嫁王氏者，語長吉之事尤備。長吉細瘦，通眉，長指爪，能苦吟疾書。最先為昌黎韓愈所知，所與遊者王參元、楊敬之、權璩、崔植為密。每旦日出與諸公游，未嘗得題然後為詩，如他人思量牽合以及程限為意。常從小奚奴，騎距驢，背一古破錦囊，遇有所得，即書投囊中。及暮歸，太夫人使婢采囊出之，見所書多，輒曰：『是兒要當嘔出心始已耳！』上燈與食，長吉從婢取書，研墨疊紙，足成之，投他囊中，非大醉及弔喪日，率如此。過亦不復省，王、楊輩時復來探取寫去。長吉往往獨騎往京洛，所至或時有著，隨棄之，故沈子明家所餘四卷而已。長吉將死時，忽晝見一緋衣人，駕赤虬，持一版書，若太古篆，或霹靂石文者，云當召長吉。長吉了不能讀，欻下榻叩頭：言阿䍐_{長吉學語時，呼太夫人云。}老且病，賀不願去。緋衣人笑曰：『帝

成白玉樓，立召君爲記，天上差樂，不苦也。』長吉獨泣，邊人盡見之。
少之，長吉氣絕。常所居窗中，焞焞有煙氣，聞行車嘒管之聲。太夫人急
止人哭，待之如炊五斗黍許時，長吉竟死。王氏姊非能造作謂長吉者，
實所見如此。嗚呼！天蒼蒼而高也，上果有帝也耶！帝果有苑囿宮室觀
閣之玩耶？苟信然，則天之高邈，帝之尊嚴，亦宜有人物文彩愈此世者，
何獨眷眷於長吉，而使其不壽耶？噫！又豈世所謂才而奇者，不獨地上
少，即天上亦不多耶？長吉生二十七年，位不過奉禮太常，當時人亦多
排擯毀斥之，又豈才而奇者，帝獨重之，而人反不重耶？又豈人見會勝
帝耶？」《解題》所謂「世多喜言其人」，殆指杜、李二文耶？

盧仝集三卷

《盧仝集》三卷，唐處士洛陽盧仝撰。自號玉川子。

　　廣棪案：《新唐書》卷六十、〈志〉第五十、〈藝文〉四、〈丁部集錄・別
集類〉著錄：「《玉川子詩》一卷。盧仝。」《崇文總目》同。錢東垣輯釋本。
《郡齋讀書志》卷第十八、〈別集類〉中著錄：「《盧仝詩》一卷。右唐
盧仝，范陽人。隱少室山，號玉川子，徵諫議不起。《唐史》：『韓愈爲
河南令，愛其詩，厚禮之。嘗作〈月蝕詩〉，以譏元和逆黨，愈稱其工。』
按其詩云元和庚寅，蓋五年也。憲宗遇弒在十五年，後十歲也。豈追託
庚寅歲事爲詩乎？不然，則史誣也。後死於甘露之禍。」是《新唐志》
等所著錄之本與《解題》不同。考《百川書志》卷之十四、〈集・唐〉
著錄：「《盧仝詩》二卷、《別集》一卷，洛陽人，號玉川子。詩總一百
四首。」應與《解題》爲同一書。仝，《新唐書》卷一百七十六、〈列傳〉
第一百一附〈韓愈〉，載：「盧仝居東都，愈爲河東令，愛其詩，厚禮之。
仝自號玉川子，嘗爲〈月蝕詩〉以譏切元和逆黨，愈稱其工。」可參證。

其詩古怪，而〈女兒集〉、廣棪案：《文獻通考》「集」作「曲」，盧校本同。〈小
婦吟〉、〈有所思〉諸篇，輒嫵媚豔冶。

　　案：《唐詩紀事》卷第三十五、「盧仝」載〈有所思〉、〈樓上女兒曲〉二
詩，其〈有所思〉云：「當時我醉美人家，美人顏色嬌如花。今日美人棄
我去，青樓珠箔天之涯。娟娟常娥月，三五二八盈又缺。翠眉蟬鬢生別
離，一望不見心斷絕。心斷絕，幾千里。夢中醉臥巫山雲，覺來淚滴湘

江水。兩岸花木深，美人不見愁人心。含愁更奏綠綺琴，調高絃絕無知音。美人兮美人，不知為暮雨兮為朝雲？相思一夜梅花發，忽到窗前疑是君。」其〈樓上女兒曲〉云：「誰家女兒樓上頭，指揮婢子掛簾鉤。林花撩亂心之愁，卷卻羅袖彈箜篌。箜篌歷亂五六絃，羅袖掩面啼向天。相思絃斷情不斷，落花紛紛心欲穿。心欲穿，憑欄杆。相憶柳條綠，相思錦帳寒。直緣感君恩愛一迴顧，使我雙淚長珊珊。我有嬌壓待君笑，我有嬌娥待君掃。鶯花爛熳君不來，及至君來花已老。心腸寸斷誰得知，玉階羃歷生青草。」至其〈小婦吟〉，則見《全唐詩》卷三百八十八、「盧仝」。〈小婦吟〉云：「小婦欲入門，隈門勻紅妝。大婦出門迎，正頓羅衣裳。門邊兩相見，笑樂不可當。夫子於傍聊斷腸，小婦哆哆上高堂。開玉匣，取琴張。陳金罍，酌滿觴。願言兩相樂，永與同心事我郎。夫子於傍剩欲狂。珠簾風度百花香，翠帳雲屏白玉牀。啼鳥休啼花莫笑，女英新喜得娥皇。」三詩皆嫵媚艷冶，讀之令人骨蝕魂銷。

其第三卷號《集外詩》，凡十首。

案：陸心源《皕宋樓藏書志》卷七十、〈集部・別集類〉四著錄：「《盧仝詩集》二卷、《集外詩》一卷，舊抄本。唐盧仝撰。陸焞跋。」皕宋樓所藏，應即此書之舊抄本。

慶曆中有韓盈者為之〈序〉。廣棪案：盧校本「盈」作「益」。校注曰：「館本『盈』，《通考》同。」

案：傅增湘《藏園群書經眼錄》卷十二、〈集部〉一、〈唐五代別集類〉著錄：「《盧仝詩集》二卷、《集外詩》一卷，唐盧仝撰。舊寫本，十一行二十一字。盧抱經文弨以朱筆校正，題：『乾隆丙午四月二十一日杭東里人盧文弨校閱。』卷一末。又錄佚詩四首，自《全唐詩》出，盧批云：『殊不似玉川。』《集外詩》前有韓盈〈序〉。後有翻宋刻本五行誌語，均與《唐百家詩》本同，不復錄。（辛巳八月二十三日友仁堂送閱。）」是則《集外詩》前確有韓盈〈序〉。盈，《宋史》無傳。《宋會要輯稿》第一百二十冊、〈選舉〉三四之四七載：「（嘉祐）六年五月七日，舍人院試諸州敦遣進士。徐州顏復、成都府章襢、潤州焦千之、開封府韓盈、荊南府樂京、許州辛麗、大名府李抃，策論第三等下，賜進士出身。」是則盈乃開封人，嘉祐六年賜進士出身。盈所撰〈序〉，今未見。

川本止前二卷。

案：《四川省古籍善本聯合目錄》卷四、〈集部‧別集類‧唐五代〉著錄：「《盧仝詩集》二卷，唐盧仝撰。明鈔本。省圖。」是四川省圖書館所藏之明鈔本，疑即據川本。

劉叉集二卷

《劉叉集》二卷，唐處士劉叉撰。館臣案：《唐書》附見〈韓愈傳〉者，乃劉叉也。作〈冰柱〉、〈雪車〉二詩，出盧仝、孟郊右。有《集》二卷。原本作「劉義」，今改正。附見《新史‧韓愈傳》。廣校案：《文獻通考》以上作「凡二卷，又附見《新史‧韓愈傳》。」不知何處人，但云「歸齊、魯，不知所終」而已。廣校案：《文獻通考》無此句。其〈冰柱〉、〈雪車〉二詩，狂怪誠出盧仝右，然豈風人之謂哉？

廣校案：《新唐志》未著錄此書。《郡齋讀書志》卷第十八、〈別集類〉中著錄：「《劉叉詩》一卷。」《宋志》同。疑《解題》之「二卷」乃「一卷」之訛。館臣案語謂「有《集》二卷」，未言所據。又，《新唐書》卷一百七十六、〈列傳〉第一百一、〈韓愈〉載：「劉叉者，亦一節士。少放肆爲俠行，因酒殺人亡命。會赦，出，更折節讀書，能爲歌詩。然恃故時所負，不能俛仰貴人，常穿屨、破衣。聞愈接天下士，步歸之，作〈冰柱〉、〈雪車〉二詩，出盧仝、孟郊右。樊宗師見，爲獨拜。能面道人短長，其服義則又彌縫若親屬然。後以爭語不能下賓客，因持愈金數斤去，曰：『此諛墓中人得耳，不若與劉君爲壽。』愈不能止，歸齊、魯，不知所終。」《郡齋讀書志》著錄：「《劉叉詩》一卷。右唐劉叉也。少嘗任俠殺人，後更折節讀書，善歌詩，客韓愈門，作〈冰柱〉、〈雪車〉二詩，出盧仝、李賀右。歸齊、魯，不知所終。今《集》二十餘篇爾，不載二詩。」可參證。〈冰柱〉、〈雪車〉二詩，見《全唐詩》卷三百九十五、「劉叉」項下。詩長不錄。

楊少尹集五卷

《楊少尹集》五卷，館臣案：《唐書‧藝文志》、《文獻通考》俱作一卷。唐河南少尹楊巨源景山撰。廣校案：《文獻通考》以上作「凡五卷」。

廣校案：《新唐書》卷六十、〈志〉第五十、〈藝文〉四、〈丁部集錄‧別

集類〉著錄：「《楊巨源詩》一卷，字景山，大和河中少尹。」《郡齋讀書志》卷第十七、〈別集類〉上著錄：「《楊巨源詩》一卷。右唐楊巨源字景山，河中人。貞元五年第進士，爲張弘靖從事，自祕書郎擢太常博士，遷禮部員外郎。出爲鳳翔少尹，復召除國子司業。巨源在元和中，詩韻不造新語，體律務實，用功頗深。且暮搖首，微詠不輟，年老成疾。嘗贈弘靖詩，敍其世家云：『伊陟無聞祖，韋賢不到孫。』時人稱之。年滿七十，乞歸。時宰惜其去，使爲其鄉少尹，不絕其祿。大和時，以官壽卒。」《宋志》同。直齋所得者乃五卷本，與一卷本有別。巨源，兩《唐書》無傳。《唐才子傳》卷第五、〈楊巨源〉載：「巨源，字景山，蒲中人。貞元五年劉太眞下第二人及第。初爲張弘靖從事，拜虞部員外郎，後遷太常博士、國子祭酒。大和中爲河中少尹，入拜禮部郎中。巨源才雄學富，用意聲律，細挹得無窮之源，緩有愈雋永之味。長篇刻琢，絕句清冷，蓋得於此而失於彼者矣。有詩一卷，行於世。」可參證。

按：韓退之有〈送楊少尹序〉，蓋自司業爲少尹。稱其都少尹者，乃其鄉里也。

案：韓愈〈送楊少尹序〉曰：「昔疏廣、受二子，以年老，一朝辭位而去，於時公卿設供，張祖道都門外。車數百兩，道路觀者多歎息泣下，共言其賢。《漢史》既傳其事，而後世工畫者又圖其跡，至今照人耳目，赫赫若前日事。國子司業楊君巨源，方以能詩訓後進，一旦以年滿七十，亦白丞相去歸其鄉。世常說古今人不相及，今楊與二疏，其意豈異也？予忝在公卿後，遇病不能出，不知楊侯去時，城門外送者幾人，車幾兩，馬幾匹，道旁觀者亦有歎息，知其爲賢以否？而太史氏又能張大其事，爲傳繼二疏踪跡否？不落莫否？見今世無工畫者，而畫與不畫，固不論也。然吾聞楊侯之去，丞相有愛而惜之者，白以爲其都少尹，不絕其祿，又爲歌詩以勸之。京師之長於詩者，亦屬而和之。又不知當時二疏之去，有是事否？古今人同不同，未可知也。中世士大夫以官爲家，罷則無所於歸。楊侯始冠，舉於其鄉，歌〈鹿鳴〉而來也。今之歸，指其樹曰：『某樹，吾先人之所種也。某水、某邱，吾童子時所釣遊也。』鄉人莫不加敬，誠子孫以楊侯不去其鄉爲法，古之所謂鄉先生，沒而可祭於社者，其在斯人歟！」可參證。

〈藝文志〉乃云太和河中少尹，誤。_{館臣案：}《唐詩紀事》：「楊巨源，蒲州人，為國子司業時，年滿七十，丐歸，時宰惜其去，署以為其都少尹，不絕其祿。張籍有〈送楊少尹赴河中〉詩，云「官為本府當身榮，因得還鄉任野情」，則為河中少尹無疑。陳氏稱河南少尹，反以河中為誤，非也。又考韓愈〈送楊少尹序〉，乃在長慶中，《唐詩紀事》稱為大中時固非，《唐志》稱為太和中，亦疑誤也。

案：館臣案語頗允當。韓愈所撰〈序〉中稱「都少尹」，《新唐書·藝文志》稱「河中少尹」，皆不誤；獨直齋改稱「河南少尹」，未知何據？《郡齋讀書志》亦稱巨源河中人，《唐才子傳》稱蒲中人；孫猛《郡齋讀書志校證》曰：「《唐才子傳》卷五作『蒲中人』，蒲中，即蒲州，亦即河中。張籍有〈送楊少尹赴蒲城〉、〈和裴司空酬蒲城楊少尹〉。」是則稱巨源為蒲中少尹，亦無不可。又考長慶乃唐穆宗年號，太和乃文宗年號，大中乃宣宗年號。巨源既於長慶時以七十致仕歸鄉，韓愈撰〈序〉送之，稱「都少尹」；《郡齋讀書志》記巨源「大和時以官壽卒」，《新唐志》稱「太和河中少尹」；均不誤。惟大中時，巨源已歿多時，故《唐詩紀事》載：「巨源字景山，大中時為河中少尹。」則非。或「大中」乃「大和」之筆誤也。

第三卷末二十餘篇，有目無詩。

案：《全唐詩》卷三百三十三「楊巨源」條，稱巨源「《集》五卷，今編《詩》一卷。」陳伯海、朱易安《唐詩書錄》第三編、〈別集〉「楊巨源」條著錄：「《楊少尹詩集》一卷，_{清席啟㝢輯《唐詩百名家全集》本。}《晚唐楊巨源詩》一卷，_{清龔賢輯《中晚唐詩紀》本。}」是則巨源詩僅存一卷本，其五卷本已無可考。

武元衡集一卷

《武元衡集》一卷，唐宰相武元衡伯蒼撰。_{廣棪案：《文獻通考》作「武元衡《臨淮集》兩卷」。}

廣棪案：《新唐書》卷六十、〈志〉第五十、〈藝文〉四、〈丁部集錄·別集類〉著錄：「《武元衡集》十卷。」《崇文總目》卷五、〈別集類〉三著錄：「《武元衡詩》一卷。」_{錢東垣輯釋本。}《郡齋讀書志》卷第十七、〈別集類〉上著錄：「武元衡《臨淮集》二卷。右唐武元衡伯蒼也。河南人。建中四年進士。元和二年，以門下侍郎、平章事，出為劍南節度。八年，

復秉政。明年，早朝遇盜，爲所害。元衡工五言詩，好事者傳之，被於管絃。嘗夏夜作詩曰：『夜久喧暫息，池臺惟月明。無因駐清景，日出事還生。』翌日遇害。舊有《臨淮集》七卷，此其二也。議者謂唐世工詩宦達者惟高適，達宦詩工者惟元衡。」《宋史》卷二百八、〈志〉第一百六十一、〈藝文〉七、〈別集類〉著錄：「《武元衡詩》三卷。」據上所引，則元衡集，其七卷、十卷本乃全集；其一卷、二卷、三卷本乃詩集。元衡字伯蒼，河南緱氏人，憲宗時爲相。《舊唐書》卷一百五十八、〈列傳〉第一百八，《新唐書》卷一百五十二、〈列傳〉第七十七有傳。

初用莆田李氏本傳錄，後以石林葉氏本校，益以六首，_{廣棪案：《文獻通考》無「以」字。}**及李吉甫唱酬六首。**

案：莆田李氏者，唐江王李元祥之後，拙著《陳振孫之生平及其著述研究》第四章、〈陳振孫之戚友與交游〉第三節、〈陳振孫學術上之友朋〉中嘗考及之。石林葉氏，即葉夢得也。直齋所益之六首，已無法考出。惟李吉甫唱酬之六首，則可略考其端倪。《宋史》卷二百九、〈志〉第一百六十二、〈藝文〉八、〈總集類〉著錄：「《集賢院諸廳壁記》二卷，_{李吉甫、武元衡、常袞題詠集。}」是李吉甫之題詠亦應爲直齋所取。《全唐詩》卷三百十八「李吉甫」條共收四詩，其中三首與元衡相涉，特逐錄如下。其一爲〈癸巳歲吉甫圜丘攝事合於中書後閣宿齋常負忝愧移止於集賢院會門下相公以七言垂寄亦有所酬短章絕韻不足抒意因敘所懷奉寄相公兼呈集賢院諸學士〉，云：「淮海同三入，樞衡過六年。_{原注：後漢牟融六年任職。}廟齋兢永夕，書府會群仙。粉壁連霜曙，冰池對月圓。歲時憂裏換，鐘漏靜中傳。蓬髮顏空老，松心契獨全。贈言因傳說，垂訓在三篇。」其二爲〈夏夜北園即事寄門下武相公〉，云：「結構非華宇，登臨似古原。僻殊蕭相宅，蕪勝邵平園。避暑依南廡，追涼在北軒。煙霞霄外靜，草露月中繁。鵲繞驚還止，蟲吟思不喧。懷君欲有贈，宿昔貴忘言。」其三爲〈九日小園獨謠贈門下武相公〉，云：「小園休沐暇，暫與故山期。樹杪懸丹棗，苔陰落紫梨。舞叢新菊徧，繞格古藤垂。受露紅蘭晚，迎霜白薤肥。上公留鳳沼，冠劍侍清祠。應念端居者，長慚補袞詩。」是則直齋所收吉甫唱酬六首，已得其三矣。第一首詩題之「門下相公」，亦指武元衡，蓋元衡於憲宗時曾二度拜門下侍郎、平章事。

川本作二卷。

案：《郡齋讀書志》著錄武元衡《臨淮集》二卷，或即此本。《唐詩書錄》第三編、〈別集〉著錄：「《臨淮詩集》二卷，清席啓寓《唐詩百名家全集》本。」應與此本同。

張碧歌詩集一卷

《張碧歌詩集》一卷，館臣案：《唐書・藝文志》作《張碧歌行集》二卷。唐張碧太碧撰。〈藝文志〉云貞元時人。

廣棪案：《新唐書》卷六十、〈志〉第五十、〈藝文〉四、〈丁部集錄・別集類〉著錄：「張碧《歌行集》二卷，貞元人。」《崇文總目》同。錢東垣輯釋本。《宋史》卷二百八、〈志〉第一百六十一、〈藝文〉七、〈別集類〉著錄：「《張碧詩》一卷，又《歌行》一卷。」應與《解題》所著錄者為同一書。碧，兩《唐書》無傳。《唐才子傳》卷第五、〈張碧〉載：「碧，字太碧，貞元間舉進士，累不第，便覺三山踮步，雲漢咫尺。初，慕李翰林之高躅，一杯一詠，必見清風，故其名字，皆亦逼似，如司馬長卿希藺相如為人也。天才卓絕，氣韻不凡。委興山水，投閑吟酌，言多野意，俱狀難摹之景焉。有《歌行集》二卷傳世。子瀛。」可參考。

《集》中有〈覽貫休上人詩〉，或勒入之也。

案：《全唐詩》卷四百六十九及卷八百八十三、〈補遺〉二「張碧」條下未收此首。

陳羽集一卷

《陳羽集》一卷，唐東宮衛佐陳羽撰。

廣棪案：《新唐志》未著錄此書。《宋史》卷二百八、〈志〉第一百六十一、〈藝文〉七、〈別集類〉著錄：「《陳羽詩》一卷。」與此同。羽，兩《唐書》無傳。《唐才子傳》卷第五、〈陳羽〉載：「羽，江東人。貞元八年，禮部侍郎陸贄下第二人登科，與韓愈、王涯等共為龍虎榜。後仕歷東宮衛佐。羽工吟，與靈一上人交游唱答。寫難狀之景，了了目前；含不盡之意，皎皎言外。如〈自遣詩〉云：『稚子新能編筍笠，山妻舊解補荷衣。

秋山隔岸清猿叫，湖水當門白鳥飛。』此景何處無之，前後誰能道者？二十八字，一片畫圖，非造次之謂也。警句甚多，有《集》傳於世。」可參考。

貞元八年陸贄下第二人。

案：《登科記考》卷十三「唐德宗神武孝文皇帝」條載：「貞元八年壬申，進士二十三人：賈稜，狀元。陳羽。」是此年賈稜為榜首，羽為第二人。

《登科記考》同卷「貞元八年壬申」上引文續載：「知貢舉：兵部侍郎陸贄。」是《解題》此條「陸贄」名上應加「兵部侍郎」四字。《唐才子傳》稱「禮部侍郎」，誤。

羊士諤集一卷

《羊士諤集》一卷，廣棪案：《文獻通考》作「士鶚」，誤。唐侍御史羊士諤撰。貞元元年進士。廣棪案：《文獻通考》闕以上二句。竇群引為御史，廣棪案：《文獻通考》「為」上有「士鶚」二字。共傾李吉甫者也。

廣棪案：《新唐志》未著錄此書。《郡齋讀書志》卷第十七、〈別集類〉上著錄：「《羊士諤詩》一卷，右唐羊士諤也。貞元元年，擢進士第。順宗時，為宣歙巡官，王叔文惡之，貶汀州寧化尉。元和初，李吉甫知獎，擢監察御史，掌制誥。嘗出為資州刺史。」《宋志》著錄卷數同。士諤，兩《唐書》無傳。《唐才子傳》卷第五、〈羊士諤〉載：「士諤，貞元元年禮部侍郎鮑防下進士。順宗時，累至宣歙巡官。王叔文所惡，貶汀州寧化尉。元和初，宰相李吉甫知獎，擢為監察御史，掌制誥。後以與竇群、呂溫等誣論宰執，出為資州刺史。士諤工詩，造妙《梁選》，作皆典重。早歲嘗游女几山，有卜築之志。勳名相迫，不遂初心。有《詩集》行於世。」可參證。擢士諤為監察御史者，《郡齋讀書志》與《唐才子傳》均稱李吉甫，《解題》稱竇群，《唐詩紀事》卷第四十三「羊士諤」條下引《順宗實錄》稱呂溫薦，曰：「士諤受知李吉甫，又最善呂溫，薦為御史，終資州刺史。」《順宗實錄》，韓愈撰，加之溫、竇同黨，疑以《順宗實錄》所記最符史實。

鮑溶集五卷

《鮑溶集》五卷，唐鮑溶撰。元和四年進士。

廣梭案：《新唐書》卷六十、〈志〉第五十、〈藝文〉四、〈丁部集錄·別集類〉著錄：「《鮑溶集》五卷。」《郡齋讀書志》卷第十八、〈別集類〉中著錄：「《鮑溶詩》五卷。右唐鮑溶字德源。元和四年中進士第。《集》中有〈別韓博士愈〉詩，云：『不知無聲淚，中感一顧厚。』蓋退之所嘗推激也。張爲謂溶詩氣力宏贍，博識清度，雅正高古，眾才無不備具。曾子固亦愛其詩清約謹嚴而違理者少。因以史館本及歐陽公所藏互校，得二百三十三篇。今本有一百九十二篇，餘逸。」《宋史》卷二百八、〈志〉第一百六十一、〈藝文〉七、〈別集類〉著錄：「《鮑溶歌詩》五卷。」又卷二百九〈志〉第一百六十二、〈藝文〉八、〈總集類〉著錄：「《鮑溶集》六卷。」孫猛《郡齋讀書志》曰：「《鮑溶詩》五卷，袁本『五卷』作『一卷』，《經籍考》卷六十九同原本。按據曾鞏《元豐類藁》卷十一、〈鮑溶詩集目錄序〉云：『宋時鮑溶詩集有不分卷第者，收詩百餘篇，歐陽修所藏；有五卷者，收詩二百篇，史館所藏，原題《鮑防集》，經宋敏求、曾鞏辨覈，斷爲溶集；有鞏取以上兩種合編爲六卷者，收詩二百三十三篇，修藏本有三十三篇爲史館本所無，別爲一卷附於後。』意者，袁本著錄一卷本，殆即不分卷第者，傅增湘嘗有天一閣舊藏明鈔本，疑即此本之傳本。詳《藏園群書題記》卷十二。衢本著錄五卷本，當即五卷本或六卷本之殘本，而後世所傳，更非鞏編原貌，收詩視公武所見又多逸失，如《四庫全書總目》卷一五一著錄本爲一百七十八首，汲古閣本爲一百七十七首。」是則溶《集》宋時及後世，其卷數及各本所收詩之篇數多不相同。溶，兩《唐書》無傳。《唐才子傳》卷第六、〈鮑溶〉載：「溶，字德源。元和四年韋瓘榜第進士，在楊汝士下。時與李端公益少同袍，爲爾汝交。初隱江南山中避地，家苦貧，勁氣不擾。羈旅四方，登臨懷昔，皆古今絕唱。過隴頭古天山大阪，泉水鳴咽，分流四下，賦詩曰：『隴頭水，千古不堪聞。生歸蘇屬國，死別李將軍。細響風凋草，清哀雁入雲。』其警絕大概如此。古詩樂府，可稱獨步。蓋其氣力宏贍，博識清度，雅正高古，眾才無不備具云。卒飄蓬薄宦，客死三川。有《集》五卷，今傳。」可參考。

竇拾遺集一卷

《竇拾遺集》一卷，唐左拾遺扶風竇叔向撰。包何為〈序〉。館臣案：竇叔向《集》，包何為之〈序〉，原本作「包行」，誤，今改正。群、常、牟、庠、鞏，皆其子也。

廣校案：《新唐書》卷六十、〈志〉第五十、〈藝文〉四、〈丁部集錄‧別集類〉著錄：「《竇叔向集》七卷，字遺直，與常袞善。袞為相，用為左拾遺、內供奉，及貶，亦出溧水令。」《宋史》卷二百八、〈志〉第一百六十一、〈藝文〉七、〈別集類〉著錄：「《竇叔向詩》一卷。」頗疑七卷者乃全集，而一卷乃詩集。叔向，《舊唐書》卷一百五十五、〈列傳〉第一百五、〈竇群〉載：「竇群字丹列，扶風平陵人。……父叔向，以工詩稱，代宗朝，官至左拾遺。群兄常、牟，弟鞏，皆登進士第，唯群獨為處士，隱居毗陵，以節操聞。」惟闕竇庠。《新唐書》卷一百七十五、〈列傳〉第一百、〈竇群〉載：「竇群字丹列，京兆金城人。父叔向，以詩自名，代宗時，位左拾遺。兄弟皆擢進士第，獨群以處士客隱毗陵。……兄常、牟，弟庠、鞏，皆為郎，工詞章，為《聯珠集》行於世，義取昆弟若五星然。」是叔向有五子。包何，兩《唐書》無傳。《唐詩紀事》卷第三十二「包何」條載：「何字幼嗣，融之子也。大曆中為起居舍人。」《解題》卷十九、〈詩集類〉上著錄：「《包何集》一卷，唐起居舍人延陵包何幼嗣撰。何，融之子，與弟佶齊名。」惜何所撰〈序〉已佚。

賈長江集十卷

《賈長江集》十卷，唐長江尉范陽賈島閬仙撰。廣校案：《文獻通考》闕此句。

廣校案：《新唐書》卷六十、〈志〉第五十、〈藝文〉四、〈丁部集錄‧別集類〉著錄：「賈島《長江集》十卷。」《崇文總目》錢東垣輯釋本。同。廣校案：《崇文總目》卷五、〈別集類〉三著錄有《賈島小集》三卷。《郡齋讀書志》著錄同。《宋史》卷二百八、〈志〉第一百六十一、〈藝文〉七、〈別集類〉著錄：「《賈島小集》八卷，又《賈島詩》一卷。」與此不同。島，字浪仙，范陽人。文宗時貶長江主簿。《新唐書》卷一百七十六、〈列傳〉第一百一附〈韓愈〉。《解題》作「長江尉」，蓋據王定保《唐摭言》卷十一、「無官受黜」條「謫去乃授長江縣」之語。

韓退之有〈送無本〉詩，即其人也。

案：《全唐詩》卷三百四十、「韓愈」五收有〈送無本師歸范陽〉，小注：「賈島初爲浮屠，名無本。」其詩云：「無本於爲文，身大不及膽。吾嘗示之難，勇往無不敢。蛟龍弄角牙，造次欲手攬。眾鬼囚大幽，下覷襲玄窞音啖。天陽熙四海，注視首不頷。一作頜。頜，低頭也。鯨鵬相摩窣音速。兩舉快一噉。夫豈能必然，固已謝黯黮音啖。狂詞肆滂葩，低昂見舒慘。姦窮怪變得，往往造平澹。蜂蟬碎錦纈，綠池披菡萏。芝英擢荒榛，孤翮起連菼。家住幽都遠，未識氣先感。來尋吾何能，無殊嗜昌歜徂感切。始見洛陽春，桃枝綴紅糝。遂來長安里，時卦轉習坎。愈遷職方員外郎，島來別，時十一月，故云。老懶無鬪心，久不事鉛槧。欲以金帛酬，舉室常顑頷音次。頜。念當委我去，雪霜刻以憯。獰飆攪空衢，天地與頓撼。勉率吐歌詩，慰女別後覽。」可參考。

後返初服，廣棪案：《文獻通考》「初」後無「服」字。盧校本同。舉進士不第。文宗作飛謗，廣棪案：《文獻通考》「作」作「坐」。貶長江。會昌初，以普州參軍卒。館臣案：《唐書》賈島會昌初以普州司倉參軍遷司戶，未受命卒。原本作「晉州」，今改正。本傳所載如此。

案：《新唐書》島本傳載：「島字浪仙，范陽人，初爲浮屠，名无本。來東都，時洛陽令禁僧午後不得出，島爲詩自傷。愈憐之，因教其爲文，遂去浮屠，舉進士。當其苦吟，雖逢值公卿貴人，皆不之覺也。一日見京兆尹，跨驢不避，諕詰之，久乃得釋。累舉，不中第。文宗時，坐飛謗，貶長江主簿。會昌初，以普州司倉參軍遷司戶，未受命卒，年六十五。」可參證。

今遂寧刊本首載〈大中墨制〉云：「比者禮部奏卿風狂，且養疾關外，廣棪案：《文獻通考》「且」上有「遂」字，盧校本同。今卻攜卷軸潛至京城，遇朕微行，聞卿諷詠，觀其志業，可謂屈人，是用顯我特恩，賜卿墨制，宜從短簿，別俟殊科。」與〈傳〉所稱誹謗不同。廣棪案：《文獻通考》「誹謗」作「飛謗」。蓋宣宗好微行，小說載島應對忤旨，好事者撰此〈制〉以實之，安有微行而顯著訓詞者？首稱「奏卿風狂」，尤為可笑，當以本傳為正，本傳亦據〈墓志〉也。唐貴進士科，故〈誌〉言責授長江，如溫飛卿亦謫方城尉，當時為鄉貢進士不博上州刺史則簿尉，廣棪案：《文獻通考》「為」作「謂」，盧校本同。固宜謂之責授。若使今世進士得罪而責授簿尉，則惟恐責之不早耳。

案：陸心源《皕宋樓藏書志》卷六十九、〈集部・別集類〉三著錄：「《長江集》十卷，_{陸敕先校宋本。}唐司戶參軍賈島浪仙撰。唐宣宗賜賈島〈墨敕〉。」是則陸敕先所校之宋本疑即《解題》所云之「遂寧刊本」。《皕宋樓藏書志》附載王遠〈跋〉云：「右〈大中墨敕〉九十四字，舊刻石祠堂中，《唐書》作〈傳〉云：『文宗時，坐飛謗貶長江主簿。會昌初，以普州司倉遷司戶參軍。』〈墓誌〉亦記罹飛謗解褐，責授長江簿，會昌癸亥終於普州官舍。蘇絳當時人，〈誌〉必不差。《摭言》載武宗時謫去，尤非也。然則大中恐是大和字，今不敢輒改，以俟知者辨之。王遠謹跋。」太和，文宗年號；大中，宣宗年號。是王遠疑此〈墨制〉乃文宗〈太和墨制〉而非大中墨制。《皕宋樓藏書志》王遠〈跋〉後附王遠〈後序〉一篇，其〈後序〉曰：「浪軒以詩鳴世，傑出於貞元、元和文章極盛之後。孟郊死，爲之不已，其詩與郊分鑣並馳，峭直刻深，羈燕客思，春愁秋怨，讀之令人愛其工，憐其志，如聽燕、趙之悲歌，蛾眉之曼聲，秦、楚之哭，荊山之泣也。大抵士之不遇，阨窮罹謗，齗齗頓挫，身可擯而志不可奪，勢可壓而氣不可屈；及其發也，有至於怒髮裂眥而不可撟者。故行吟澤畔，仰天嗚嗚，欲其爲和鸞佩旗之音，不可得也。予每讀二子之詩而悲。又嘗見韓吏部所贈之篇，極道其騫涵滂葩，低昂舒慘，引而發之，將以取信於天下後世。譬之鴻鵠，羽翼既成，必假天風始致千里。東野與吏部聯句之作，間見層出，物迎縷解，欲罷不能，人無異論。浪仙攜新文詣韓公，途中云：『袖有新詩成，欲見張韓老。青竹未生翼，一步萬里道。安得西北風，身願變蓬草。』然則士有未効之用，身在無譽之間，非附青雲之士，何以成名哉？二子所以拳拳於韓門而不去，韓公亦以樂得天下英材，與之周旋而不倦也，此又不可不知也。浪仙，范陽人，數千里貶官，佐邑於此，遷普州司倉參軍以卒，猶目其平生詩曰《長江集》，蓋仲卿之志，在於桐鄉，意其千秋百世之後，精爽靈游，長在乎明月之山、凡水之湄也。邑有祠堂，典刑依然。前主簿闤游君虞臣，好古攻書，探他山之石，爲十五碑，盡書其三百七十九篇，未訖工而去。予倦游就養子舍，適縣尹嘉祥衛君京督成其事，因以舊傳〈墨制〉，及蘇絳所撰〈墓志銘〉、《唐書》本傳、與韓公昌黎〈送行詩〉併刻之，本末備具，可爲無窮之傳。以〈後序〉見屬，復取僕初到縣謁君祠堂之詞繼之，將俟知者一觀焉。紹興二年、壬子歲、閏四月辛卯朔，朝議大夫、提舉江州太平觀，平陽王遠序。」可參考。

姚少監集十卷

《姚少監集》十卷，唐秘書少監姚合撰。崇之曾孫也。元和十一年進士。嘗為杭州刺史，開成末終秘書監。

廣棪案：《新唐書》卷六十、〈志〉第五十、〈藝文〉四、〈丁部集錄・別集類〉著錄：「《姚合詩集》十卷。」《郡齋讀書志》、《宋史》同。合，《舊唐書》卷九十六下、〈列傳〉第四十六、〈姚崇〉載：「玄孫合，登進士第，授武功尉，遷監察御史，位終給事中。」《新唐書》卷一百二十四、〈列傳〉第四十九、〈姚崇〉載：「曾孫合、勖。合，元和中進士及第，調武功尉，善詩，世號姚武功者。遷監察御史，累轉給事中。奉先、馮翊二縣民訴牛羊使奪其田，詔美原主簿朱儔覆按，猥以田歸使，合劾發其私，以地還民。歷陝虢觀察使，終祕書監。」《唐詩紀事》卷第四十九「姚合」條載：「合，宰相崇曾孫，登元和進士第，調武功主簿，世號姚武功。又為富平萬年尉。寶應中，歷監察御史、戶部外郎，出荊、杭二州刺史，後為給事中、陝虢觀察使。開成末，終祕書監。與馬戴、費冠卿、殷堯藩、張香遊，李頻師之。合有《極玄集》，取王維等二十六人詩百篇，曰此詩中射雕手也。」《郡齋讀書志》卷第十八、〈別集類〉中著錄：「《姚合詩》十卷。右唐姚合也。崇曾孫。以詩聞。元和十一年，李逢吉知舉進士，歷武功主簿，富平、萬年尉。寶應中，監察、殿中御史，戶部員外郎，出金、杭二州刺史，為刑、戶二部郎中，諫議大夫，給事中，陝虢觀察使。開成末，終祕書監。世號姚武功云。」可參證。考《新唐書》卷七十四下、〈表〉第十四下、〈宰相世系表〉四下載：「陝郡姚氏亦出武原。梁有征東將軍吳興郡公宣業，生安仁，隋汾州刺史。生祥。祥，隋懷州長史，檢校函谷都尉。」而其後祥生懿；懿生元景、元之名崇、元素；元素生弇、馮、算；算為鄐陵令，生臨河令閈，閈生秘書監合。」是則合乃元素曾孫。孫猛《郡齋讀書志校證》曰：「按《舊唐書》卷九十六、〈崇傳〉云合為崇玄孫，《新唐書》卷一二四云合為崇少子弈曾孫，而《新唐書》卷七十四下、〈表〉第十四下、《宰相世系表》四則云合乃崇弟元素曾孫，崇之曾姪孫。羅振玉〈李公夫人吳興姚氏墓誌跋〉考合當為元景曾孫，《新表》誤系元素。詳見岑仲勉〈唐集質疑姚合與李德裕及其系屬〉條。疑公武讀《新唐書》本傳『曾孫合、勖』一句，以為對崇而言。

《書錄解題》、《唐詩紀事》卷四十九、《唐才子傳》卷六亦謂合爲崇曾孫。」是又據羅振玉說，合乃元景曾孫。眾說紛紜，莫衷一是。暫存此疑，以俟續考。

川本卷數同、編次異。

案：黃丕烈《蕘園藏書題識》卷七、〈集類〉一著錄：「《姚少監詩集》十卷，汲古閣鈔本。余向藏《姚少監集》止五卷，殘宋刊也。頃從小讀書堆收得毛子晉舊藏《姚集》前五卷，審是明人鈔本，後五卷似後來鈔補，不知與前五卷是一是二否？子晉但云：『此浙本也，川本編次稍異。』今取殘宋本對之，果異，蓋相傳殘宋刊是蜀本，當即子晉所云川本。而與此之川本異者，宜其說之合也。唐人詩集，舊刊面目往往不同，附存其說於此，以詒好古者云。己卯秋復翁。」是黃丕烈猶及見此書川本殘宋刊本，其書現藏北京國家圖書館。

莊南傑集一卷

《莊南傑集》一卷，唐進士莊南傑撰。與賈島同時。

廣梭案：《宋史》卷二百八、〈志〉第一百六十一、〈藝文〉七、〈別集類〉著錄：「《莊南傑《雜歌行》一卷。》與《解題》著錄者疑同屬一書。南傑，兩《唐書》無傳。《唐才子傳》卷第五、〈莊南傑〉載：「南傑，與賈島同時，曾從受學。工樂府雜歌，詩體似長吉，氣雖壯遒，語過鐫鑿，蓋其天資本劣，未免按抑，不出自然，亦一好奇尚僻之士耳。《集》二卷，今行。」可參證。惟《唐才子傳》作「《集》二卷」，未知所本。

李涉集一卷

《李涉集》一卷，唐國子太學博士李涉撰。渤之弟也。

廣梭案：《新唐書》卷六十、〈志〉第五十、〈藝文〉四、〈丁部集錄・別集類〉著錄：「《李涉詩》一卷。」《宋志》同。《郡齋讀書志》卷第十八、〈別集類〉中著錄：「《李涉歌詩》一卷。右唐李涉也。早從陳許辟，一再謫官夷陵。大和中，為太學博士，自號清溪子。渤三詩附。」可參證。涉，兩《唐書》無傳。《新唐書》卷一百一十八、〈列傳〉第四十三、〈李

渤〉載:「李渤字濬之,魏橫野將軍、申國公發之裔。父鈞,殿中侍御史,以不能養母廢于世。渤恥之,不肯仕,刻志於學,與仲兄涉偕隱廬山。」《唐詩紀事》卷第四十六「李涉」條載:「涉,渤之兄,纖人也。早從陳許辟,憲宗時,爲太子通事舍人,投匭言吐突承璀冤狀。孔戣知匭事,表其姦,逐爲峽州司倉參軍。始戣見其副章,詰責不受。涉乃行賂,詣光順門通之,故戣極言涉姦險欺天,請加顯戮。大和中,爲太學博士,自號清谿子。」是則涉乃渤之兄,《解題》誤也。《唐才子傳》卷第五、〈李涉〉亦載:「涉,洛陽人,渤之仲兄也。」可證。

殷堯藩集一卷

《殷堯藩集》一卷,唐侍御史殷堯藩撰。元和元年進士。館臣案:《唐書》作元和九年進士。廣棪案:《文獻通考》作「元和九年進士」。館臣案語所據亦為《通考》,而誤稱《唐書》。《新唐書》無此說也。

　　廣棪案:《新唐書》卷六十、〈志〉第五十、〈藝文〉四、〈丁部集錄·別集類〉著錄:「《殷堯藩詩》一卷,元和進士第。」《宋志》同。堯藩,兩《唐書》無傳。《唐詩紀事》卷第五十一「殷堯藩」條載:「元和九年,韋貫之掌文衡,堯藩雜文黜矣。尙書楊漢公乃貫之前牓門生,盛言堯藩屈,貫之爲之重收,是年登第。」《唐才子傳》卷第六、〈殷堯藩〉載:「堯藩,秀州人。爲性簡靜,眉目如畫。工詩文,耽丘壑之趣。嘗曰:『吾一日不見山水,與俗人談,便覺胸次塵土堆積,急呼濁醪澆之,聊解穢耳!』元和九年韋貫之放榜,堯藩落第,楊尙書大爲稱屈料理,因擢進士。……後仕終侍御史。」徐松《登科記考》卷十八「唐憲宗昭文章武大聖至神孝皇帝」條載:「(元和)九年甲午,進士二十七人:張又新、李德垂、殷堯藩、高鍇、陳商。」是堯藩元和九年進士,《解題》作「元年」,誤。

章孝標集一卷

《章孝標集》一卷,唐秘書省正字章孝標撰。元和十四年進士。

　　廣棪案:《新唐書》卷六十、〈志〉第五十、〈藝文〉四、〈丁部集錄·別集類〉著錄:「《章孝標詩》一卷。」《百川書志》同。《宋史》卷二百八、

〈志〉第一百六十一、〈藝文〉七、〈別集類〉著錄：「《章孝標集》七卷。」
所著錄卷數不同。孝標，兩《唐書》無傳。《唐詩紀事》卷第四十一「章
孝標」條載：「孝標元和十三年下第，時輩多爲詩以刺主司，獨孝標爲〈歸
燕〉詩留獻，侍郎庾承宣得詩展轉吟諷；庾果重典禮曹，孝標來年登第
一。詩云：『舊壘危巢泥已落，今年故向社前歸。連雲大廈無棲處，更望
誰家門戶飛？』」《登科記考》卷十八「唐憲宗昭文章武大聖至神孝皇帝」
條載：「(元和) 十四年己亥，進士三十一人：韋諶，狀元。章孝標、陳去疾、
馬植、李讓夷、張庾、韋中立。」是孝標元和十四年進士。《唐才子傳》
卷第六、〈章孝標〉載：「孝標字道正，錢塘人。李紳鎮淮東時，春雪，
孝標參座席，有詩名，紳命札請賦，唯然，索筆一揮云：『六出花飛處處
飄，粘窗拂砌上寒條。朱門到晚難盈尺，盡是三軍喜氣消。』李大稱賞，
薦於主文。元和十四年禮部侍郎庾承宣下進士及第，授校書郎。於長安
將歸嘉慶，先寄友人曰：『及第全勝十政官，金湯渡了出長安。馬頭漸入
揚州郭，爲報時人洗眼看。』紳適見，亟以一絕箴之曰：『假金方用眞金
鍍，若是眞金不鍍金。十載長安方一第，何須空腹用高心！』孝標慚謝。
傷其氣宇窘急，終不大用。大和中，嘗爲山南道從事，試大理評事。仕
終秘書正字。有《集》一卷傳世。」可參考。

熊儒登集一卷

《熊儒登集》一卷，廣棪案：《文獻通考》「儒」作「孺」，盧校本同。下同。唐
西川從事熊儒登撰。

廣棪案：《宋史》卷二百八、〈志〉第一百六十一、〈藝文〉七、〈別集類〉
著錄：「《熊孺登詩》一卷。」與此同。孺登，兩《唐書》無傳。《唐詩紀
事》卷第四十三「熊孺登」條載：「孺登，鍾陵人。登進士第，終於藩鎮
從事。」《唐才子傳》卷第六、〈熊孺登〉載：「孺登，鍾陵人。有詩名。
元和中，爲西川從事。與白舍人、劉賓客善，多贈答。亦祗役湘中數年。
凡下筆，言語妙天下，如：『江流如箭月如弓，行盡三湘數夜中。無奈子
規知向蜀，一聲聲似怨春風。』又〈經古墓〉云：『碑折松枯山火燒，夜
臺曾閉不曾朝。那將逝者比流水，流水東流逢上潮。』類此極多，有《集》
今傳。」可參證。

執易，其從姪也。

　　案：執易，兩《唐書》無傳。《全唐文》卷六百二十三「熊執易」條載：「執易，貞元元年進士，官右補闕。」可知梗概。

西川集一卷

《西川集》一卷，_{館臣案：《唐書·藝文志》作十卷。}唐施肩吾撰。元和十五年進士。

　　廣棪案：《新唐書》卷六十、〈志〉第五十、〈藝文〉四、〈丁部集錄·別集類〉著錄：「《施肩吾詩集》十卷。」《宋志》同。《郡齋讀書志》卷第十八、〈別集類〉中著錄：「《施肩吾西川集》五卷。右唐施肩吾，吳興人。元和十五年進士。以豫章之西山乃十二眞仙羽化之所，心慕之，因卜隱焉。且以名其所著，自爲之〈序〉。」卷數均與《解題》不同，直齋所藏者乃其詩集。肩吾，兩《唐書》無傳。《唐詩紀事》卷四十一「施肩吾」條載：「肩吾，洪州人。元和十年登第，以洪州西山羽化之地，慕其眞風，高蹈於此。」《唐詩紀事》謂肩吾「元和十年登第」，其實誤也。《唐才子傳》卷第六、〈施肩吾〉載：「肩吾，字希聖，睦州人。元和十五年盧儲榜進士第後，謝禮部陳侍郎云：『九重城裏無親識，八百人中獨姓施。』不待除授，即束歸。」《登科記考》卷十八「唐憲宗昭文章武大聖至神孝皇帝」條載：「(元和)十五年_{庚子}，進士二十九人：盧儲、_{狀元}。鄭亞、盧戡、呂述、裴乾餘、施肩吾、唐持、姚康、崔嘏、陳越石、盧弘正、李中敏。」是其證。至肩吾之籍貫應隸睦州，《郡齋讀書志》作吳興，亦誤。

雍裕之集一卷

《雍裕之集》一卷，唐雍裕之撰。未詳何時人。

　　廣棪案：《新唐書》卷六十、〈志〉第五十、〈藝文〉四、〈丁部集錄·別集類〉著錄：「《雍裕之詩》一卷。」《崇文總目》、_{錢東垣輯釋本。}《宋志》同。裕之，兩《唐書》無傳。《唐詩紀事》本第五十二「雍裕之」條載：「裕之，貞元後詩人。」《唐才子傳》卷第五、〈雍裕之〉載：「裕之，蜀人，有詩名。貞元後，數舉進士不第，飄零四方。爲樂府，極有情致。《集》一卷，今傳。」是則裕之乃唐德宗貞元間人，其時代非不可考。

張南史集一卷

《張南史集》一卷，唐試參軍范陽張南史季直撰。

　　廣棪案：《新唐書》卷六十、〈志〉第五十、〈藝文〉四、〈丁部集錄·別
　　集類〉著錄：「《張南史詩》一卷，字季直，幽州人。以試參軍避亂居揚州楊子，
　　再召之，未赴，卒。」《宋志》同。南史，兩《唐書》無傳。《唐才子傳》卷
　　第三、〈張南史〉載：「南史，字季直，幽州人。工弈棋，神算無敵，游
　　心太極。嘗幅巾藜杖，出入王侯之宅十年，高談闊視，慷慨奇士也。中
　　自感激，始苦節學文，無希世苟合之意。數年間，稍入詩境，體調超閒，
　　情致兼美，如并、燕老將，氣韻沉雄，時少及之者。肅宗時，廟堂獎拔，
　　仕為左衛倉曹參軍。後避亂寓居揚州揚子。難平再召，未及赴而卒。有
　　《詩》一卷，今傳。」可參考。

王涯集一卷

《王涯集》一卷，唐宰相王涯廣津撰。

　　廣棪案：《崇文總目》卷五、〈別集類〉三著錄：「《王涯詩》一卷。」錢東
　　垣輯釋本。與此同。《宋史》卷二百八、〈志〉第一百六十一、〈藝文〉七、
　　〈別集類〉著錄：「王涯《翰林歌詞》一卷。」應同屬一書。涯字廣津，
　　太原人。憲宗元和十一年為相，十三年八月罷。《舊唐書》卷一百六十九、
　　〈列傳〉第一百一十九，《新唐書》卷一百七十九、〈列傳〉第一百四有
　　傳。《唐詩紀事》卷第四十二「王涯」條載：「涯字廣津，博學，工屬文，
　　梁肅、陸贄異其才。元和中為相，又相穆宗。至文宗時，李訓敗，遂及
　　禍。」可參考。《唐才子傳》卷第五亦有傳。

袁不約集一卷

《袁不約集》一卷，唐袁不約還朴撰。長慶三年進士。其年試〈麗龜賦〉。

　　廣棪案：《宋史》卷二百八、〈志〉第一百六十一、〈藝文〉七、〈別集類〉
　　著錄：「《袁不約詩》一卷。」與此同。不約，兩《唐書》無傳。《唐詩紀
　　事》卷第六十「袁不約」條載：「不約，登長慶三年第。」《唐才子傳》
　　卷第六、〈袁不約〉載：「不約，字還朴，長慶三年鄭冠榜進士。大和中，

以平判入等調官，有詩傳世。」《登科記考》卷十九「唐穆宗睿聖文惠孝皇帝」條載：「（長慶）三年癸卯，進士二十八人：其年試〈麗龜賦〉，見《書錄解題》。鄭冠，狀元。袁不約，《唐才子傳》：『袁不約字還樸，長慶三年鄭冠榜進士。』羅隱〈東安鎮新築羅城記〉：『汝南袁不約還樸，以文學進。』」《全唐文》卷七百三十三「袁不約」條載：「不約字還樸，長慶三年進士。李固言在成都，辟爲幕官，加檢校侍郎。」所撰〈麗龜賦〉，《全唐文》未收，恐已佚。

追昔遊編三卷

《追昔遊編》三卷，唐宰相李紳公垂撰。

廣棪案：《新唐書》卷六十、〈志〉第五十、〈藝文〉四、〈丁部集錄·別集類〉著錄：「李紳《追昔遊》三卷。」《崇文總目》、錢東垣輯釋本。《郡齋讀書志》著錄同。《宋史》卷二百八、〈志〉第一百六十一、〈藝文〉七、〈別集類〉著錄：「《李紳詩》二卷。」應爲同一書。紳字公垂，潤州無錫人。武宗時爲相。《舊唐書》卷一百七十三、〈列傳〉第一百二十三，《新唐書》卷一百八十一、〈列傳〉第一百六有傳。

皆平生歷官及遷謫所至，述懷紀遊之作也。余嘗書其後云：「讀此編，見其飾智矜能，誇榮殉勢，益知子陵、元亮為千古高人。」

案：《郡齋讀書志》卷第十八、〈別集類〉中著錄：「李紳《追昔遊》三卷。右唐李紳公垂也。亳州人。元和元年進士，補國子助教。穆宗召爲翰林學士，累進中書舍人。武宗即位，拜中書侍郎、平章事。紳爲人短小精悍，於詩最有名，號『短李』。與李德裕、元稹同時，號『三俊』。《追昔遊》者，蓋賦詩紀其平生所遊歷。謂起梁漢，歸諫署，升翰苑，及播越荊楚，踰嶺嶠，止高安，移九江，過鍾陵，守滁陽，轉壽春，留洛陽，廉會稽，分務東周，守蜀，鎮梁也。開成戊午八月自爲之〈序〉。」毛晉《汲古閣書跋》曰：「其平生歷官及遷謫，略見本〈序〉。或謂其飾志矜能，誇榮殉勢，益知子陵、元亮爲千古高人。然紀游述懷，俯仰感慨，一洗唐人小賦柔靡風氣云。」《四庫全書總目》卷一百五十、〈集部〉三、〈別集類〉三著錄：「《追昔遊集》三卷，浙江范懋柱家天一閣藏本。唐李紳撰。紳字公垂，亳州人。元和元年進士。武宗時爲中書侍郎、同中書門下平章事。事蹟具《唐書》本傳。此《集》皆其未爲相時所作。晁公武《郡

齋讀書志》載『前有開成戊午八月紳〈自序〉。』此本無之。詩凡一百一首。《新唐書》本傳所載貶端州司馬，禱神灘漲。及刺壽州，虎不爲暴。爲河南尹，惡少斂跡。皆語出此《集》。史傳事須實錄，而宋祁以所自言者爲據，殊難徵信。且考紳之赴端州也，在夏秋之閒。其妻子舟行，十月始至。其時灘水減矣，故以書祝媼龍祠，而江復漲。紳詩內及所自註者如此。祁乃以紳自度嶺時事，是閱其《集》而未審。後儒以名之輕重爲文之是非，必謂《新書》勝《舊書》，似非篤論也。與李德裕、元稹號三俊。白居易亦有『笑勸迂辛酒，閑吟短李詩』句。今觀此《集》，音節嘽緩，似不能與同時諸人角爭強弱。然舂容恬雅，無雕琢細碎之習，其格究在晚唐諸人刻畫纖巧之上也。』均可參考。

朱景玄集一卷

《朱景玄集》一卷，唐太子諭德朱景玄撰。

　　廣棪案：《新唐書》卷六十、〈志〉第五十、〈藝文〉四、〈丁部集錄·別集類〉著錄：「《朱景元詩》一卷。」《崇文總目》同。錢東垣輯釋本。「元」應作「玄」，清人避康熙諱改。《宋史》卷二百八、〈志〉第一百六十一、〈藝文〉七、〈別集類〉著錄正作「《朱景玄詩》一卷。」景玄，兩《唐書》無傳。《新唐書》卷五十九十、〈志〉第四十九、〈藝文〉三、〈丙部子錄·雜藝術類〉著錄：「朱景玄《唐畫斷》三卷，會昌人。」是則景玄乃武宗時人。《全唐文》卷七百六十三「朱景元」條載：「景元，吳郡人。」未載其爲會昌時人及官銜，是《全唐文》館臣撰小傳時，未參考《新唐志》及《解題》也。《全唐詩》卷五百四十七「朱景玄」條載：「朱景玄，會昌時人，官至太子諭德。《詩》一卷，今存十五首。」所記較爲周詳，然亦漏載景玄之籍貫。

朱慶餘集一卷

《朱慶餘集》一卷，唐朱可久慶餘撰。以字行，受知於張籍，寶曆二年進士。

　　廣棪案：《新唐書》卷六十、〈志〉第五十、〈藝文〉四、〈丁部集錄·別集類〉著錄：「《朱慶餘詩》一卷，名可久，以字行。寶曆進士第。」《宋志》

同。慶餘，兩《唐書》無傳。《唐詩紀事》卷第四十六「朱慶餘」條載：「慶餘遇水部郎中張籍知音，索慶餘新舊篇什，留二十六章，置之懷袖而推贊之。時人以籍重名，皆繕錄諷詠，遂登科。慶餘作〈閨意〉一篇以獻曰：『洞房昨夜停紅燭，待曉堂前拜舅姑。粧罷低聲問夫婿，畫眉深淺入時無？』籍酬之曰：『越女新粧出鏡心，自知明豔更沉吟。齊紈未足人間貴，一曲菱歌敵萬金。』由是朱之詩名流於海內矣。」《唐才子傳》卷第六、〈朱慶餘〉載：「慶餘，字可久，以字行。閩中人。寶曆二年裴球榜進士及第，授秘書省校書。得張水部詩旨，氣平意絕，社中哲匠也。有名當時。《集》一卷，今傳。」可參證。考《登科記考》卷二十「唐敬宗睿武昭愍孝皇帝」條載：「（寶曆）二年丙午，進士三十五人：裴俅，狀元。張知實、朱慶餘、夏侯孜、劉蕡、李方玄、鄭復禮、郭言揚、盧求、崔球、劉符、李從毅、李道裕、李景初、李助、李俅、黃駕。」是慶餘寶曆二年進士。

李義山集三卷

《李義山集》三卷，唐太學博士李商隱義山撰。

廣棪案：《新唐書》卷六十、〈志〉第五十、〈藝文〉四、〈丁部集錄·別集類〉著錄：「李商隱《樊南甲集》二十卷、《乙集》二十卷、《玉溪生詩》三卷，又《賦》一卷、《文》一卷。」此即《玉溪生詩》三卷。《崇文總目》卷五、〈別集類〉三著錄：「《李義山詩》三卷，李商隱撰。」錢東垣輯釋本。《宋史》卷二百八、〈志〉第一百六十一、〈藝文〉七、〈別集類〉著錄：「李商隱《文集》八卷，又《四六甲乙集》四十卷、《別集》二十卷、《詩集》三卷。」是《詩集》均著錄作三卷。惟《郡齋讀書志》卷第十八、〈別集類〉中著錄：「李商隱《樊南甲集》二十卷、《乙集》二十卷，又《文集》八卷。右唐李商隱義山也。隴西人。開成二年進士。令狐楚奏為集賢校理，楚出汴、滑、興元，皆表幕府，嘗補太學博士。初，為文瑰邁奇古，及從楚學，儷偶長短，而繁縟過之。旨意能感人，人謂其橫絕前後無儔者。今《樊南甲》、《乙集》皆四六，自為〈序〉，即所謂繁縟者。又有《古賦》及《文》共三卷，辭旨恢詭，宋景文序傳中稱『謔恠則李商隱』，蓋以此。《詩》五卷，清新纖豔，故《舊史》稱其與溫庭

筠、段成式齊名，時號『三十六體』云。」疑其「《詩》五卷」者，或爲
「三卷」之訛。商隱字義山，懷州河內人。武宗會昌四年補文學博士。《舊
唐書》卷一百九十下、〈列傳〉第一百四十下、〈文苑〉下，《新唐書》卷
二百三、〈列傳〉第一百二十八〈文藝〉下有傳。

溫飛卿集七卷

《溫飛卿集》七卷，唐方城尉溫庭筠飛卿撰。

廣棪案：《新唐書》卷六十、〈志〉第五十、〈藝文〉四、〈丁部集錄·別
集類〉著錄：「溫庭筠《握蘭集》三卷，又《金荃集》十卷、《詩集》五
卷、《漢南眞稿》十卷。」《宋史》卷二百八、〈志〉第一百六十一、〈藝
文〉七、〈別集類〉著錄：「溫庭筠《漢南眞稿》十卷，又《集》十四卷、
《握蘭一作簡。集》三卷、《記室備要》三卷、《詩集》五卷。」所著錄《詩
集》卷數，均與此不同。《郡齋讀書志》卷第十八、〈別集類〉中著錄：「溫
庭筠《金荃集》七卷、《外集》一卷。右唐溫庭筠也。庭筠，本名岐，字
飛卿，宰相彥博之裔。詩賦清麗，與李商隱齊名，時號『溫李』。然薄於
行，多作側辭豔曲，累舉不第，終國子助教。宣宗嘗作詩賜宮人，句有
『金步搖』，遣場中對之，庭筠對以『玉跳脫』。上喜其敏，欲用之，以
嘗作詩忤時相令狐綯，終廢斥云。」其中「《金荃集》七卷」，或與此爲
同一書。庭筠本名岐，字飛卿，太原人。懿宗咸通時貶方城尉。《舊唐書》
卷一百九十下、〈列傳〉第一百四十下、〈文苑〉下，《新唐書》卷十一、
〈列傳〉第十六附〈溫大雅〉，惟其名作「廷筠」。庭筠「終國子助教」，
兩《唐書》乏載，《唐才子傳》卷八、〈溫庭筠〉載：「庭筠仕終國子助教，
竟流落而死。」殆據《郡齋讀書志》也。

張祜集十卷

《張祜集》十卷，館臣案：《唐書·藝文志》作一卷。 廣棪案：《文獻通考》作
「《張祜詩》一卷。」唐處士張祜承吉撰。廣棪案：《文獻通考》此條僅作「陳《錄》
凡十卷」。

廣棪案：《新唐書》卷六十、〈志〉第五十、〈藝文〉四、〈丁部集錄·別
集類〉著錄：「《張祜詩》一卷，字承吉，爲處士，大中中卒。」《郡齋讀書志》

卷第十八、〈別集類〉中著錄：「《張祜詩》一卷。右唐張祜字承吉，清河人。樂高尚。客淮南，杜牧爲度支使，善其詩，嘗贈之詩，曰：『何人得似張公子，千首詩輕萬戶侯。』嘗作〈淮南詩〉，有『人生只合揚州死，禪智山光好墓田』之句。大中中，果終丹陽旅舍，人以爲讖云。」《宋史》卷二百八、〈志〉第一百六十一、〈藝文〉七、〈別集類〉著錄：「《張祜詩》一卷。」是此書或作一卷，祜之名或作祐。祜，兩《唐書》無傳。《唐才子傳》卷第六有〈張祜傳〉，中載：「祜字承吉，南陽人，來寓姑蘇。樂高尚，稱處士。」與《解題》同。

丁卯集二卷

《丁卯集》二卷，廣棪案：《文獻通考》作「許渾《丁卯集》二卷」。唐郢剌史丹陽許渾用晦撰。太和五年進士。館臣案：晁公武《郡齋讀書志》作太和六年進士。 廣棪案：《文獻通考》闕以上二句。「丁卯」者，其所居之地有丁卯橋。廣棪案：《新唐書》卷六十、〈志〉第五十、〈藝文〉四、〈丁部集錄·別集類〉著錄：「許渾《丁卯集》二卷，字用晦，圉師之後，大中睦州、郢州二刺史。」《郡齋讀書志》卷第十八、〈別集類〉中著錄：「許渾《丁卯集》二卷。右唐許渾字用晦，圉師之後。大和六年進士。爲當塗、太平二令，以病免，起潤州司馬。大中三年，爲監察御史，歷虞部員外，睦、郢二州刺史。嘗分司於朱方丁卯間，自編所著，因以爲名。賀鑄本〈跋〉云：『按渾〈自序〉，《集》三卷，五百篇。世傳本兩卷，三百餘篇。求訪二十年，得沈氏、曾氏本，并取《擬玄》、《天竺集》校正之，共得四百五十四篇。』予近得渾《集》完本，五百篇皆在，然止兩卷。《唐·藝文志》亦言渾《集》兩卷，鑄稱三卷者，誤也。」著錄卷數與《解題》同。《崇文總目》卷五、〈別集類〉三著錄：「《丁卯集》三卷，許渾撰。」錢東垣輯釋本。則與《郡齋讀書志》引賀鑄〈跋〉謂「渾〈自序〉，《集》三卷，五百篇」同。《宋史》卷二百八、〈志〉第一百六十一、〈藝文〉七、〈別集類〉著錄：「《許渾詩集》十二卷。」頗疑「十二卷」乃「二卷」之訛。渾，兩《唐書》無傳。《唐詩紀事》卷第五十六「許渾」條載：「渾字用晦，睦州人，圉師之後。大中三年，任監察御史，以疾東歸，終郢、睦二州刺史。」《唐才子傳》卷第七、〈許渾〉亦載：「渾字仲晦，潤州

丹陽人，圉師之後。大和六年李珪榜進士，爲當塗、太平二縣令。少苦學勞心，有清羸之疾，至是以伏枕免。久之，起爲潤州司馬。大中三年，拜監察御史，歷虞部員外郎，睦、郢二州刺史。嘗分司朱方，買田築室。後抱病退居丁卯澗橋村舍，暇日綴錄所作，因以名《集》。」可參證。然《解題》謂渾「字用晦」，則與《唐才子傳》異，疑《唐才子傳》誤；謂渾「太和五年進士」，則與《郡齋讀書志》所記異。考《登科記考》「唐文宗元聖昭獻孝皇帝」條載：「(大和) 六年壬子，進士二十五人：李珪，狀元。許渾、畢諴、韋澳、杜顗、侯春時、崔□。」是渾大和六年進士，則《解題》誤。

蜀本又有《拾遺》二卷。

案：瞿鳳起編《虞山錢遵王藏書目錄彙編》卷第七、〈集部・詩集〉著錄：「許渾《丁卯集》二卷，《逃詩集》許渾《丁卯集》二卷、《集外詩》二卷一本，宋本影鈔。　《敏詩集》影宋鈔本。」錢曾所藏此《集》之《集外詩》二卷，或即據蜀本《拾遺》二卷影鈔。《四庫全書總目》卷一百五十一、〈集部〉四、〈別集類〉四著錄：「《丁卯集》二卷、《續集》二卷、《續補》一卷、《集外遺詩》一卷，江蘇巡撫採進本。唐許渾撰。……陳氏《書錄解題》註云：『蜀本有《拾遺》二卷。』今之《續集》，當即陳氏所謂《拾遺》，爲後人改題。」萬曼《唐集敘錄》「《丁卯集》」條云：「陳振孫《直齋書錄解題》十九云：『《丁卯集》二卷。』又云：『蜀本又有《拾遺》二卷。』《續古逸叢書》影印《許用晦文集》二卷、《拾遺》二卷，即此種也。」可參考。

李遠集一卷

《李遠集》一卷，唐建州刺史李遠求古撰。

廣棪案：《新唐書》卷六十、〈志〉第五十、〈藝文〉四、〈丁部集錄・別集類〉著錄：「《李遠詩集》一卷，字求古，大中建州刺史。」《崇文總目》、錢東垣輯釋本。《宋志》著錄同。遠，兩《唐書》無傳。《唐才子傳》卷第七、〈李遠〉載：「遠，字求古，大和五年，杜陟榜進士及第，蜀人也。少有大志，夸邁流俗，爲詩多逸氣，五彩成文。早歷下邑，詞名卓然。宣宗時，宰相令狐綯進奏擬遠杭州刺史，上曰：『朕聞遠詩有「青山不厭千杯

酒，白日惟銷一局棋」，是疏放如此，豈可臨郡理人？』絢曰：『詩人托此以寫高興耳，未必實然。』上曰：『且令往觀之。』至果有治聲。性簡儉，嗜啗鳧鴨。貴客經過，無他贈，厚者綠頭一雙而已。後歷忠、建、江三州刺史，仕終御史中丞。初收溢城，求天寶遺物，得秦僧收楊妃襪一裲，珍襲，呈諸好事者。會李群玉校書自湖湘來，過九江，遠厚遇之，談笑永日。群玉話及向賦〈黃陵廟詩〉，動朝雲暮雨之興，殊亦可怪。遠曰：『僕自獲凌波片玉，軟輕香窄，每一見，未嘗不在馬嵬下也。』遂更相戲笑，各有賦詩，後來頗為法家所短。蓋多情少束，亦徒以微辭相感動耳。有《詩集》一卷，今傳。」可參考。

于鵠集一卷

《于鵠集》一卷，唐于鵠撰。與張籍同時，未詳其人。_{廣棪案：《文獻通考》}作「未詳何人」。

　　廣棪案：《新唐書》卷六十、〈志〉第五十、〈藝文〉四、〈丁部集錄・別集類〉著錄：「《于鵠詩》一卷。」《宋志》同。鵠，兩《唐書》無傳。《唐詩紀事》卷第二十九「于鵠」條載：「鵠，大曆、貞元間詩人也。為諸府從事，居江湖間。有〈卜居漢陽及荊南陪樊尚書賞花詩〉，其自述曰：『三十無名客，空山獨臥秋。』豈以詩窮者耶？」《唐才子傳》卷第四、〈于鵠〉載：「鵠，初買山於漢陽高隱，三十猶未成名。大曆中，嘗應薦歷諸府從事。出塞入塞，馳逐風沙，有詩甚工。長短間作，時出度外，縱橫放逸，而不陷於疏遠，且多警策云。《集》一卷，今傳。」是則鵠乃代宗、德宗間人，其生平亦可略曉。

薛瑩集一卷

《薛瑩集》一卷，唐薛瑩撰，號《洞庭集》。文宗時人。

　　廣棪案：《新唐書》卷六十、〈志〉第五十、〈藝文〉四、〈丁部集錄・別集類〉著錄：「薛瑩《洞庭詩集》一卷。」《宋史》卷二百八、〈志〉第一百六十一、〈藝文〉七、〈別集類〉著錄：「《薛瑩詩》一卷。」瑩，兩《唐書》無傳。《新唐書》卷七十三下、〈表〉第十三下、〈宰相世系〉三下載：「瑩，杭州刺史。」《唐才子傳》卷第七、〈喻鳧〉載：「鳧，毗陵人，開

成五年李從實榜進士，仕爲烏程縣令。有詩名。晚歲變雅，鴇亦風靡，專工小巧，高古之氣掃地，所畏者務陳言之是去耳。後來才子，皆稱喻先輩，向慕之情足見也。同時薛瑩亦工詩。鴇《詩》一卷，瑩詩《洞庭集》一卷，今並傳。」開成，文宗年號，則鴇與瑩均文宗時人。

《集》中多蜀詩，其曰「壬寅歲」者，在前則為長慶四年，後則為中和二年，未知定何年也。

案：壬寅乃穆宗長慶二年（822），長慶四年乃甲辰（824），《解題》誤。中和，僖宗年號；二年亦爲壬寅（882）。薛瑩壬寅歲所撰詩，實難定於穆宗或僖宗壬寅年也。

薛逢集一卷

《薛逢集》一卷，館臣案：《唐書‧藝文志》作十卷。唐秘書監薛逢陶臣撰。

廣棪案：《新唐書》卷六十、〈志〉第五十、〈藝文〉四、〈丁部集錄‧別集類〉著錄：「《薛逢詩集》十卷。」《崇文總目》錢東垣輯釋本。同。《郡齋讀書志》卷第十八、〈別集類〉中著錄：「《薛逢歌詩》二卷。右唐薛逢陶臣也。河東人。會昌元年進士。終祕書監。逢持論骾切，以謀略高自標顯。與楊收、王鐸同年登第，而逢文藝最優。收作相，逢有詩云：『誰知金印朝天客，同是沙堤避路人。』鐸作相，逢又有詩云：『昨日鴻毛萬鈞重，今朝山岳一毫輕。』二人皆怒，故不見齒。」所著錄卷數均與《解題》不同。《宋史》卷二百八、〈志〉第一百六十一、〈藝文〉七、〈別集類〉著錄：「《薛逢詩》一卷。」則與此同。逢字陶臣，河東人。宣宗大中時遷秘書監。《舊唐書》卷一百九十下、〈列傳〉第一百四十下、〈文苑〉下，《新唐書》卷二百三、〈列傳〉第一百二十八、〈文藝〉下有傳。

會昌元年進士。

案：兩《唐書》逢本傳均謂「逢，會昌初進士擢第。」《郡齋讀書志》則謂「會昌元年進士」，與《解題》同。考《唐才子傳》卷第七、〈薛逢〉載：「逢字陶臣，蒲州人。會昌元年崔峴榜第三人進士。」《登科記考》卷二十二「唐武宗至道昭肅孝皇帝」條載：「（會昌）元年辛酉，進士三十人：崔峴，狀元。薛逢、沈詢、楊收、王鐸、李蠙、談銖、康□、謝防。」是逢會昌元年（841）進士不誤。

喻鳧集一卷

《喻鳧集》一卷，唐烏程尉喻鳧撰。開成五年進士。

> 廣梭案：《新唐書》卷六十、〈志〉第五十、〈藝文〉四、〈丁部集錄・別
> 集類〉著錄：「《喻鳧詩》一卷，開成進士第，烏程令。」《宋志》同。鳧，兩
> 《唐書》無傳。《唐詩紀事》卷第五十一「喻鳧」條載：「鳧，毗陵人，
> 開成進士也。卒於烏程令。」《唐才子傳》卷第七、〈喻鳧〉載：「鳧，毗
> 陵人，開成五年李從實榜進士，仕為烏程令。有詩名。晚歲變雅，鳧亦
> 風靡，專工小巧。高古之氣掃地，所畏者務陳言之是去耳！後來才子皆
> 稱喻先輩，向慕之情足見也。」《登科記考》卷二十一「唐文宗元聖昭獻
> 孝皇帝」條載：「(開成) 五年庚申，進士三十人：李從實，狀元。喻鳧、李
> 蔚、楊知退、沈樞、楊假、薛軏。」均可考證。

潘咸集一卷

《潘咸集》一卷，唐潘咸撰。不知何人，與喻鳧同時，〈藝文志〉不載。

> 廣梭案：《宋史》卷二百八、〈志〉第一百六十一、〈藝文〉七、〈別集類〉
> 著錄：「《潘咸詩》一卷。」與此同。咸，兩《唐書》無傳。《全唐詩》卷
> 五百四十二「潘咸」條載：「潘咸，與喻鳧同時。《集》一卷。今存詩五
> 首。」蓋據《解題》也。

項斯集一卷

《項斯集》一卷，唐丹徒尉江東項斯子遷撰。

> 廣梭案：《新唐書》卷六十、〈志〉第五十、〈藝文〉四、〈丁部集錄・別
> 集類〉著錄：「《項斯詩》一卷，字子遷，江東人，會昌丹徒尉。」《宋志》同。
> 斯，兩《唐書》無傳。

初受知於張籍水部，而楊敬之祭酒亦知之，有「逢人說項斯」之句。會
昌四年進士。

> 廣梭案：《唐詩紀事》卷第四十九「項斯」條載：「斯字子遷，江東人。
> 始未為聞人，因以卷謁楊敬之，楊苦愛之，贈詩云：『幾度見詩詩盡好，
> 及觀標格過於詩。平生不解藏人善，到處逢人說項斯。』明年擢上第。」

《唐才子傳》卷第七、〈項斯〉載:「斯,字子遷,江東人也。會昌四年王起下第二人進士。始命潤州丹徒縣尉,卒於任所。開成之際,聲價籍甚,特爲張水部所知賞,故其詩格頗與水部相類,清妙奇絕。鄭少師薰贈詩云:『項斯逢水部,誰道不關情?』斯性疏曠,溫飽非其本心。初,築草廬於朝陽峰前,交結淨者。槃礴宇宙,戴蘚花冠,披鶴氅,就松陰,枕白石,飲清泉,長哦細酌,凡如此三十餘年。晚汙一名,殊屈清致。其警聯如:『病嘗山藥徧,貧起草堂低。』如:『客來因月宿,牀勢向山移。』〈下第〉云:『獨存過江馬,強拂看花衣。』〈病僧〉云:『不言身後事,猶坐病中禪。』又:『湖山萬疊翠,門樹一行春。』又:『一燈愁裏夢,九陌病中春。』如:『月明古寺客初到,風度閑門僧未歸。』〈宮人入道〉云:『將敲碧落新齋磬,卻進昭陽舊賜箏。』之類,不一而足,當時盛稱。楊敬之祭酒贈詩云:『幾度見詩詩總好,及觀標格過於詩。平生不解藏人善,到處逢人說項斯。』其名以此益彰矣。《集》一卷,今行。」《登科記考》卷二十二「唐武宗至道昭肅孝皇帝」條載:「(會昌)四年甲子,進士二十五人:鄭言,狀元。項斯、趙嘏、楊知溫、孫玉汝、陳納、顧陶、馬戴、張禕、李景述、鄭祥,續放一人:楊嚴。」可參證。考《舊唐書》卷一百七十七、〈列傳〉第一百二十七、〈楊嚴〉載:「嚴字凜之,會昌四年進士擢第。是歲僕射王起典貢舉,選士三十人,嚴與楊知至、竇緘、源重、鄭朴五人試文合格,物議以子弟非之,起覆奏。武宗敕曰:『楊嚴一人可及第,餘四人落下。』嚴釋褐諸侯府。」是會昌四年,王起以僕射典貢舉。

渭南集一卷

《渭南集》一卷,館臣案:《唐書·藝文志》作三卷。唐渭南尉趙嘏承祐撰。壓卷有「長笛一聲人倚樓」之句,當時稱為「趙倚樓」。

廣桉案:《新唐書》卷六十、〈志〉第五十、〈藝文〉四、〈丁部集錄·別集類〉著錄:「趙嘏《渭南集》三卷。」《郡齋讀書志》卷第十八、〈別集類〉中著錄:「趙嘏《渭南集》三卷。右唐趙嘏承祐也。會昌四年進士。終渭南尉。杜紫微讀其〈早秋詩〉云『殘星幾點雁橫塞,長笛一聲人倚樓』,因謂之『趙倚樓』云。」是《解題》著錄者乃詩集,故卷數不同。

《崇文總目》卷五、〈別集類〉三著錄:「趙氏《編年詩》二卷。」《宋史》
卷二百八、〈志〉第一百六十一、〈藝文〉七、〈別集類〉著錄:「趙嘏《編
年詩》二卷。」考《唐才子傳》卷第七、〈趙嘏〉載:「今有《渭南集》,
及《編年詩》二卷,悉取十三代史事跡,自始生至百歲,歲賦一首、二
首,總得一百一十章,今並行於世。」則《渭南集》與《編年詩》非同
屬一書。嘏,兩《唐書》無傳。《唐詩紀事》卷第五十六、「趙嘏」載:「嘏,
字承祐。大中終於渭南尉。」又載:「杜紫微覽嘏〈早秋〉詩云:『殘星
幾點雁橫塞,長笛一聲人倚樓。』吟味不已,因目嘏爲趙倚樓。」其〈長
安秋望〉云:「雲物淒涼拂曙流,漢家宮闕動高秋。殘星幾點雁橫塞,長
笛一聲人倚樓。紫豔半開籬菊靜,紅衣落盡渚蓮愁。鱸魚正美不歸去,
空戴南冠學楚囚。」此即《解題》所謂壓卷之作也。《全唐詩》卷五百四
十九、「趙嘏」載:「趙嘏,字承祐,山陽人。會昌二年登進士第。大中
間,仕至渭南尉卒。嘏爲詩贍美,多興味,杜牧嘗愛其『長笛一聲人倚
樓』之句,吟歎不已,人因目爲『趙倚樓』。有《渭南集》三卷、《編年
詩》二卷,今合編爲二卷。」可參證。嘏,《唐才子傳》卷第七有傳,記
其生平事迹更翔贍。

馬戴集一卷

《馬戴集》一卷,唐馬戴虞臣撰。

廣棪案:《新唐書》卷六十、〈志〉第五十、〈藝文〉四、〈丁部集錄・別
集類〉著錄:「《馬戴詩》一卷,字虞臣,會昌進士第。」《宋史》卷二百八、
〈志〉第一百六十一、〈藝文〉七、〈別集類〉著錄:「《馬載詩》一卷。」
疑「載」應作「戴」。戴,兩《唐書》無傳。《唐才子傳》卷第七、〈馬戴〉
載:「戴,字虞臣,華州人。會昌四年左僕射王起下進士,與項斯、趙嘏
同榜,俱有盛名。初應辟佐大同軍幕府,與賈島、許棠唱答。苦家貧,
爲祿代耕,歲廩殊薄,然終日吟事,清虛自如。〈秋思〉一絕曰:『萬木
秋霜後,孤山夕照餘。田園無歲計,寒近憶樵漁。』調率如此。後遷國
子博士卒。戴詩壯麗,居晚唐諸公之上。優游不迫,沉著痛快,兩不相
傷,佳作也。早耽幽趣,既鄉里當名山,秦几一望,黃埃赤日,增起凌
雲之操。結茅堂玉女洗頭盆下,軒窗甚僻,對懸瀑三十仞,往還多隱人。

誰謂白頭從宦，俸不醫貧，徒興猿鶴之誚，不能無也。有《詩》一卷，今傳。」可參考。

以上二人皆會昌五年進士。<small>廣梭案：《文獻通考》此句作「會昌四年進士」，誤。</small>
案：項斯、趙嘏、馬戴同爲會昌五年（845）進士，見《登科記考》卷二十二「唐武宗至道昭肅孝皇帝・會昌五年」條。

薛許昌集十卷

《薛許昌集》十卷，唐許昌節度使薛能撰。會昌六年進士。

廣梭案：《新唐書》卷六十、〈志〉第五十、〈藝文〉四、〈丁部集錄・別集類〉著錄：「《薛能詩集》十卷。」《崇文總目》、<small>錢東垣輯釋本。</small>《郡齋讀書志》、《宋志》著錄同。《郡齋讀書志》卷第十八、〈別集類〉中著錄：「《薛能集》十卷。右唐薛能字大拙，汾州人。會昌六年登進士第。大中末，書判中選，補盩厔尉，辟太原、陝虢、河陽從事。李福鎮滑，表署觀察判官，歷御史、都官、刑部員外郎。福徙西蜀，奏以自副。咸通中，攝嘉州刺史。造朝，遷主客、度支、刑部郎中。俄剌同州。京兆尹溫璋貶，命權知尹事。出帥咸化，入授工部尚書。復節度徐州，徙忠武。廣明元年，徐軍戍溵水，經許，能以軍懷舊惠，館之城中。時軍以供備踈闕，大譟。能登子城樓，慰勞之，久乃定；忠武亦遣大將周岌詣溵水，聞之，夜還，襲擊徐卒，盡殺之；且怨能之厚徐卒也，遂逐之。能將奔襄陽，亂兵追殺之，并屠其家。爲政嚴察，禁絕私謁。資性倨傲，輕佻忤物。晚節惑浮屠法，信奉惟謹。其爲藩鎮，尤易武吏。嘗命其子屬橐鞬，雅拜新進士，或問其故，曰：『與渠銷弭災咎』云。」可參證。能，兩《唐書》無傳。《唐才子傳》卷第七有傳。

李群玉集三卷

《李群玉集》三卷，<small>廣梭案：《文獻通考》作「《李群玉詩》一卷。」</small>唐宏文校書澧陽李群玉文山撰。<small>廣梭案：《文獻通考》闕此句。</small>裴休以處士薦。

廣梭案：《新唐書》卷六十、〈志〉第五十、〈藝文〉四、〈丁部集錄・別集類〉著錄：「《李群玉詩》三卷、《後集》五卷，<small>字文山，澧州人。裴休觀</small>

察湖南，厚延致之。及為相，以詩論薦，授校書郎。」《崇文總目》卷五、〈別集類〉三著錄：「《李群玉詩》三卷，鑒按：今本又有《後集》三卷。」又著錄：「《李群玉後集》五卷。」錢東垣輯釋本。鑒按謂「今本有《後集》三卷」者，疑為五卷之誤。《宋史》卷二百八、〈志〉第一百六十一、〈藝文〉七、〈別集類〉著錄：「《李群玉後集》五卷，又《詩集》二卷。」《郡齋讀書志》卷第十八、〈別集類〉中著錄：「《李群玉詩》一卷。右唐李群玉文山也。澧州人。曠逸不樂仕進，專以吟詠自適。詩筆妍麗，才力遒健。好吹笙，善書翰。親友強赴舉，一上而止。裴休廉察湖南，延郡中。大中八年來京師，進詩三百篇。休復論薦，授弘文館校書郎。《集》後附其〈進討表〉，并〈除官制〉。《太平廣記》所載黃陵廟事甚異，其絕句在焉。」上述各書所著錄均與《解題》有所異同。群玉，兩《唐書》無傳。《唐才子傳》卷七、〈李群玉〉載：「群玉，字文山，澧州人也。清才曠逸，不樂仕進，專以吟詠自適，詩筆遒麗，文體丰妍。好吹笙，美翰墨，如王、謝子弟，別有一種風流。親友強之赴舉，一上即止。裴相公休觀察湖南，厚禮延致之郡中，嘗勉之曰：『處士被褐懷玉，浮雲富貴，名高而身不知，神寶寧久棄荒途？子其行矣。』大中八年，以草澤臣來京，詣闕上表，自進詩三百篇，休適入相，復論薦，上悅之，敕授弘文館校書郎。……今有《詩》三卷、《後集》五卷。」可參證。

《集》後有〈乞假歸別業〉及〈朝士送行詩〉。

案：《全唐詩》卷五百六十八至卷五百七十所收《李群玉詩》，及王重民、孫望、童養年輯錄《全唐詩外編》、陳尚君輯校《全唐詩補編》均未收〈乞假歸別業〉、〈朝士送行詩〉。

曹鄴集一卷

《曹鄴集》一卷，唐洋州刺史曹鄴撰。大中四年進士。

廣棪案：《新唐書》卷六十、〈志〉第五十、〈藝文〉四、〈丁部集錄‧別集類〉著錄：「《曹鄴詩》三卷，字鄴之，大中進士第，洋州刺史。」《崇文總目》卷五、〈別集類〉三著錄：「《曾鄴詩》一卷。」錢東垣輯釋本。「曾」字乃「曹」字之誤。《宋史》卷二百八、〈志〉第一百六十一、〈藝文〉七、〈別集類〉

著錄：「曹鄴《古風詩》二卷。」所著錄卷數均不同。鄴，兩《唐書》無傳。《唐詩紀事》卷第六十「曹鄴」條載：「鄴字業之，大中進士也。唐末，以祠部郎中知洋州。」「業之」應作「鄴之」。《唐才子傳》卷第七、〈曹鄴〉載：「鄴，字鄴之，桂林人。累舉不第，爲〈四怨〉、〈三愁〉、〈五情〉詩。雅道甚古。特爲舍人韋愨所知，力薦於禮部侍郎裴休，大中四年張溫琪榜中第。看榜日上主司詩云：『一辭桂嶺猿，九泣都門月。年年孟春至，看花如看雪。』〈杏園宴間呈同年〉云：『岐路不在天，十年行不至。一旦公道開，青雲在平地。』又云：『忽忽出九衢，童僕顏色異。故衣未及換，尚有去年淚。』又云：『永持共濟心，莫起胡越意。』佳句類此甚多，志特勤苦。仕至洋州刺史，有《集》一卷，今傳。」可參證。

津陽門詩一卷

《津陽門詩》一卷，_{廣棪案：《文獻通考》作「鄭嵎《津陽門詩》一卷」。}唐鄭嵎撰。大中五年進士。_{廣棪案：《文獻通考》無以上二句。}

　　廣棪案：《新唐書》卷六十、〈志〉第五十、〈藝文〉四、〈丁部集錄・別集類〉著錄：「鄭嵎《津陽門詩》一卷。」《宋志》同。《郡齋讀書志》卷第十八、〈別集類〉中著錄：「鄭嵎《津陽門詩》一卷。右唐鄭嵎字賓光。大中五年進士。津陽，即華清宮之外闕。嵎開成中過之，聞逆旅主人道承平故實。明日，馬上成長句一千四百言，自爲之〈序〉云。」嵎，兩《唐書》無傳。《唐才子傳》卷第七、〈鄭嵎〉載：「嵎字賓光，大中五年李郜榜進士。有《集》一卷，名《津陽門詩》。津陽，即華清宮之外闕，詢求父老，爲詩百韻，皆紀明皇時事者也。」可參證。

或作愚者，非也，愚嘗爲嶺南節度，好著錦半臂者，_{廣棪案：《文獻通考》無「者」字。}非此鄭嵎也。

　　案：鄭愚，兩《唐書》無傳。《唐詩紀事》卷第六十六「鄭愚」條載：「愚，廣州人。唐末爲相。」又載：「咸通中，愚自禮部侍郎除鎮南海，時崔巍公在荊南，愚著錦襖子半臂，袖卷謁之，公大奇之，會夜飲，更衣。賓從間竊謂公曰：『此應是慚其不稱。』既而復易紅錦，尤加煥麗，眾莫能測。愚爲進士時，未嘗以文章及魏公門，至是乃贄所業。崔歡賞曰：『眞銷得錦半臂也。』」可參證。惟此鄭愚非鄭嵎。

津陽者，華清宮門名。

　　案：嵎〈津陽門詩序〉云：「津陽門者，華清宮之外闕。南局禁闈，北
　　走京道。開成中，嵎常得群書，下帷於石甕僧院，而甚聞宮中陳迹焉。
　　今年冬，自虢而來，暮及山下。因解鞍謀餐，求客旅邸。而主翁年且艾，
　　自言世事明皇。夜闌酒餘，復爲嵎道承平故實。翼日，於馬上輒裁刻俚
　　叟之話，爲長句七言詩，凡一千四百字，成一百韻止，以門題爲之目云
　　耳。」可參證。

劉駕集一卷

《劉駕集》一卷，唐劉駕司南撰。大中六年進士。

　　廣棪案：《崇文總目》卷五、〈別集類〉三著錄：「《劉駕詩》一卷。」錢
　　東垣釋本。《宋史》卷二百八、〈志〉第一百六十一、〈藝文〉七、〈別集
　　類〉著錄：「劉駕《古風詩》一卷。」應與此同。駕，兩《唐書》無傳。
　　《唐才子傳》卷第七、〈劉駕〉載：「駕，字司南，大中六年，禮部侍
　　郎崔嶼下進士。初，與曹鄴爲友，深相結，俱工古風詩。鄴既擢第，
　　不忍先歸，待長安中，駕成名，迺同歸范蠡故山。時國家復河、湟故
　　地，有歸馬放牛之象，駕獻〈樂府〉十章，〈序〉曰：『駕生唐二十八
　　年，獲見明天子以德歸河、湟，臣得與天下夫婦復爲太平人。恨愚且
　　賤，不得拜舞上前。作詩十篇，雖不足貢聲宁廟，形容盛德，願與耕
　　稼陶漁者歌江湖田野間，亦足自快。』詩奏，上甚悅，累歷達官。駕
　　詩多比興含蓄，體無定規，意盡即止，爲時所宗。今《集》一卷行於
　　世。」可參證。

李頻集一卷

《李頻集》一卷，唐建州刺史新定李頻德新撰。

　　廣棪案：《新唐書》卷六十、〈志〉第五十、〈藝文〉四、〈丁部集錄・別
　　集類〉著錄：「《李頻詩》一卷。」《崇文總目》、錢東垣輯釋本《宋志》著錄
　　同。頻字德新，睦州壽昌人。懿宗時除建州刺史。《新唐書》卷二百三、
　　〈列傳〉第一百二十八、〈文藝〉下有傳。

大中八年進士。姚合之壻也。

　　案：《新唐書》頻本傳載：「李頻字德新，睦州壽昌人。少秀悟，逮長，
廬西山，多所記覽。其屬辭，於詩尤長。與里人方干善。給事中姚合名
為詩，士多歸重，頻走千里丐其品，合大加獎挹，以女妻之。大中八年，
擢進士第。」可參證。

李端公集一卷

《李端公集》一卷，唐侍御史李郢楚望撰。大中十年進士。

　　廣棪案：《新唐書》卷六十、〈志〉第五十、〈藝文〉四、〈丁部集錄・別
集類〉著錄：「《李郢詩》一卷，字楚望，大中進士第，侍御史。」《崇文總目》
卷五、〈別集類〉三、錢東垣輯釋本。《宋志》著錄同。《郡齋讀書志》卷第
十八、〈別集類〉中著錄：「李郢《端公詩》一卷。右唐李郢楚望也。大
中十年進士。詩調清麗。居餘杭，疏於馳競。為藩鎮從事，兼侍御史。」
郢，兩《唐書》無傳。《唐才子傳》卷第八、〈李郢〉載：「郢，字楚望，
大中十年，崔鉶榜進士及第。初居餘杭，出有山水之興，入有琴書之娛，
疏於馳競，歷為藩鎮從事，後拜侍御史。郢工詩，理密辭閑，箇箇珠玉。
其清麗極能寫景狀懷，每使人竟日不能釋卷。與清塞、賈島最相善。時
塞還俗，聞島尋卒，郢重來錢塘，俱絕音響，感而賦詩曰：『卻到城中事
事傷，惠休還俗賈生亡。誰人收得章句篋，獨我重經苔蘚房。一命未霑
為逐客，萬緣初盡別空王。蕭蕭竹塢殘陽在，葉覆閑階雪擁牆。』其它
警策率類此。有《集》一卷，今傳。」可參證。

儲嗣宗集一卷

《儲嗣宗集》一卷，唐儲嗣宗撰。大中十三年進士。館臣案：儲嗣宗大中
十三年進士，原本作「十年」，係脫誤，今改正。

　　廣棪案：《宋史》卷二百八、〈志〉第一百六十一、〈藝文〉七、〈別集類〉
著錄：「《儲嗣宗詩》一卷。」與此同。嗣宗，兩《唐書》無傳。《唐才
子傳》卷第八、〈儲嗣宗〉載：「嗣宗，大中十三年，孔緯榜及第。與顧
非熊先生相結好，大得詩名。苦思夢索，所謂逐句留心，每字著意，悠

悠皆塵外之想。覽其所作，及見其人。警聯如：『綠毛辭世女，白髮入壺翁。』又：『片水明在野，萬花深見人。』又：『黃鶴有歸語，白雲無忌心。』又：『蟬鳴月中樹，風落客前花。』又：『池亭千里月，煙水一封書。』又：『鶴語松上月，花明雲裏春。』又：『一酌水邊酒，數聲花下琴。』又：『宿草風悲夜，荒村月弔人。』〈哭彭先生〉云：『空階鶴戀丹霄影，秋雨苔封白石牀。』〈題閑居〉云：『鳥啼碧樹閑臨水，花滿青山靜掩門。』等句，皆區區所當避舍者也。有《集》一卷，今傳。」考《登科記考》卷二十二「唐宣宗元聖至明成武獻文睿智章仁神聰懿道大孝皇帝」條載：「(大中) 十三年己卯，進士三十人：孔緯，狀元。李磎、豆盧瑑、崔澹、儲嗣宗、劉汾、張台。」是嗣宗大中十三年（859）進士，館臣所案不誤。

司馬先輩集一卷

《司馬先輩集》一卷，唐司馬札撰。與儲嗣宗同時。

廣棪案：《秘書省續編到四庫闕書目》卷一、〈集類‧別集〉著錄：「《司馬朴詩》一卷。」葉德輝考證本。「朴」乃「札」字之誤。札，兩《唐書》無傳。《全唐詩》卷五百九十六「司馬札」條載：「司馬札，大中時詩人。《詩》一卷。」考《唐才子傳》卷十、〈殷文圭〉載：「文圭字表儒，池州青陽人也。乾寧五年，禮部侍郎裴贄下進士。……唐季，文體澆漓，才調荒穢。稍稍作者，強名曰詩。南郭之竽，苟存於眾響，非復盛時之萬一也。如王周、劉兼、司馬札、蘇拯、許琳、李咸用等數人，雖有《集》相傳，皆氣卑格下，負魚目唐突之慚，竊砥砆韞襲之濫，所謂『家有弊帚，享之千金，不自見之患也』。文圭稍入風度，間見奇崛，其殆庶幾乎？」乾寧，唐昭宗年號。是則札與文圭、王周等為同時人。

李廓集一卷

《李廓集》一卷，唐武寧節度李廓撰。廣棪案：《文獻通考》「節度」作「節度使」。程之子也。館臣案：《唐書》李程子名廓，原本作「廓」，誤，今改正。

廣棪案：《宋史》卷二百八、〈志〉第一百六十一、〈藝文〉七、〈別集類〉著錄：「《李廓詩》一卷。」與此同。廓，《舊唐書》卷一百六十七、〈列

傳〉第一百一十七附其父〈李程〉，載：「子廓。廓進士登第，以詩名聞於時。大中末，累官至潁州刺史，再爲觀察使。」《新唐書》卷一百三十一、〈列傳〉第五十六、〈宗室宰相·李程〉載：「子廓，第進士，累遷刑部侍郎。大中中，拜武寧節度使，不能治軍。補闕鄭魯奏言：『新麥未登，徐必亂。』既而果逐廓，乃擢魯起居舍人。」可參證。

于濆集一卷

《于濆集》一卷，唐于濆子漪撰。_{館臣案：《唐書·藝文志》作《于濆集》一卷。濆字子漪，原本作「于濆」，誤，今改正。}咸通二年進士。

廣枀案：《新唐書》卷六十、〈志〉第五十、〈藝文〉四、〈丁部集錄·別集類〉著錄：「《于濆詩》一卷，字子漪。」《崇文總目》卷五、〈別集類〉五著錄：「于濆《古風》一卷。」_{錢東垣輯釋本。}《宋史》卷二百八、〈志〉第一百六十一、〈藝文〉七、〈別集類〉著錄：「于濆《古風詩》一卷。」應與《解題》著錄之書同。濆，兩《唐書》無傳。《唐詩紀事》卷第六十一「于濆」條載：「濆字子漪。咸通進士，終泗州判官。」《唐才子傳》卷第八、〈于濆〉載：「濆字子漪，咸通二年裴延魯榜進士。患當時作詩者拘束聲律而入輕浮，故作〈古風〉三十篇以矯弊俗，自號《逸詩》，今一卷，傳於世。」可參證。

李昌符集一卷

《李昌符集》一卷，唐膳部員外郎李昌符撰。咸通四年進士。

廣枀案：《宋史》卷二百八、〈志〉第一百六十一、〈藝文〉七、〈別集類〉著錄：「《李昌符詩》一卷。」與此同。昌符，兩《唐書》無傳。《唐詩紀事》卷第七十「李昌符」條載：「昌符字巖夢，登咸通四年進士第，歷尚書郎。」《唐才子傳》卷第八、〈李昌符〉載：「昌符，字巖夢，咸通四年禮部侍郎蕭倣下進士。工詩，在長安與鄭谷酬贈，仕終膳部員外郎。嘗作〈奴婢詩〉五十首，有云：『不論秋菊與春花，箇箇能嘗空肚茶。無事莫教頻入庫，每殷閑物要些些。』等句。後爲御史劾奏，以爲輕薄爲文，多妨政務。虧嚴重之德，唱誹戲之風。謫去，匏繫終身。有《詩集》一卷，行於世。」可參證。

司空表聖集十卷

《司空表聖集》十卷，唐兵部侍郎司空圖表聖撰。咸通十年進士。

廣棪案：此書未見其他書目著錄。今人萬曼《唐集敘錄》「《一鳴集》」條云：「至於司空圖的詩作，《書錄解題》云十卷，除合集外，未見傳本。胡震亨《唐音統籤戊集・作者小傳》云：『有《一鳴集》三十卷，內詩十卷。』與宋人所謂文三十卷、詩十卷者異，不知何據。胡氏《統籤》編爲五卷，末附句十四條，《四部叢刊》據以影印，題《司空表聖詩集》。」可參考。圖字表聖，本臨淮人，咸通十年登進士第。昭宗時徵拜兵部侍郎，稱足疾不任趨拜，致章謝。《舊唐書》卷一百九十下、〈列傳〉第一百四十下、〈文苑〉下，《新唐書》卷一百九十四、〈列傳〉第一百一十九、〈卓行〉均有傳。

別有全集，此《集》皆詩也。

案：《新唐書》卷六十、〈志〉第五十、〈藝文〉四、〈丁部集錄・別集類〉著錄：「司空圖《一鳴集》三十卷。」此即圖所撰之全集。《一鳴集》，《解題》卷十六、〈別集類〉上亦著錄：「《一鳴集》一卷，唐兵部侍郎虞鄉司空圖表聖撰。圖見〈卓行傳〉，唐末高人勝士也。蜀本但有雜著，無詩。自有詩十卷，別行。詩格尤非晚唐諸子所可望也。其論詩以『梅止於酸，鹽止於鹹，鹹酸之外，醇美乏焉』，東坡嘗以爲名言。自號知非子，又曰耐辱居士。」惟四庫本《解題》著錄《一鳴集》一卷，實三十卷之誤。《文獻通考》引《解題》，亦作三十卷。

其子永州刺史荷爲〈後記〉。

案：《舊唐書》圖本傳載：「圖無子，以其甥荷爲嗣。荷官至永州刺史。以甥爲嗣，嘗爲御史所彈，昭宗不之責。」荷所撰〈後記〉，已佚。

聶夷中集一卷

《聶夷中集》一卷，唐華陰尉聶夷中撰。咸通十二年進士。

廣棪案：《新唐書》卷六十、〈志〉第五十、〈藝文〉四、〈丁部集錄・別集類〉著錄：「《聶夷中詩》二卷，字坦之，咸通華陰尉。」《崇文總目》同。錢東垣輯釋本。《宋史》卷二百八、〈志〉第一百六十一、〈藝文〉七、〈別集類〉著錄：「《聶夷中詩》一卷。」《秘書省續編到四庫闕書目》卷一、

〈集類‧別集〉著錄：「《聶坦之詩》二卷，闕。輝按：《崇文目》：『《聶夷中詩》二卷。』《新唐志》同，云：『字坦之，咸通華陰尉。』《宋志》、《陳錄‧詩集類》：『《聶夷中集》一卷。』」葉德輝考證本。是此書宋時已分一卷或二卷。夷中，兩《唐書》無傳。《唐才子傳》卷第九、〈聶夷中〉載：「夷中，字坦之，河南人也。咸通十二年禮部侍郎高湜下進士，與許棠、公乘億同袍。時兵革多務，不暇銓注。夷中滯長安久，皁裘已弊，黃糧如珠，始得調華陰縣尉，之官惟琴書而已。性儉，蓋奮身草澤，備嘗辛楚，卒多傷俗閔時之事，哀稼穡之艱難。適值險阻，進退維谷。才足而命屯，有志卒爽，含蓄諷刺，亦有謂焉。古樂府尤得體，皆警省之辭，裨補政治，樂而不淫，哀而不傷，正〈國風〉之義也。其詩一卷，今傳。」可參證。

許棠集一卷

《許棠集》一卷，唐宛陵許棠文化撰。亦咸通十二年進士。

廣枀案：《新唐書》卷六十、〈志〉第五十、〈藝文〉四、〈丁部集錄‧別集類〉著錄：「《許棠詩》一卷，字文化。」《宋志》同。棠，兩《唐書》無傳。《唐才子傳》卷第九、〈許棠〉載：「棠，字文化，宣州涇人也。苦於詩文，性僻少合。既久困名場，時馬戴佐大同軍幕，爲詞宗。棠往謁之，一見如舊交。留連累月，但從事詩酒而已，未嘗問所欲。一旦大會賓客，命使以棠家書授之；棠驚愕，不喻其來，啓緘即知戴潛遣一介恤其家矣。古人溫良泛愛，振窮周急，謙退不伐，亦皆絕異之姿也。咸通十二年李玭榜進士及第，時及知命，嘗曰：『自得一第，稍覺筋骨輕健，愈於少年。則知一名乃孤進之還丹也。』調涇縣尉，之官，鄭谷送詩曰：『白頭新作尉，縣在故山中。高第能卑宦，前賢尚此風。』後潦倒辭榮。初作〈洞庭詩〉，膾炙人口，時號『許洞庭』云。今《集》一卷傳世。」可參證。

林寬集一卷

《林寬集》一卷，唐林寬撰。

廣枀案：《宋史》卷二百八、〈志〉第一百六十一、〈藝文〉七、〈別集類〉

著錄：「《林寬詩》一卷。」與此同。寬，兩《唐書》及《唐才子傳》均無傳。《全唐詩》卷六百六「林寬」條載：「林寬，侯官人。《詩》一卷。」《登科記考》卷二十七、〈附考‧進士科〉載：「林寬，寬有〈獻同年孔郎中詩〉，是已登第。」則寬曾登進士第。

與李頻，許棠皆同時，《集》有送二人詩。

案：《全唐詩》卷六百六有寬〈送李員外頻之建州〉，云：「句踐江頭月，客星臺畔松。爲郎久不見，出守暫相逢。鳥泊牽灘索，花空押號鐘。遠人思化切，休上武夷峰。」又有〈送許棠先輩歸宣州〉，云：「髮枯窮律韻，字字合填筬。日月所到處，姓名無不知。鶯啼謝守壘，苔老謫仙碑。詩道喪來久，東歸爲弔之。」可參考。

周繇集一卷

《周繇集》一卷，唐周繇撰。咸通十三年進士。

廣棪案：此《集》未見《新唐志》、《宋志》等著錄。《全唐詩》卷六百三十五「周繇」條載：「周繇字爲憲，池州人。咸通十二年登第。調建德令，辟襄陽徐商幕府，檢校御史中丞。《詩》一卷。」考《登科記考》卷二十三「唐懿宗昭聖恭惠孝皇帝」條載：「(咸通)十三年壬辰，進士三十人：鄭昌圖，狀元。周繇、韋庠、裴贄、鄭延昌、趙崇、鄒希回。」是繇咸通十三年登第，《全唐詩》誤。繇，兩《唐書》無傳。《唐詩紀事》卷第五十四「周繇」條載：「繇字爲憲，池州人。及咸通進士第，以〈明皇夢鍾馗賦〉知名。弟繁，亦工爲詩。調池之建德令，李昭象以詩送曰：『投文得仕而今少，佩印還家古所榮。』後以御史中丞與段成式、韋蟾、溫庭皓同遊襄陽徐商幕府。」《唐才子傳》卷第八、〈周繇〉載：「繇，江南人。咸通十三年鄭昌圖榜進士，調福昌縣尉。家貧，生理索寞，只苦篇韻。俯有思，仰有詠，深造閫域，時號爲『詩禪』。警聯如〈送人尉黔中〉云：『公庭飛白鳥，官俸請丹砂。』〈望海〉云：『島間應有國，波外恐無天。』〈甘露寺〉云：『殿鎖南朝像，龕禪外國僧。』又：『山從平地有，水到遠天無。』又：『白雲連晉閣，亘樹盡蕪城。』〈江州上薛能尚書〉云：『樹翳樓臺月，帆飛鼓角風。』又：『郡齋多嶽客，鄉戶半漁翁。』等句甚多，讀之使人竦然，誠好手也。落拓杯酒，無榮辱之累，所交遊悉一時名公。

《集》今傳世。同登第有張演者，工詩，間見一二篇，亦佳作也。」可參證。據《唐才子傳》，則《登科記考》咸通十三年鄭昌圖榜下可添「張演」之名，或徐松亦有所漏記也。

無譏集四卷

《無譏集》四卷，_{廣棪案：盧校本「譏」作「機」。校注曰：「《唐志》『譏』作『機』。」}校注誤。唐崔櫓撰。_{廣棪案：《文獻通考》作「崔魯」。}僖宗時人。

廣棪案：《新唐書》卷六十、〈志〉第五十、〈藝文〉四、〈丁部集錄·別集類〉著錄：「崔櫓《無譏集》四卷。」櫓，兩《唐書》無傳。《唐詩紀事》卷第五十八「崔櫓」條載：「櫓，大中時進士也。」大中，宣宗年號。《唐才子傳》卷第九、〈崔魯〉載：「魯，廣明間舉進士。工爲雜文，才麗而蕩。詩慕杜紫微風範，警句絕多。如〈梅花〉云：『強半瘦因前夜雪，數枝愁向晚來天。』又：『初開已入雕梁畫，未落先愁玉笛吹。』〈蓮花〉云：『何人解把無塵袖，盛取清香盡日憐。』〈山鵲〉云：『一番春雨吹巢冷，半朵山花咽嘴香。』又別題云：『雲生柱礎降龍地，露洗林巒放鶴天。』等，皆綺製精深，膾炙人口。頗嗜酒，無德，嘗醉辱陸肱郎中，旦日慚甚，爲詩謝曰：『醉時顛蹶醒時羞，麴糵催人不自由。叵耐一雙窮相眼，不堪芯卉在前頭。』陸亦諒之。悠悠亂世，竟無所成。櫓詩善於狀景詠物，讀之如嚥冰雪，心爽神怡，能遠聲病，氣象清楚，格調俱高，中間別有一種風情，佳作也，佳作也！詩三百餘篇，名《無機集》，今傳。」廣明僅一年（880），僖宗年號。《全唐詩》卷五百六十七「崔櫓」條載：「崔櫓，大中時舉進士。_{（一作廣明中進士）}仕爲棣州司馬。《無機集》四卷，今存詩十六首。」可參考。惟參之《解題》謂櫓「僖宗時人」，則疑應依《唐才子傳》，訂櫓「廣明間舉進士」。

章碣集一卷

《章碣集》一卷，唐章碣撰。亦僖宗時人。

廣棪案：《新唐書》卷六十、〈志〉第五十、〈藝文〉四、〈丁部集錄·別集類〉著錄：「《章碣詩》一卷。」《宋志》同。碣，兩《唐書》無傳。《唐詩紀事》卷第六十一「章碣」條載：「碣，孝標之子。登乾符進士第。」

乾符，僖宗年號。《唐才子傳》卷第九、〈章碣〉載：「碣，錢塘人，孝標之子也。累上著不第。咸通末，以篇什稱。乾符中，高湘侍郎自長沙攜邵安石來京及第，碣恨湘不知己，賦〈東都望幸〉詩曰：『懶修珠翠上高臺，眉月連妍恨不開。縱使東巡也無益，君王自領美人來。』後竟流落，不知所終。碣有異才，嘗草創詩律，於八句中足字平側，各從本韻。如：『東南路盡吳江畔，正是窮愁薄暮天。鷗鷺不嫌斜雨岸，波濤欺得逆風船。偶逢島寺停帆看，深羨漁翁下釣眠。今古若論英達算，鴟夷高興固無邊。』自稱變體。當時趨風者亦紛紛而起也。今有詩一卷，傳於世。」可參證。惟《唐才子傳》謂碣「累上著不第」，與《唐詩紀事》異。考《登科記考》卷二十七〈附考・進士科〉載：「章碣，乾符進士第，見《唐詩紀事》。按《唐才子傳》云：『章碣，錢唐人，孝標之子，累上（著）不第。』未知即此人否？俟考。」案：《唐詩紀事》與《唐才子傳》所記之章碣，應同屬一人。疑碣初不第，至乾符始舉進士，《唐才子傳》漏記。

高蟾集一卷

《高蟾集》一卷，唐御史中丞高蟾撰。乾符三年進士。

廣棪案：《新唐書》卷六十、〈志〉第五十、〈藝文〉四、〈丁部集錄・別集類〉著錄：「《高蟾詩》一卷，乾寧御史中丞。」《崇文總目》同。錢東垣輯釋本。《宋史》卷二百八、〈志〉第一百六十一、〈藝文〉七、〈別集類〉著錄：「《高蟾詩》二卷。」則卷數不同。蟾，兩《唐書》無傳。《唐才子傳》卷第九、〈高蟾〉載：「蟾，河朔間人。乾符三年，孔緘榜及第。與鄭郎中谷為友，酬贈稱高先輩。初，累舉不上，題省牆間曰：『冰柱數條搘白日，天門幾扇鎖明時。陽春發處無根蒂，憑仗東風次第吹。』怨而切。是年人論不公。又〈下第上馬侍郎〉云：『天上碧桃和露種，日邊紅杏倚雲栽。芙蓉生在秋江上，莫向春風怨未開。』意指亦直，馬憐之。又有『顏色如花命如葉』之句，自況時運蹇窒，馬因力薦，明年李昭知貢舉，遂擢桂。官至御史中丞。蟾本寒士，遑遑於一名，十年始就。性倜儻離羣，稍尚氣節。人與千金，無故，即身死亦不受。其胸次磊塊，詩酒能為消破耳。詩體則氣勢雄偉，態度諧遠，如狂風猛雨之來，物物竦動，深造理窟，亦一奇逢掖也。《詩集》一卷，今傳。」可參證。

崔塗集一卷

《崔塗集》一卷，唐崔塗禮山撰。光啟四年進士。

廣梭案：《新唐書》卷六十、〈志〉第五十、〈藝文〉四、〈丁部集錄·別集類〉著錄：「《崔塗詩》一卷，字禮山，光啟進士第。」《崇文總目》、錢東垣輯釋本。《宋志》同。塗，兩《唐書》無傳。《唐才子傳》卷第九、〈崔塗〉載：「塗，字禮山，光啟四年鄭貽矩榜進士及第。工詩，深造理窟，端能竦動人意，寫景狀懷，往往宣陶肺腑。亦窮年羈旅，壯歲上巴、蜀，老大遊隴山，家寄江南，每多離怨之作。警策如：『流年川暗渡，往事月空明。』〈巫娥〉云：『江山非舊主，雲雨是前身。』如：『病知新事少，老別故交難。』〈孤雁〉云：『渚雲低暗度，關月冷相隨。』〈山寺〉云：『夕陽高鳥過，疏雨一鍾殘。』又：『谷樹雲埋老，僧窗瀑照寒。』〈鸚鵡州〉云：『曹瞞尚不能容物，黃祖何因解愛才？』〈春夕〉云：『胡蝶夢中家萬里，杜鵑枝上月三更。』〈隴上〉云：『三聲戍角邊城暮，萬里歸心塞草春。』〈過峽〉云：『五千里外三年客，十二峯前一望秋。』等聯，作者於此斂衽。意味俱遠，大名不虛。有《詩》一卷，今傳。」可參證。

雲臺編三卷

《雲臺編》三卷，唐都官郎中宜春鄭谷守愚撰。光啟三年進士。

廣梭案：《新唐書》卷六十、〈志〉第五十、〈藝文〉四、〈丁部集錄·別集類〉著錄：「鄭谷《雲臺編》三卷，又《宜陽集》三卷，字守愚，袁州人，為右拾遺。乾寧中，以都官郎中卒于家。」《郡齋讀書志》卷第十八、〈別集類〉中著錄：「《雲臺編》三卷、《宜陽外編》一卷。右唐鄭谷字守愚，宜春人。光啟三年，擢高第，遷右拾遺，歷都官郎中。乾寧四年，歸宜春，卒於別墅。其集號《雲臺編》者，以其扈從華山下觀居所編次也。谷詩屬思凝切於理，而格韻繁猥，語句浮俚不競，不為議者所多，然一時傳諷，號鄭都官而弗名也。」《宋史》卷二百八、〈志〉第一百六十一、〈藝文〉七、〈別集類〉著錄：「鄭谷《宜陽集》一卷。」又：「《鄭谷詩》三卷，又《詩》一卷、《外集》一卷。」可供參證。《宋志》之《鄭谷詩》三卷，應即為《雲臺編》三卷也。谷，兩《唐書》無傳。《唐才子傳》卷第九、〈鄭谷〉載：「谷，字守愚，袁州宜春人。父史，開成中為永州

刺史。谷幼穎悟絕倫，七歲能詩。司空侍郎圖與史同院，見而奇之，問曰：『予詩有病否？』曰：『大夫〈曲江晚望〉云：「村南斜日閑迴首，一對鴛鴦落渡頭。」此意深矣！』圖拊谷背曰：『當爲一代〈風〉、〈騷〉主也。』光啓三年，右丞柳玭下第進士，授京兆鄠縣尉，遷右拾遺，補闕。乾寧四年，爲都官郎中，詩家稱鄭都官。又嘗賦〈鷓鴣〉警絕，復稱鄭鷓鴣云。未幾告歸，退隱仰山書堂，卒於北巖別墅。谷詩清婉明白，不俚而切，爲薛能、李頻所賞。與許棠、任濤、張蠙、李栖遠、張喬、喻坦之、周繇、溫憲、李昌符唱答往還，號『芳林十哲』。谷多結契山僧，曰：『蜀茶似僧，未必皆美，不能捨之。』齊己攜詩卷來袁，謁谷，〈早梅〉云：『前村深雪裏，昨夜數枝開。』谷曰：『數枝，非早也：未若一枝佳。』己不覺設拜曰：『我一字師也。』嘗從僖宗登三峯，朝謁之暇，寓於雲臺道舍，編所作爲《雲臺編》三卷；歸，編《宜陽集》三卷，及撰《國風正訣》一卷，分六門，摭詩聯注其比象君臣賢否、國家治亂之意，今並傳焉。」可參考。

香奩集二卷、入內廷後詩集一卷、別集三卷

《香奩集》二卷、《入內廷後詩集》一卷、《別集》三卷，唐翰林學士韓偓致光撰。

廣棪案：《新唐書》卷六十、〈志〉第五十、〈藝文〉四、〈丁部集錄・別集類〉著錄：「《韓偓詩》一卷，又《香奩集》一卷。」《郡齋讀書志》卷第十八、〈別集類〉中著錄：「《韓偓詩》二卷、《香奩集》一卷。右唐韓偓致堯也。京兆人。龍紀元年進士，累遷諫議大夫、翰林學士。昭宗幸鳳翔，進兵部侍郎、承旨。朱全忠怒，貶濮州司馬，榮懿尉。天祐初，挈族依王審知而卒。《香奩集》，沈括《筆談》以爲和凝所作，凝既貴，惡其側豔，故詭稱偓著。或謂括之言妄也。」《宋史》卷二百八、〈志〉第一百六十一、〈藝文〉七、〈別集類〉著錄：「《韓偓詩》一卷，又《入翰林後詩》一卷。」又著錄：「韓偓《香奩小集》一卷，又《別集》三卷。」上列各書所著錄，與《解題》不同。偓，《新唐書》卷一百八十三、〈列傳〉第一百八有傳。其〈傳〉曰：「韓偓字致光，京兆萬年人。擢進士第，佐河中幕府。召科左拾遺，以疾解。後遷累左諫議大夫，宰

相崔胤判度支，表以自副。王溥薦爲翰林學士，遷中書舍人。」可參證。《郡齋讀書志》謂偓字致堯，疑誤。

唐英集三卷

《唐英集》三卷，唐翰林學士吳融子華撰。融與偓皆龍紀元年進士。

廣棪案：《新唐書》卷六十、〈志〉第五十、〈藝文〉四、〈丁部集錄·別集類〉著錄：「《吳融詩集》四卷，又《制誥》一卷。」《宋史》卷二百八、〈志〉第一百六十一、〈藝文〉七、〈別集類〉著錄：「《吳融集》一卷。」又著錄：「《吳融賦集》五卷。」所著錄卷數均與《解題》不同。考錢曾《錢遵王讀書敏求記》卷四之中、〈詩集〉著錄：「吳融《唐英歌詩》三卷。予生平所見子華詩宋槧本唯此本，宜寶護之。」又《天祿琳琅書目後編》卷六、〈宋版集部〉著錄：「《唐英歌詩》，一函二冊。唐吳融撰。融字子華，越州山陰人，龍紀元年進士，見《唐書·文藝傳》。書三卷，揭銜『翰林學士承旨、銀青光祿大夫、行在尚書戶部侍郎、知制誥、上柱國漢陽縣開國男、食邑三百戶』。考融與韓偓同爲學士，偓《集》有〈同直詩〉，其曰『行在』，蓋昭宗在鳳翔時所命官。首有『允文』、『樞密之章』二印，蓋宋虞允文家藏，至明入上元焦氏。又一印不可辨。」是融詩宋槧本正作《唐英集》三卷，直齋所藏者與虞允文、錢遵王所藏者相同。融，《新唐書》卷二百二、〈列傳〉第一百二十八、〈文藝〉下有傳。其〈傳〉曰：「吳融字子華，越州山陰人。祖翥，有名大中時，觀察府召以署吏，不應，帥高其概，言諸朝，賜號文簡先生。融學自力，富辭調。龍紀初，及進士第。韋昭度討蜀，表掌書記，遷累侍御史。坐累去官，流浪荊南，依成汭。久之，召爲左補闕，以禮部郎中爲翰林學士，拜中書舍人。昭宗反正，御南闕，羣臣稱賀，融最先至。于時左右歡駭，帝有指授，疊十許稿，融跪作詔，少選成，語當意詳，帝咨賞良厚。進戶部侍郎。鳳翔劫遷，融不克從，去客閿鄉。俄召還翰林，遷承旨，卒官。」《登科記考》卷二十四「唐昭宗聖穆景文孝皇帝」條載：「龍紀元年己酉，進士二十五人：李瀚，狀元。溫憲、吳融、韓偓、唐備、崔遠、李口。」是融與偓皆昭宗龍紀元年進士。

張蠙集一卷

《張蠙集》一卷，唐張蠙象文撰。乾寧二年進士。

廣棪案：《新唐書》卷六十、〈志〉第五十、〈藝文〉四、〈丁部集錄·別集類〉著錄：「《張蠙詩集》二卷，字象文」所著錄卷數與《解題》不同。《崇文總目》卷五、〈別集類〉著錄：「《張蠙詩》一卷。」錢東垣輯釋本。《郡齋讀書志》卷第十八、〈別集類〉中著錄：「《張蠙詩》一卷。右偽蜀張蠙字象文，清河人。唐乾寧中進士。為校書郎、櫟陽尉、犀浦令。王建開國，拜膳部員外郎，後為金堂令。王衍與徐后遊大慈寺，見壁間書『牆頭細雨垂纖草，水面回風聚落花』，愛之，問知蠙句，給札，令以詩進。蠙以二百首獻。衍頗重之，將召為知制誥，宋光嗣以其輕傲，止賜白金而已。蠙生而穎秀，幼能為詩，作〈登單于臺〉，有『白日地中出，黃河天外來』之句，為世所稱。」《宋志》著錄卷數同。蠙，兩《唐書》無傳。《唐詩紀事》卷第七十「張蠙」條載：「蠙，字象文，唐末登第，尉櫟陽。避亂入蜀，王蜀時，為金堂令。徐后遊大慈寺，見壁間題云：『牆頭細雨垂纖草，水面回風聚落花。』問寺僧，僧以蠙對。乃賜霞光牋，令寫詩以進。蠙進二百首，衍善之，召為知制誥。宋光嗣以蠙輕忽傲物，遂止。卒於官。蠙生穎秀，幼有〈單于臺〉詩曰：『白日地中出，黃河天外來。』為世所稱。」《唐才子傳》卷第十、〈張蠙〉載：「蠙，字象文，清河人也。乾寧二年，趙觀文榜進士及第，釋褐為校書郎，調櫟陽尉，遷犀浦令。偽蜀王建開國，拜膳部員外郎，後為金堂令。王衍與徐氏遊大慈寺，見壁間題：『牆頭細雨垂纖草，水面回風聚落花。』愛賞久之，問誰作，左右以蠙對。因給禮令以詩進，蠙上二篇，衍尤待重，將召掌制誥，朱光嗣以其輕傲，駙馬宣疏之，止賜白金千兩而已。蠙生而秀穎，幼能為詩，〈登單于臺〉有『白日地中出，黃河天上來』句，由是知名。初以家貧，累下第，留滯長安，賦詩云：『月裏路從何處上，江邊身合幾時歸？十年九陌寒風夜，夢掃蘆花絮客衣。』主司知為非濫成名。餘詩皆佳，各有意度，過人遠矣。《詩集》二卷，今傳。」可參證。然《唐才子傳》所載，文字略有異同。

靈溪集七卷

《靈溪集》七卷，唐校書郎上饒王貞白有道撰。乾寧二年進士。

　　廣栻案：《新唐書》卷六十、〈志〉第五十、〈藝文〉四、〈丁部集錄·別
　　集類〉著錄：「《王貞白詩》一卷。」與《解題》不同。《宋史》卷二百八、
　　〈志〉第一百六十一、〈藝文〉七、〈別集類〉著錄：「《王貞白集》七卷。」
　　與此同。貞白，兩《唐書》無傳。《唐才子傳》卷第十、〈王貞白〉載：「貞
　　白，字有道，信州永豐人也。乾寧二年登第，時榜下物議紛紛，詔翰林
　　學士陸扆於內殿復試，中選，授校書郎，時登科後七年矣。鄭谷以詩贈
　　曰：『殿前新進士，闕下校書郎。』初蘭溪僧貫休得雅名，與貞白居去不
　　遠而未會。嘗寄〈御溝〉詩，有：『此波涵帝澤，無處濯塵纓。』後會，
　　語及此，休曰：『剩一字。』貞白拂袂而去。休曰：『此公思敏，當即來。』
　　休書字於掌心。逡巡，貞白還，曰：『「此中涵帝澤」如何？』休以掌示
　　之，無異所改，遂訂深契。後值天王狩於岐，迺退居著書，不復干祿，
　　當時大獲芳譽。性恬和，明《易象》。手編所爲詩三百篇及賦文等爲《靈
　　溪集》七卷，傳於世，卒，葬家山。」可參證。

其《集》有〈自序〉，永豐人有藏之者，洪景盧得而刻之。詩雖多，在
一時儕輩未為工也。

　　案：貞白〈自序〉已佚。貞白詩，《唐詩紀事》卷第二十七「王貞白」條
　　載：「貞白，唐末大播詩名。」又載：「昭宗皇帝頗爲寒畯開路。崔合州
　　凝典貢舉，但是子弟，無問文章厚薄，其間屈人不少。孤寒中唯程宴、
　　黃滔擅場之外，其餘以呈試考之，濫得亦不少矣。然如貞白、張蠙詩，
　　趙觀文古風之作，皆臻前輩之閫閾者也。」《唐才子傳》亦曰：「貞白學
　　力精贍，篤志於詩。清潤典雅，呼吸間兩獲科甲，自致於青雲之上，文
　　價可知矣。深惟存亡取捨之義，進而就祿，退而保身，君子也。梁陶宏
　　景棄官隱居三茅，國事必諮請，稱『山中宰相』，號貞白。今王公慕其爲
　　人而云爾。」所論皆與直齋不同。惟《唐詩紀事》另載：「天祐年中內試，
　　貞白札翰狼籍，帝覽，拂下玉案。有黃門奏此舉人有詩名。御批曰：『粗
　　通放。』直齋謂貞白詩「在一時儕輩未爲工」，或就此事而云焉。天祐，
　　哀帝年號。

翁承贊集一卷

《翁承贊集》一卷，唐諫議大夫京兆翁承贊文堯撰。乾符二年進士。

　　廣校案：《新唐書》卷六十、〈志〉第五十、〈藝文〉四、〈丁部集錄・別
　　集類〉著錄：「《翁承贊詩》一卷，字文堯。」《崇文總目》、錢東垣輯釋本。《宋
　　志》著錄同。承贊，兩《唐書》無傳。《唐才子傳》卷六十三、「翁承贊」
　　載：「承贊，乾寧進士也。」又載：「承贊，字文堯，閩人。唐末爲諫議
　　大夫，使福州。」《唐才子傳》卷第十、〈翁承贊〉載：「承贊，字文堯，
　　乾寧三年禮部侍郎獨孤損下第四人進士，又中宏詞敕頭。承贊工詩，體
　　貌甚偉，且詼諧，名動公侯。……仕王審知，終諫議大夫。」考《登科
　　記考》卷二十四「唐昭宗聖穆景文孝皇帝」條載：「（乾寧）三年丙辰，進
　　士十二人：崔諤，狀元。楊鏻、翁承贊。」又載：「（乾寧）四年丁巳，諸科
　　三人。博學宏詞科：翁承贊。《淳熙三山志》：『乾寧四年，翁承贊中博學宏詞科。』」
　　是則《解題》謂翁贊「乾符二年進士」，誤。

褚載集一卷

《褚載集》一卷，館臣案：《唐書・藝文志》作三卷。唐褚載厚之撰。

　　廣校案：《新唐書》卷六十、〈志〉第五十、〈藝文〉四、〈丁部集錄・別
　　集類〉著錄：「《褚載詩》三卷，字厚之，並乾寧進士第。」《崇文總目》卷五、
　　〈別集類〉四著錄：「褚載《詠史詩》三卷。」錢東垣輯釋本。所著錄卷數
　　不同。《宋史》卷二百八、〈志〉第一百六十一、〈藝文〉七、〈別集類〉
　　著錄：「《褚載詩》一卷。」則與《解題》同。載，兩《唐書》無傳。《唐
　　詩紀事》卷第五十九「褚載」條載：「載字厚之，登乾寧進士第。」《唐
　　才子傳》卷第十、〈褚載〉載：「載字厚之。家貧，客梁、宋間，困甚。
　　以詩投襄陽節度使邢君牙云：『西風昨夜墜紅蘭，一宿郵亭事萬般。無地
　　可耕歸不得，有恩堪報死何難。流年怕老看將老，百計求安未得安。一
　　卷新詩滿懷淚，頻來門館訴飢寒。』君牙憐之，贈絹十疋，薦於鄭滑節
　　度使，不行。乾寧五年，禮部侍郎裴贄知貢舉，君牙又薦之，遂擢第。……
　　《集》三卷，今傳。」可參證。

王轂集一卷

《王轂集》一卷，唐王轂虛中撰。二人皆乾寧五年進士。

　　廣棪案：《新唐書》卷六十、〈志〉第五十、〈藝文〉四、〈丁部集錄·別集類〉著錄：「《王轂詩集》三卷，字虛中，乾寧進士第，郎官致仕。」《崇文總目》、錢東垣輯釋本。《宋志》著錄同。《解題》作一卷，疑誤。轂，兩《唐書》無傳。《唐詩紀事》卷第七十「王轂」條載：「轂字虛中，宜春人。登乾寧進士第。」又載：「轂，唐末為尚書郎中，致仕。」與《新唐志》所載略同。《唐才子傳》卷十、〈王轂〉載：「轂字虛中，宜春人，自號臨沂子。……乾寧五年羊紹素榜進士，歷國子博士，後以郎官致仕。有《詩》三卷。」可參證。

浣花集一卷

《浣花集》一卷，蜀韋莊撰。唐乾寧元年進士也。

　　廣棪案：《崇文總目》卷五、〈別集類〉二著錄：「《浣花集》二十卷，韋莊撰。鑒按：《宋志》十卷。」錢東垣輯釋本。《郡齋讀書志》卷第十八、〈別集類〉中著錄：「韋莊《浣花集》五卷。右偽蜀韋莊字端己。仕王建，至吏部侍郎、平章事。《集》乃其弟藹所編，以所居即杜甫草堂舊址，故名。《偽史》稱莊有《集》二十卷，今止存此。」《宋史》卷二百八、〈志〉第一百六十一、〈藝文〉七、〈別集類〉著錄：「韋莊《浣花集》十卷、《諫草》一卷。」是各書所著錄此書卷數皆不同。《解題》著錄者乃詩集。莊，兩《唐書》無傳。《唐詩紀事》卷第六十八「韋莊」條載：「莊，字端己，杜陵人，見素之後。曾祖少微，宣宗中書舍人。莊疎曠不拘小節，李詢為兩川宣諭和協使，辟為判官，以中原多故，潛欲依王建，建辟為掌書記。尋召為起居舍人，建表留之。後相建為偽平章事。」《唐才子傳》卷第十，《十國春秋》卷第四十、〈前蜀〉六、〈列傳〉均有傳。考《登科記考》卷二十四「唐昭宗聖穆景文考皇帝」條載：「乾寧元年甲寅，進士二十八人：蘇檢、狀元。韋莊、《唐才子傳》：『韋莊字端己，京兆杜陵人也。乾寧元年蘇檢榜進士，釋褐校書郎。』陳乘、唐廩、孔昌庶。」可參證。

王駕集一卷

《王駕集》一卷，_{館臣案：《唐書‧藝文志》作六卷。}唐彭城王駕大用撰。大順元年進士。自號守素先生。

> 廣棪案：《新唐書》卷六十、〈志〉第五十、〈藝文〉四、〈丁部集錄‧別集類〉著錄：「《王駕詩集》六卷，_{字大用。}」《崇文總目》、_{錢東垣輯釋本。}《宋志》同，疑《解題》誤。駕，兩《唐書》無傳。《唐詩紀事》卷第六十三「王駕」條載：「駕字大用，河中人。登大順進士第，仕至禮部員外郎。自稱守素先生，與圖、谷相爲詩友。」《唐才子傳》卷第九、〈王駕〉載：「駕，字大用，蒲中人，自號守素先生。大順元年，楊贊禹榜登第，授校書郎，仕至禮部員外郎。棄官嘉遁於別業，與鄭谷、司空圖爲詩友，才名籍甚。圖嘗與駕書評詩曰：『國初雅風特盛，沈、宋始興之後，傑出於江寧，宏思至李、杜極矣。右丞、蘇州，趣味澄夐，若清流之貫遠。大曆十數公，抑又其次。元、白力勍而氣孱，乃都市豪估耳！劉夢得、楊巨源亦各有勝會。浪仙、無可、劉得仁輩，時得佳致，亦足滌煩。厥後所聞，徒褊淺矣。河、汾蟠鬱之氣，宜繼有人。今王生寓居其間，沉漬益久，五言所得，長於思與境偕，乃詩家之所尙者。則前所謂必推於其類，豈止神躍色揚而已哉！』駕得書，自以譽不虛已。當時價重，乃如此也。今《集》六卷，行於世。」均可參證。

喻坦之集一卷

《喻坦之集》一卷，唐喻坦之撰。

> 廣棪案：《宋史》卷二百八、〈志〉第一百六十一、〈藝文〉七、〈別集類〉著錄：「《喻坦之集》一卷。」與此同。坦之，兩《唐書》無傳。《唐才子傳》卷第九、〈喻坦之〉載：「坦之，睦州人。咸通中舉進士不第，久寓長安，囊罄，憶漁樵，還居舊山，與李建州頻爲友。頻以詩送歸云：『從容心自切，飲水勝銜杯。共在山中住，相隨闕下來。修身空有道，取事各無媒。不信昇平代，終遺草澤才。』又：『彼此無依倚，東西又別離。』蓋困於窮蹇，情見於辭矣。同時嚴維、徐凝、章八元粉榆相望，前後唱和亦多。《詩集》今傳。」可參證。

張喬集二卷

《張喬集》二卷，廣棪案：《文獻通考》作「一卷」。盧校本作一卷。校注曰：「《通考》卷數同。」唐進士九華張喬撰。

　　廣棪案：《新唐書》卷六十、〈志〉第五十、〈藝文〉四、〈丁部集錄‧別集類〉著錄：「《張喬詩集》二卷。」與此同。《崇文總目》卷五、〈別集類〉四著錄：「《張喬詩》一卷。」錢東垣輯釋本。《宋志》同。所著錄卷數與《解題》不同。喬，兩《唐書》無傳。《唐才子傳》卷第十有傳，未言進士及第。

喬與許棠、張蠙、鄭谷、喻坦之等同時，號「十哲」。喬試京兆，〈月中桂〉詩擅場，傳於今，而《登科記》無名，蓋不中第也。

　　案：《唐詩紀事》卷第七十載：「喬，池州人，有詩名。咸通中，與許棠、俞坦之、劇燕、任濤、吳宰、張蠙、周繇、鄭谷、李栖遠、溫憲、李昌符謂之十哲。十哲而十二人。」又載：「咸通中，京兆府解，試〈月中桂〉詩，喬擅場。云：『與月轉洪濛，扶疏萬古同。根非生下土，葉不墜秋風。每以圓時足，還隨缺處空。影高臺木外，香滿一輪中。未種丹霄日，應虛白兔宮。如何當羽化，細得問神功。』其年李建州頻主試，時為京兆府參軍。以許棠老於場屋，以為首薦。未幾，巢寇為亂，遂與伍喬之徒隱九華。」可參證。九華在池州，故《解題》稱喬為九華人。喬，《登科記》無名，直齋稱為「唐進士」，似未當。

高駢集一卷

《高駢集》一卷，唐淮南節度使高駢撰。

　　廣棪案：《新唐書》卷六十、〈志〉第五十、〈藝文〉四、〈丁部集錄‧別集類〉著錄：「《高駢詩》一卷。」《崇文總目》、錢東垣輯釋本。《宋志》同。駢字千里，幽州人。乾符六年冬，進位檢校司徒、揚州大都督長史、淮南節度副大使知節度事。《舊唐書》卷一百八十三、〈列傳〉第一百三十二，《新唐書》卷二百二十四下、〈列傳〉第一百四十九下、〈叛臣〉下有傳。

周賀集一卷

《周賀集》一卷，唐周賀撰。嘗為僧，名清塞，後反初服。_{廣棪案：《文獻通考》作「初故」，盧校本同。誤。}

　　廣棪案：《新唐書》卷六十、〈志〉第五十、〈藝文〉四、〈丁部集錄・別集類〉著錄：「《周賀詩》一卷。」《宋志》同。賀，兩《唐書》無傳。《唐詩紀事》卷第七十六「僧清塞」條載：「師東洛人，姓周氏。少從浮圖，法名清塞，遇姚合而返初，易名賀。初與賈長江，無可齊名。」《唐才子傳》卷第六、〈清塞〉載：「清塞，字南鄉，居廬嶽為浮屠，客南徐亦久，後來少室、終南間。俗姓周名賀。工為新體詩，格調清雅，與賈島、無可齊名。寶曆中，姚合守錢塘，因攜書投刺以丐品第。合延待甚異。見其〈哭僧詩〉云：『凍鬚亡夜剃，遺偈病中書。』大愛之，因加以冠巾，使復姓字。時夏臘已高，榮望落落，竟往依名山諸尊宿自終。《詩》一卷，今傳。」可參證。

別本又號《清塞集》。

　　案：《崇文總目》卷五、〈別集類〉三著錄：「《清塞詩集》一卷。」_{錢東垣輯釋本。}《郡齋讀書志》卷第十八〈別集類〉中著錄：「《清塞詩》一卷。右唐僧清塞，字南卿。詩格清雅，與賈島、無可齊名。寶曆中，姚合涖杭，因攜書投謁。合聞其誦〈哭僧詩〉云『凍鬚亡夜剃，遺偈病中書』，大愛之，因加以冠巾，為周賀云。」是其證。今國家圖書館藏宋臨安府陳宅書籍鋪刻本，書末有「臨安府棚北睦親坊南陳宅書籍鋪印」印記。書乃稱《周賀詩》。書後有何焯〈跋〉，曰：「東海司寇所有宋槧《唐人詩集》五十餘家，悉為揚州大賈項景原所得。此冊經手人朱生乞以分潤，後歸憩閑堂主人，予之表舅也。知予嘗購之，因而輟贈。籤是王伯穀先生所題云。壬辰冬日，何焯記於賚研齋。」可參考。是則國家圖書館所藏之《周賀詩》，乃宋槧《唐人詩集》本。

李洞集一卷

《李洞集》一卷，唐李洞撰。與張喬同時，稱「餘杭明經」。潘熙載編。

　　廣棪案：《新唐書》卷六十、〈志〉第五十、〈藝文〉四、〈丁部集錄・別集類〉著錄：「《李洞詩》一卷。」與此同。《郡齋讀書志》卷第十八、〈別

集類〉中著錄：「《李洞詩》一卷。右唐李洞字才江。諸王之孫。慕賈島爲詩，銅鑄爲像，事之如神。時人多誚其僻澀，不貴其奇峭，惟吳融稱之。昭宗時不第，遊蜀，卒。」可參考。《宋史》卷二百八、〈志〉第一百六十一、〈藝文〉七、〈別集類〉著錄：「《李洞詩集》三卷。」所著錄卷數不同。洞，兩《唐書》無傳。《唐才子傳》卷第九有傳。潘熙載，生平無可考。

曹唐集一卷

《曹唐集》一卷，唐桂林曹唐堯賓撰。有〈大〉、〈小游仙〉詩。

廣棪案：《新唐書》卷六十、〈志〉第五十、〈藝文〉四、〈丁部集錄‧別集類〉著錄：「《曹唐詩》三卷，字堯賓。」《宋志》同。《崇文總目》卷五〈別集類〉四著錄：「曹唐《大游仙詩》一卷，曹唐《小游仙詩》一卷。」錢東垣輯釋本。以上著錄均與《解題》卷數不同。《郡齋讀書志》卷第十八、〈別集類〉中著錄：「《曹唐詩》一卷。右唐曹唐字堯賓，桂州人。初爲道士。咸通中，爲府從事，卒。作〈遊仙詩〉百餘篇。或靳之曰：『堯賓嘗作鬼詩。』唐曰：『何也？』『「井底有天春寂寂，人間無路月茫茫」。非鬼詩而何？』唐乃大哂。今《集》中不見，然他詩及神仙者尚多。」可參證。唐，兩《唐書》無傳。《唐詩紀事》卷第五十八「曹唐」條載：「唐字堯賓，桂州人。初爲道士，後爲使府從事。咸通中卒。作〈遊仙詩〉百餘篇。」與《郡齋讀書志》同。《唐才子傳》卷第八、〈曹唐〉載：「唐，字堯賓，桂州人。初爲道士，工文賦詩。大中間舉進士，咸通中爲諸府從事，唐與羅隱同時，才情不異。唐始起清流，志趣澹然，有凌雲之骨，追慕古仙子高情，往往奇遇，而己才思不減前人，遂作〈大遊仙詩〉五十篇，又〈小遊仙詩〉等，紀其悲歡離合之要，大播於時。唐嘗會隱，各論近作。隱曰：『聞兄〈遊仙〉之製甚佳，但中聯云：「洞裏有天春寂寂，人間無路月茫茫。」乃是鬼耳。』唐笑曰：『足下〈牡丹〉詩一聯詠女子障：「若教解語應傾國，任是無情也動人。」』於是座客大笑。唐平生之志激昂，至是薄宦，頗自鬱悒，爲〈病馬〉詩以自況，警聯如：『飲驚白露泉花冷，喫怕清秋豆葉寒。』皆膾炙人口。忽一日，晝夢仙女，鸞服花冠，衣如烟霧，倚樹吟唐詠天台劉阮詩，若欲相招而去者。唐驚覺，頗怪之。明日暴病卒，亦感憶之所致也。有《詩集》二卷，今傳於世。」可參證。

來鵬集一卷

《來鵬集》一卷，唐豫章來鵬撰。咸通中舉進士不第。

　　廣棪案：《新唐書》卷六十、〈志〉第五十、〈藝文〉四、〈丁部集錄·別
　　集類〉著錄：「《來鵬詩》一卷。」《崇文總目》、錢東垣輯釋本。《宋志》著錄
　　同。鵬，兩《唐書》無傳。《唐才子傳》卷第八、〈來鵬〉載：「鵬，豫章
　　人，家徐孺子亭邊，林園自樂，師韓、柳爲文。大中、咸通間，才名籍
　　甚。鵬工詩，蓄銳既久，自傷年長，家貧不達，頗亦怏怏，故多寓意譏
　　訕。當路雖賞清麗，不免忤情，每爲所忌。如〈金錢花〉云：『青帝若教
　　花裏用，牡丹應是得錢人。』〈夏雲〉云：『無限旱苗枯欲盡，悠悠閑處
　　作奇峯。』〈偶題〉云：『可惜青天好雷電，只能驚起懶蛟龍。』坐是，
　　凡十上不得第。韋宙向書獨賞其才，延待幕中，攜以遊蜀；又欲納爲婿，
　　不果。是年，力薦，夏課卷中獻詩有云：『一夜綠荷風剪破，嫌他秋雨不
　　成珠。』宙以爲不祥，果失志。時遭廣明庚子之亂，鵬避地遊荆、襄，
　　艱難險阻。南返，中和客死於維揚逆旅。主人賢，收葬之。有《詩》一
　　卷，今傳於世。」可參證。

任藩集一卷

《任藩集》一卷，唐任藩撰。或作翻。

　　廣棪案：《新唐書》卷六十、〈志〉第五十、〈藝文〉四、〈丁部集錄·別
　　集類〉著錄：「《任翻詩》一卷。」《崇文總目》同。錢東垣輯釋本。《宋史》
　　卷二百八、〈志〉第一百六十一、〈藝文〉七、〈別集類〉著錄：「《任藩
　　詩》一卷。」則與《解題》同。藩，兩《唐書》無傳。《唐才子傳》卷
　　第七作、〈任蕃〉載：「蕃，會昌間人，家江東，多遊會稽苕、雪間。初，
　　亦舉進士之京，不第，牓罷，進謁主司曰：『僕本寒鄉之人，不遠萬里，
　　手遮赤日，步來長安，取一第榮父母不得。侍郎豈不聞江東一任蕃，家
　　貧吟苦，忍令其去如來日也？敢從此辭，彈琴自娛，學道自樂耳。』主
　　司慚，欲留不可得。歸江湖，專尚聲調。去遊天台巾子峯，題寺壁間云：
　　『絕頂新秋生夜涼，鶴翻松露滴衣裳。前峯月照一江水，僧在翠微開竹
　　房。』既去百餘里，欲回改作『半江水』，行到題處，他人已改矣。後
　　復有題詩者，亡其姓氏，曰：『任蕃題後無人繼，寂寞空山二百年。』

才名類是。凡作必使人改視易聽，如〈洛陽道〉云：『憧憧洛陽道，塵下生春草。行者豈無家，無人在家老。雞鳴前結束，爭去恐不早。百年路傍盡，白日車中曉。求富江海狹，取貴山嶽小。二端立在途，奔走何由了？』想蓄風度，此亦足舉其梗概。有詩七十七首，為一卷，今傳，非全文矣。」可參證。

客居天台，有〈宿峈幘山〉絕句，為人所稱。今城中巾子山也。

案：《全唐詩》卷七百二十七、「任翻」載〈宿巾子山禪寺〉一首，即《唐才子傳》所記之題寺壁詩。另有〈再遊巾子山寺〉云：「靈江江上幘峰寺，三十年來兩度登。野鶴尚巢松樹徧，竹房不見舊時僧。」〈三遊巾子山寺感述〉云：「清秋絕頂竹房開，松鶴何年去不迴。惟有前峰明月在，夜深猶過半江來。」三首前後呼應，膾炙人口。

玄英集十卷

《玄英集》十卷，唐處士新定方干撰。

廣校案：《新唐書》卷六十、〈志〉第五十、〈藝文〉四、〈丁部集錄·別集類〉著錄：「《玄英先生詩集》十卷，方干。」《崇文總目》錢東垣輯釋本。卷五、〈別集類〉三著錄同，惟姓名誤作「方千」。《郡齋讀書志》卷第十八、〈別集類〉中著錄：「《方干詩集》一卷。右唐方干字雄飛，歙人。唐末舉進士，不第，隱鏡湖上。徐凝有詩名，一見干，器之，授以詩律。其貌寢陋，又兔闕，而喜凌侮。嘗謁廉帥，誤三拜，人號『方三拜』。將薦於朝而卒，門人諡玄英先生、其甥楊弇與孫部編次遺詩，王贊為〈序〉。部又為作〈玄英先生傳〉附。」《宋史》卷二百八、〈志〉第一百六十一、〈藝文〉七、〈別集類〉著錄：「《方干詩》二卷。」所著錄卷數均與《解題》不同。干，兩《唐書》無傳。《唐才子傳》卷第七有傳。

唐風集三卷

《唐風集》三卷，館臣案：晁公武《郡齋讀書志》作十卷。**唐九華山杜荀鶴撰。**

廣校案：《崇文總目》卷五、〈別集類〉四著錄：「《杜荀鶴詩集》一卷。」錢東垣輯釋本。《郡齋讀書志》卷第十八、〈別集類〉中著錄：「杜荀鶴《唐風

集》十卷。右唐杜荀鶴，池州人。大順二年進士，善爲詞章。宣州田頵重之，嘗以牋問至，梁祖薦爲翰林學士，主客員外。恃勢侮易搢紳，眾怒，欲殺之而未及。天祐初，病卒。有顧雲〈序〉。荀鶴自號九華山人。」《宋史》卷二百八、〈志〉第一百六十一、〈藝文〉七、〈別集類〉著錄：「杜荀鶴《唐風集》二卷。」以上各書著錄卷數均與《解題》不同。荀鶴，《舊五代史》卷二十四、〈列傳〉第十四有傳，載：「杜荀鶴，池州人。案辛文房《唐才子傳》：『荀鶴，字彥之，牧之微子也。』善爲詩，辭句切理，爲時所許。既擢第，復還舊山。案《唐才子傳》：『荀鶴嘗謁梁王朱全忠，與之坐，忽無雲而雨，王以爲天泣不祥，命作詩，稱意，王喜之。荀鶴寒進，連敗文場，甚苦，至是送春官。大順二年，裴贄侍郎放第八人登科，正月十日放榜，正荀鶴生朝也。王希羽獻詩曰：「金榜曉懸生世日，玉書潛記上昇時。九華山色高千尺，未必高於第八枝。」』又，《唐新纂》云：『荀鶴舉進士及第，東歸，過夷門，獻梁太祖詩句云：「四海九州空第一，不同諸鎮府封王。」是則荀鶴之受知於梁祖舊矣，不待田頵之牋問而始被遇也。』時田頵在宣州，甚重之。頵將起兵，乃陰令以牋問至，太祖遇之頗厚。及頵遇禍，太祖以其才表之，尋授翰林學士、主客員外郎。既而恃太祖之勢，凡搢紳間己所不悅者，日屈指怒數，將謀盡殺之。苞蓄未及泄，丁重疾，旬日而卒。《永樂大典》卷一萬五千七百三十。 案《唐才子傳》：『荀鶴以天祐元年卒。』《北夢瑣言》又作『梁受禪後，拜翰林學士，五日而卒。』未詳孰是。」可參考。

詠史詩三卷

《詠史詩》三卷，唐邵陽胡曾撰。凡一百五十首。曾，咸通末爲漢南從事。

廣棪案：《新唐書》卷六十、〈志〉第五十、〈藝文〉四、〈丁部集錄・別集類〉著錄：「胡曾《安定集》十卷。」與此非同一書。《宋史》卷二百八、〈志〉第一百六十一、〈藝文〉七、〈別集類〉著錄：「胡曾《詠史詩》三卷，又《詩》一卷。」《唐詩紀事》卷第七十一「胡曾」條載：「曾有《詠史詩》百篇，行于世。」今《全唐詩》卷六百四十七「胡曾」條錄《詠史詩》，凡一百五十首，與《解題》合。曾，兩《唐書》無傳。《唐才子傳》卷第八、〈胡曾〉載：「曾，長沙人也。咸通中進士。初，再三下第，有詩云：『翰苑幾時休嫁女，文章早晚罷生兒。上林新桂年年發，

不許閑人折一枝。』曾天分高爽，意度不凡，視人間富貴亦悠悠。遨歷四方，馬蹟窮歲月，所在必公卿館穀。上交不詔，下交不瀆，奇士也。嘗爲漢南節度從事。作《詠史詩》，皆題古君臣爭戰廢興塵跡。經覽形勝，關山亭障，江海深阻，一一可賞。人事雖非，風景猶昨。每感輒賦，俱能使人奮飛。至今庸夫孺子，亦知傳誦。後有擬効者，不逮矣。至於近體律絕等，哀怨清楚，曲盡幽情，擢居中品不過也。惜其才茂而身未穎脫，痛哉！今《詠史詩》一卷，有咸通中人陳蓋註，及《安定集》十卷行世。」可參考。惟《唐才子傳》謂曾「長沙人」，與《解題》異。

羅江東集十卷

《羅江東集》十卷，唐羅隱昭諫撰。

廣棪案，《崇文總目》卷五、〈別集類〉一著錄：「《羅隱集》二十卷。」又〈別集類〉五著錄：「《羅隱賦》一卷。」〈別集類〉六著錄：「《羅隱啓事》一卷。」又：「《讒書》五卷，羅隱撰。《羅隱讒書本》三卷。」錢東垣輯釋本。而未著錄其詩之單行本。《郡齋讀書志》卷第十八、〈別集類〉中著錄：「《羅隱甲乙集》十卷、《讒書》五卷。右杭越羅隱字昭諫，餘杭人。唐乾符中舉進士不第。從事諸鎮皆無合，久之而歸。錢鏐辟掌書記，歷節度判官副使，奏授司勳郎中。梁祖以諫議大夫召，不行。魏博羅紹威推爲叔父，表薦給事中，卒。隱少聰敏，作詩著文，以譏刺爲主。自號江東生。其《集》皆自爲〈序〉。」其中《羅隱甲乙集》十卷，與《解題》著錄者爲同一書。《宋史》卷二百八、〈志〉第一百六十一、〈藝文〉七、〈別集類〉著錄：「羅隱《湘南應用集》三卷，又《淮海寓言》七卷、《甲乙集》三卷、《外集詩》一卷、《啓事》一卷、《讒本》三卷、《讒書》五卷。」所著錄《甲乙集》卷數，與《解題》不同。隱，《舊唐書》卷一百八十一、〈列傳〉第一百三十一附〈羅弘信子威〉，載：「錢塘人羅隱者，有當世詩名，自號江東生。威遣使賂遺，敘其宗姓，推爲叔父。隱亦集其詩寄之。威酷嗜其作，目己所爲曰《偷江東集》，凡五卷，今鄴中人士諷咏之。」隱，《舊五代史》卷二十四、〈梁書〉二十四、〈列傳〉第十四另有傳。

劉滄集一卷

《劉滄集》一卷，唐進士劉滄蘊靈撰。

廣棪案：《新唐書》卷六十、〈志〉第五十、〈藝文〉四、〈丁部集錄・別集類〉著錄：「《劉滄詩》一卷，字蘊靈。」《宋志》同。《郡齋讀書志》卷第十八、〈別集類〉中著錄：「《劉滄詩》一卷。右唐劉滄字蘊靈。大中八年進士。詩頗清麗，句法絕類趙嘏。」可參證。滄，兩《唐書》無傳。《唐詩紀事》卷第五十八「劉滄」條載：「滄字蘊靈，大中進士也。」《唐才子傳》卷第八、〈劉滄〉載：「滄，字蘊靈，魯國人也。體貌魁梧，尚氣節，善飲酒，談古今，令人終日喜聽。慷慨懷古，率見於篇。大中八年，禮部侍郎鄭薰下進士，牓後，進謁謝，薰曰：『初謂劉君銳志，一第不足取。故人別來，三十載不相知聞，誰謂今白頭紛紛矣。』調華原尉。與李頻同年。詩極清麗，句法絕同趙嘏、許渾，若出一絇綜然。《詩》一卷，今傳。」可參考。

羅鄴集一卷

《羅鄴集》一卷，唐羅鄴撰。

廣棪案：《新唐書》卷六十、〈志〉第五十、〈藝文〉四、〈丁部集錄・別集類〉著錄：「《羅鄴詩》一卷。」《崇文總目》、錢東垣輯釋本。《宋志》同。鄴，兩《唐書》無傳。《唐詩紀事》卷第六十八「羅鄴」條載：「鄴，餘杭人。父則，爲鹽鐵小吏，有二子，俱以文學干進。鄴尤長七言詩，時宗人隱，亦以律韻著稱，然隱才雄而篇疎，鄴才清而綿緻。咸通中，崔安潛侍郎廉問江西，志在弓旌，竟爲幕吏所沮。既而俯就督郵，因茲舉事闌珊，無成而卒。」《唐才子傳》卷第八亦有傳。

曹松集一卷

《曹松集》一卷，館臣案：《唐書・藝文志》作三卷。　廣棪案：盧校注：《唐志》有三卷者，晁《志》亦一卷。唐曹松夢徵撰。天復元年進士。

廣棪案：《新唐書》卷六十、〈志〉第五十、〈藝文〉四、〈丁部集錄・別集類〉著錄：「《曹松詩集》三卷，字夢徵，天復進士第，校書郎。」《崇文總目》錢東垣輯釋本。同。《郡齋讀書志》卷第十八、〈別集類〉中著錄：「《曹

松詩》一卷。右唐曹松夢徵也。舒州人。學賈島爲詩。天復元年，與王希羽、劉象、柯崇、鄭希顏同登第，年皆七十餘，號『五老榜』。時以新平內難，聞放進士，喜，特敕授校書郎而卒。」《宋志》亦作一卷。松，兩《唐書》無傳。《唐才子傳》卷第十、〈曹松〉載：「松，字夢徵，舒州人也。學賈島爲詩，深入幽境，然無枯淡之癖。尤長啟事，不減山公。早年未達，嘗避亂來栖洪都西山。初在建州依李頻。頻卒後，往來一無所遇。光化四年，禮部侍郎杜德祥下，與王希羽、劉象、柯崇、鄭希顏同登第，年皆七十餘矣，號爲『五老榜』。時值新平內難，朝廷以放進士爲喜，特授校書郎而卒。松野性方直，罕嘗俗事，故拙於進宦，構身林澤，寓情虛無。苦極於詩，然別有一種風味，不淪乎怪也。《集》三卷，今傳。」可參考。

別本與印本互有詳略，但別本〈大遊仙〉十三首，乃曹唐詩也。

案：《解題》卷十九、〈詩集類〉上著錄：「《曹唐集》一卷，唐桂林曹唐堯賓撰。有〈大〉、〈小游仙〉詩。」是〈大游仙詩〉曹唐撰，別本誤收也。今《全唐詩》卷六百四十一「曹唐」條收有〈小游仙詩〉九十八首，而未收〈大游仙〉。考《唐詩紀事》卷第五十八「曹唐」條載：「唐，字堯賓，桂州人。初爲道士，後爲使府從事。咸通中卒。作《遊仙詩》百餘篇。其友人曰：『堯賓曾作鬼詩。』唐曰：『何也？』曰：『井底有天春寂寂，人間無路月茫茫，非鬼詩而何？』唐大哂。《遊仙詩》今見一絕云：『靖節先生幾代孫，青娥曾接玉郎魂。春風流水還無賴，偷放桃花出洞門。』唐詩屬對清切，如『鸒鵒思起歌聲動，鴝鵒身翻舞袖齊。』『斬蛟青海上，射虎黑山頭。』此類頗多。」此條所載《遊仙詩》，乃〈大游仙〉之僅遺。唐撰〈大游仙〉十三首、〈小游仙〉九十八首，合一百十一首，故《唐詩紀事》謂「作《遊仙詩》百餘篇」，所記正相符也。

比紅兒詩一卷

《比紅兒詩》一卷，唐鄜州從事羅虬撰。紅兒者，雕陰官妓杜也。

廣梭案：《郡齋讀書志》卷第十八、〈別集類〉中著錄：「羅虬《比紅兒詩》一卷。右唐羅虬也。皇朝方性夫注。虬詞藻富贍，與其族人隱、鄴齊名，時號『三羅』。從鄜州李孝恭。籍中有杜紅兒者，善歌，常爲副使者屬意。

副使聘隣道，虬請紅兒歌，贈之以綵。孝恭不令受，虬怒，拂衣而起，詰旦，手刃之。既而追其冤，作絕句詩百篇，借古人以比其豔，盛行於世。」可參證。《宋史》卷二百八、〈志〉第一百六十一、〈藝文〉七、〈別集類〉著錄：「羅虬《比紅兒詩》十卷。」「十卷」應作「一卷。」虬，兩《唐書》無傳。《唐詩紀事》卷第六十九「羅虬」條載：「〈比紅兒詩并序〉云：『《比紅》者，爲雕陰官妓杜紅兒作也。美貌年少，機智慧悟，不與羣輩妓女等。余知紅者，迺擇古之美色灼然于史傳三數十輩，優劣於章句間。遂題《比紅詩》。』」又載：「虬詞藻富贍，與宗人隱、鄴齊名，咸通、乾符中，時號三羅。廣明庚子亂後，去從鄜州李孝恭。籍中有杜紅兒者，善歌，常爲副戎屬意。副戎聘鄰道，虬請紅兒歌而贈之繒綵。孝恭以副戎所盼，不令受所貺。虬怒，拂衣而起；詰旦，手刃紅兒。既而思之，乃作絕句百篇，以追其冤，號《比紅詩》，盛行於時。」虬，《唐才子傳》卷第九有傳。

唐彥謙集一卷

《唐彥謙集》一卷，館臣案：《唐書·藝文志》作三卷。唐河中節度副使襄陽唐彥謙茂業撰。號鹿門先生。

廣棪案：《新唐書》卷六十、〈志〉第五十、〈藝文〉四、〈丁部集錄·別集類〉著錄：「《唐彥謙詩集》三卷。」《郡齋讀書志》卷第十八、〈別集類〉中著錄：「唐彥謙《鹿門詩》一卷。右唐唐彥謙茂業也。并州人。咸通末舉進士第。中和中，王重榮表河中從事，歷節度副使，晉，絳二州刺史。重榮遇害，貶漢中掾。興元楊守亮留署判官，遷副使，閬、壁刺史，卒。彥謙才高負氣，無所摧屈，博學多藝，尤能七言詩，師溫庭筠，故格體類之，世稱『耳聞明主提三尺，眼見愚民盜一杯』，蓋彥謙句也。自號鹿門先生。有薛廷珪〈序〉。」《宋史》卷二百八、〈志〉第一百六十一、〈藝文〉七、〈別集類〉著錄：「《唐彥謙詩集》二卷。」是此書有分一卷、二卷、三卷者。彥謙，《舊唐書》卷一百九十下、〈列傳〉第一百四十下、〈文苑〉下附其祖〈唐次〉，《新唐書》卷八十九、〈列傳〉第十四附高祖〈唐儉〉。《舊唐書》彥謙本傳載：「彥謙，字茂業，咸通末應進士，才高負氣，無所屈降，十餘年不第。乾符末，河南盜起，兩都覆沒，以其家避地漢南。中和中，王重榮鎮河中，辟爲從事。累奏至河中節度

副使，歷晉、絳二州刺史。彥謙博學多藝，文詞壯麗，至於書畫音樂博
飲之技，無不出於輩流。尤能七言詩，少時師溫庭筠，故文格類之。光
啟末，王重榮爲部下所害，朝議責參佐，彥謙與書記李巨川俱貶漢中掾
曹。時楊守亮鎮興元，素聞其名，彥謙以本府參承，守亮見之，喜握手
曰：『聞尚書名久矣，邂逅於茲。』翌日，署爲判官。累官至副使，閬、
壁二郡刺史。卒於漢中。有詩數百篇，禮部侍郎薛廷珪爲之〈序〉，號《鹿
門先生集》，行於時。」可參考。

秦韜玉集一卷

《秦韜玉集》一卷，唐秦韜玉撰。

　　廣棪案：《新唐書》卷六十、〈志〉第五十、〈藝文〉四、〈丁部集錄・別
集類〉著錄：「秦韜玉《投知小錄》三卷，字中明，田令孜神策判官、工部侍郎。」
《郡齋讀書志》卷第十八、〈別集類〉中著錄：「秦韜玉《投知小錄》三
卷。右唐秦韜玉字中明，京兆人。有詞藻，工歌吟，險而好進，爲田令
孜所善。僖宗幸蜀，令孜引爲工部侍郎。中和二年，賜進士第，編入春
榜。」《宋史》卷二百八、〈志〉第一百六十一、〈藝文〉七、〈別集類〉
著錄：「《秦韜玉集》三卷。」是此《集》有作三卷者。惟《秘書省續編
到四庫闕書目》卷一、〈集類・別集〉著錄：「《秦韜玉詩》一卷。輝按：
《宋志》：『《秦韜玉集》三卷。』《遂初目》無卷數。」則與《解題》同。
韜玉，兩《唐書》無傳。《唐詩紀事》卷第六十三「秦韜玉」條載：「韜
玉，字仲明，京兆人。父爲左軍軍將。韜玉出入田令孜之門，又與劉曄、
李巖士、姜垍、蔡鋌之徒，交遊中貴，各將兩軍書尺，僥求巍科，時謂
對軍解頭。僖宗幸蜀，韜玉以工部侍郎爲令孜神策判官。及小歸公主文，
韜玉准勅放及第，仍編入其年榜中。韜玉以書謝新人，呼同年略曰：『三
條燭下，雖阻文闈；數仞牆邊，幸同恩地。』」《唐才子傳》卷第九有傳。

東浮集九卷

《東浮集》九卷，唐荊南崔道融撰。自稱「東甌散人乾寧乙卯永嘉山齋
編成」，蓋避地於此。今缺第十卷。

　　廣棪案：《新唐書》卷六十、〈志〉第五十、〈藝文〉四、〈丁部集錄・別
集類〉著錄：「崔道融《申唐詩》三卷。」《宋志》著錄同。與此應非同

一書。《宋史》卷二百八、〈志〉第一百六十一、〈藝文〉七、〈別集類〉著錄：「《崔道融集》九卷。」與此則同為一書。是《解題》謂此書「缺第十卷」，則至元時亦不傳矣。道融，兩《唐書》無傳。《唐才子傳》卷第九、〈崔道融〉載：「道融，荊人也，自號『東甌散人』。與司空圖為詩友。出為永嘉宰。工絕句，語意妙甚。如〈銅雀妓〉云：『歌咽新翻曲，香銷舊賜衣。陵園風雨暗，不見六龍歸。』〈春閨〉云：『寒食月明雨，落花香滿泥。佳人持錦字，無雁寄征西。』〈寄人〉云：『澹澹長江水，悠悠遠客情。落花相與恨，到地一無聲。』〈寒食夜〉云：『滿地梨花白，風吹碎月明。大家寒食夜，獨貯遠鄉情。』等尚眾。誰謂晚唐間忽有此作？使古人復生，亦不多讓，可謂出乎其類，拔乎其萃者矣！人悉推服其風情雅度，猶恨出處未能梗概之也。有《申唐集》十卷，〈自序〉云：『乾符乙卯夏，寓永嘉山齋，收拾草稿，得五百餘篇。』今存於世。」可參證。

唐詩三卷

《唐詩》三卷，崔道融撰。皆四言詩，述唐中世以前事實，事為一篇，篇各有〈小序〉，凡六十九篇。

　　廣棪案：《新唐書》卷六十、〈志〉第五十、〈藝文〉四、〈丁部集錄・別集類〉著錄：「崔道融《申唐詩》三卷。」《宋史》卷二百八、〈志〉第一百六十一、〈藝文〉七、〈別集類〉著錄：「崔道融《申唐詩》三卷。」應同為一書。惟此書應名作《申唐詩》，與直齋所言「述唐中世以前事實」云云相合。《解題》作《唐詩》，疑上闕「申」字。

裴說集一卷

《裴說集》一卷，唐裴說撰。天祐三年進士狀頭，唐蓋將亡矣。說後為禮部員外郎，世傳其〈寄邊衣〉古詩甚麗，此《集》無之，僅有短律而已，非全集也。其詩有「**避亂一身多**」之句。廣棪案：盧校本無「其詩有『避亂一身多』之句」十字。校注曰：「元本無之，乃《通攷》以晁《志》語增成之耳。」

　　廣棪案：《崇文總目》卷五、〈別集類〉四著錄：「《裴說詩》二卷。」錢東垣輯釋本。所著錄卷數不同。《郡齋讀書志》卷第十八、〈別集類〉中著

錄：「《裴說詩》一卷。右唐裴說撰。天祐三年進士。詩有『避亂一身多』之句。」《宋志》亦作一卷。說，兩《唐書》無傳。《唐詩紀事》卷第六十五「裴說」條載：「唐舉子先投所業於公卿之門，謂之行卷。說只行五言詩一卷，至來年秋賦，復行舊卷，人有譏之者，說曰：『只此十九首苦吟，尚未有人見知，何暇別行卷哉！』識者以爲知言。說天復六年登甲科，其詩以苦吟難得爲工，且拘格律。嘗有詩曰：『苦吟僧入定，得句將成功。』又〈贈僧貫休〉云：『總無方是法，難得始爲詩。』又云：『是事精皆易，唯詩會却難。』遭亂，故宦不達，多遊江湖間。有〈石首縣〉詩云：『因攜一家住，贏得半年吟。』又載：「說終禮部員外郎。」《唐才子傳》卷第十、〈裴說〉載：「說工詩，得盛名。天祐三年禮部侍郎薛廷珪下狀元及第。初年窘迫亂離，奔走道路，有詩曰：『避亂一身多。』見者悲之。後仕爲補闕，終禮部員外郎。爲詩足奇思，非意表琢煉不舉筆，有島、洞之風也。弟諧，亦以詩名世，仕終桂嶺假官宰。今俱有《集》相傳。」可參證。考《登科記考》卷二十四「唐昭宗聖穆景文孝皇帝」條載：「(天祐)三年丙寅，進士二十五人：裴說、裴諧、陳光義、翁襲明、李愚。知貢舉：吏部侍郎薛廷珪。」是《唐詩紀事》作「天復六年登甲科」，誤。《全唐詩》卷七百二十收裴說詩一卷，其〈聞砧〉一首，小注：「作〈寄邊衣〉」，詩云：「深閨乍冷鑑開篋，玉筯微微溼紅頰。一陣霜風殺柳條，濃煙半夜成黃葉。垂垂白練明如雪，獨下閒階轉凄切。祗知抱杵搗秋砧，不覺高樓已無月。時聞寒雁聲相喚，紗窗只有燈相伴。幾展齊紈又懶裁，離腸恐逐金刀斷。細想儀形執牙尺，回刀剪破澄江色。愁捻銀針信手縫，惆悵無人試寬窄。時時舉袖勻紅淚，紅牋謾有千行字。書中不盡心中事，一片慇懃寄邊使。」《唐詩紀事》亦載〈聞砧〉詩，則〈寄邊衣〉一首實存，直齋不知即〈聞砧〉矣。

劉得仁集一卷

《劉得仁集》一卷，唐進士劉得仁撰。公主之子，累舉不第而卒。

　　廣棪案：《新唐書》卷六十、〈志〉第五十、〈藝文〉四、〈丁部集錄‧別集類〉著錄：「《劉得仁詩》一卷。」《崇文總目》卷五、〈別集類〉三著錄：「《劉德仁詩》一卷。」_{錢東垣輯釋本。}《宋史》卷二百八、〈志〉第一

百六十一、〈藝文〉七、〈別集類〉著錄：「《劉得仁詩集》一卷。」《崇文總目》作「德仁」，誤。得仁，兩《唐書》無傳。《唐詩紀事》卷第五十三「劉得仁」條載：「得仁，貴主之子。自開成至大中三朝，昆弟皆歷貴仕，而得仁苦於詩，出入舉場三十年，卒無成。嘗〈自述〉曰：『外家雖是帝，當路且無親。』又云：『外族帝王是，中朝親故稀。翻令浮議者，不許九霄飛。』既終，詩人競為詩弔之。僧栖白詩曰：『忍苦為詩身到此，冰魂雪魄已難招。若教桂子落墳上，生得一枝冤始銷。』」《唐才子傳》卷第六、〈劉得仁〉亦載：「得仁，公主之子也。長慶間以詩名。五言清瑩，獨步文場。自開成後，至大中三朝，昆弟以貴戚皆擢顯仕，得仁獨苦工文，嘗立志，必不獲科第，不願儋人之爵也。出入舉場二十年，竟無所成。投跡幽隱，未嘗耿耿。有〈寄所知〉詩云：『外族帝王是，中朝親故稀。翻令浮議者，不許九霄飛。』憂而不困，怨而不怒，哀而不傷。鏗鏘金玉，難合同流，而不厭於磨淬。端能確守格律，揣治聲病，甘心窮苦，不汲汲於富貴。王孫公子中，千載求一人，不可得也。及卒，僧栖白弔之曰：『思苦為詩身到此，冰魂雪魄已難招。直教桂子落墳上，生得一枝冤始銷。』有《詩》一卷，行於世。」可參證。

唐求集一卷

《唐求集》一卷，唐唐求撰。與顧非熊同時，〈藝文志〉不載。

廣棪案：《秘書省續編到四庫闕書目》卷一〈集類・別集〉著錄：「《唐求詩》一卷，闕。輝按：陳《錄》作《唐求集》一卷，《遂初目》亦作《集》。」求，兩《唐書》無傳。《唐詩紀事》卷第五十「唐球」條載：「球生於唐末，至性純愨，篤好雅道，放曠疏遠，邦人謂之唐隱居。或云：王建帥蜀，召為參謀，不就。今以其故居為隱居寺。」《唐詩紀事》作唐球，同一人。《唐才子傳》卷第十、〈唐求〉載：「求，隱君也，成都人。值三靈改卜，絕念鼎鍾，放曠疏逸，出處悠然，人多不識。方外物表，是所遊心也。酷耽吟調，氣韻清新，每動奇趣，工而不僻，皆達者之詞。所行覽不出二百里間，無秋毫世慮之想。有所得，即將稿撚為丸，投大瓢中。或成聯片語，不拘長短，數日後足成之。後臥病，投瓢於錦江，望而祝曰：『茲瓢儻不淪沒，得之者始知吾苦心耳！』瓢泛至新渠，有識者見曰：

『此唐山人詩瓢也。』扁舟接之，得詩數十篇。求初未嘗示人，至是方競傳，今行於世。後不知所終。」可參考。顧非熊，《舊唐書》卷一百三十、〈列傳〉第八十附〈顧況〉，載：「子非熊，登進士第，累佐使府，亦有詩名于時。」《唐才子傳》卷第七、〈顧非熊〉載：「非熊，姑蘇人，況之子也。少俊悟，一覽輒能成誦。工吟，揚譽遠近。性滑稽好辯，頗雜笑言，凌轢氣焰子弟。既犯眾怒，擠排者紛然。在舉場角藝三十年，屈聲被人耳。會昌五年，諫議大夫陳商放榜。初，上洽聞非熊詩價，至是怪其不第，敕有司進所試文章，追榜放令及第。劉得仁賀以詩曰：『愚爲童稚時，已解念君詩。及得高科早，須逢聖主知。』授盱眙主簿，不樂拜迎，更厭鞭撻，因棄官歸隱。王司馬建送詩云：『江城柳色海門烟，欲到茅山始下船。知道君家當瀑布，菖蒲潭在草堂前。』一時餞別吟贈俱名流，不知所終。或傳住茅山十餘年，一旦遇異人，相隨入深谷，不復出矣。有《詩》一卷，今行於世。」則非熊亦唐武宗時人。

李山甫集一卷

《李山甫集》一卷，唐魏博從事李山甫撰。唐末進士不第。

廣校案：《新唐書》卷六十、〈志〉第五十、〈藝文〉四、〈丁部集錄・別集類〉著錄：「《李山甫詩》一卷。」《宋志》同。山甫，兩《唐書》無傳。《唐詩紀事》卷第七十「李山甫」條載：「咸通中，數舉進士，被黜。依魏博樂彥禎幕府，因樂禍，且怨中朝大臣，導彥禎子從訓伏兵殺王鐸，劫其家。」《唐才子傳》卷第八、〈李山甫〉載：「山甫，咸通中，累舉進士不第。落魄有不羈才，鬚髯如戟，能爲青白眼，生平憎俗子，尚豪俠，雖簞食豆羹，自甘不厭。爲詩託諷，不得志，每狂歌痛飲，拔劍斫地，少攄鬱鬱之氣耳。後流寓河朔間，依樂彥積爲魏博從事。不得眾情，以陵傲之故，無所遇。嘗有〈老將〉詩曰：『校獵燕山經幾春，雕弓白羽不離身。年來馬上渾無力，望見飛鴻指似人。』此傷其蹇薄無成，時人憐之。後不知所終。山甫詩文激切，耿耿有奇氣，多感時懷古之作。今《集》一卷，《賦》二卷，並傳。」可參證。

邵謁集一卷

《邵謁集》一卷，唐國子生曲江邵謁撰。《集》後有胡賓王者為之〈序〉，言其沒後，降巫賦詩，自稱「邵先輩」，殆若今世請大仙之類耶？

廣棪案：《宋史》卷二百八、〈志〉第一百六十一、〈藝文〉七、〈別集類〉著錄：「《邵謁詩》一卷。」謁，兩《唐書》無傳。《唐才子傳》卷第八、〈邵謁〉載：「謁，韶州翁源縣人。少為縣廳吏，客至倉卒，令怒其不擋狀迎待，逐去。遂截髻著縣門上，發憤讀書。書堂距縣十餘里，隱起水心。謁平居如里中兒未冠者，髮髯髻，野服。苦吟，工古調。咸通七年抵京師，隸國子監。時溫庭筠主試，憫擢寒苦，乃榜謁詩三十餘篇，以振公道，曰：『前件進士，識畧精微，堪裨教化。聲詞激切，曲備風謠。標題命篇，時所難著。燈燭之下，雄辭卓然。誠宜榜示眾人，不敢獨專華藻。仍請申堂，並榜禮部。』已而釋褐。後赴官，不知所終。它日縣民祠神者，持幀舞鈴，忽自稱『邵先輩降』。鄉里前輩，皆至作禮，問曰：『今者辱來，能強為我賦詩乎？』巫即書一絕云：『青山山下少年郎，失意當時別故鄉。惆悵不堪回首望，隔溪遙見舊書堂。』詞詠淒苦，雖椽筆不逮。鄉老中曉聲病者，至為感泣咨嗟。今有《詩》一卷，傳於世。」可參證。胡賓王及其所撰〈序〉，不可考。

李推官披沙集六卷

《李推官披沙集》六卷，唐李咸用撰。

廣棪案：《新唐書‧藝文志》等公私書目未著錄此書，咸用，兩《唐書》無傳。《全唐詩》卷六百四十四「李咸用」條載：「李咸用，與來鵬同時，工詩，不第。嘗應辟為推官，有《披沙集》六卷，今編為三卷。」考《唐才子傳》卷第十、〈殷文圭〉載：「唐季，文體澆漓，才調荒穢。稍稍作者，強名曰詩。南郭之竽，苟存於眾響，非復盛時之萬一也。如王周、劉兼、司馬札、蘇拯、許琳、李咸用等數人，雖有《集》相傳，皆氣卑格下，負魚目唐突之慚，竊碔砆韞襲之濫，所謂『家有弊帚，享之千金，不自見之患也』。文圭稍入風度，間見奇崛，其殆庶幾乎？」是則《唐才子傳》亦未以咸用詩為工也。

其八世孫兼孟達居宛陵，亦能詩，嘗為台州，出其《家集》，求楊誠齋作〈序〉。

案：兼，《宋史》無傳。《宋元學案補遺》卷三十五、〈陳鄒諸儒學案補遺・韓氏門人〉「知州李先生兼」條載：「李兼字口口，宣城人，朝請宏之孫。謹厚好學，從韓子雲游，嘗官迪功郎，進監縣丞。《南澗甲乙稿》。梓材謹案：《台州府志》載先生云：『博學工詩，楊萬里推許之，知台州，簡重有清操，既卒，民為巷哭罷市。』又載其〈跋陳古靈勸學文〉，言為州之二年，始克以斯文鏤板傳示學者云云。則先生亦古靈續傳也。」陸心源《宋詩紀事補遺》卷之六十二「李兼」條載：「李兼字孟達，甯國人，孝先曾孫。博學工詩，楊萬里推許之。開禧三年以朝請郎出知台州，居官有守。明年九月除宗正丞，未行卒。所著有《雪巖集》。」均可參證。楊誠齋即楊萬里，《宋史》卷四百三十三、〈列傳〉第一百九十二、〈儒林〉三有傳。《誠齋集》卷八十二、〈序〉有〈唐李推官披沙集序〉，曰：「予生平百無所好，而獨好文詞，如好好色也。至於好詩，又好文詞中之尤者也。至於好晉、唐人之詩，又好詩中之尤者也。予於天下士大夫家傳唐人詩數百家，多至千百篇，自謂三百年間奇珍詭寶，畧無遺矣。晚識李兼孟達於金陵，出唐人詩一編，乃其八世祖推官公《披沙集》也。如『見後却無語，別來長獨愁』；如『危城三面水，古樹一邊春』；如『月明千嶠雪，灘急五更風』；如『烟殘偏有焰，雪甚却無聲』；如『春雨有五色，洒來花旋成』；如『雪藏山色晴還媚，風約溪聲靜又回』；如『未醉已知醒後憶，欲開先為落時愁』；益征人淒苦之情，孤愁窈眇之聲，騷客婉約之靈，風物榮悴之景，所謂《周禮》盡在魯矣，讀之使人發融冶之驉，於荒寒無聊之中；動慘戚之感，於談笑方懌之初。〈國風〉之遺音，江左之異曲，其果絃絕而不可煎膠歟？然則謂唐人自李、杜之後有不能詩之士者，是曹丕火浣之論也；謂詩至晚唐有不工之作者，是桓靈寶哀梨之論也。或曰：『推官之言，子能辨之；子之言，將使誰辨之？』曰：『嗟乎！後世有曹丕、靈寶，推官公無知已矣！予則有憂矣。不然，推官公其已矣，予何憂哉！』推官諱咸用，唐末人也。孟達請予序之，後二年乃能書以寄之。孟達亦能詩，殊有推官公句法云。紹熙四年十一月既望，誠齋野客楊萬里序。」可參考。

于武陵集一卷、周濆集一卷、陳光集一卷、劉威集一卷

《于武陵集》一卷、《周濆集》一卷、《陳光集》一卷、《劉威集》一卷，以上皆唐人。于武陵，大中進士。館臣案：此句原本脫漏，今據《文獻通攷》補入。餘莫詳出處。濆集〈藝文志〉不載。廣棪案：《文獻通考》「〈藝文志〉」上有「仍」字。又盧校本此解題作「以上皆唐人，莫詳出處」。校注曰：「館本從《通攷》。」

　　廣棪案：《新唐書》卷六十一、〈志〉第五十、〈藝文〉四、〈丁部集錄・別集類〉著錄：「《于武陵詩》一卷。」《崇文總目》、錢東垣輯釋本。《宋志》同。《郡齋讀書志》卷第十八、〈別集類〉中著錄：「《于武陵詩》一卷。右唐于武陵，大中進士。」武陵，兩《唐書》無傳。《唐詩紀事》卷第五十八「于武陵」條載：「武陵，會昌時詩人也。」會昌，武宗年號。會昌僅六年，繼則爲宣宗大中元年。《唐才子傳》卷第八、〈于武陵〉載：「武陵名鄴，以字行，杜曲人也。大中時，嘗舉進士，不稱意，攜書與琴，往來商、洛、巴、蜀間，或隱於卜中，存獨醒之意。避地嘿嘿，語不及榮貴，少與時輩交遊。嘗南來瀟、湘，愛汀州芳草，況是古騷人舊國，風景不殊，欲卜居未果。歸老嵩陽別墅。詩多五言，興趣飄逸多感。每終篇一意，策名當時。《集》一卷，今傳。」可參考。濆詩，《宋史》卷二百八、〈志〉第一百六十一、〈藝文〉七、〈別集類〉著錄：「《周濆詩》一卷。」濆，兩《唐書》無傳。《全唐詩》卷七百七十一收其詩四首。光詩，《新唐書》卷六十、〈志〉第五十、〈藝文〉四、〈丁部集錄・別集類〉著錄：「《陳光詩》一卷。」《崇文總目》、錢東垣輯釋本。《宋志》同。光，兩《唐書》無傳。《全唐詩》卷七百二十七「陳光」條載：「陳光，唐末人。《詩》一卷，今存一首。」威詩，《新唐書》卷六十、〈志〉第五十、〈藝文〉四、〈丁部集錄・別集類〉著錄：「《劉威詩》一卷。」《崇文總目》、錢東垣輯釋本。《宋志》同。威，兩《唐書》無傳。《唐詩紀事》卷第五十六「劉威」條載：「威，會昌時詩人也。」則威乃武宗時人。

殷文珪集一卷

《殷文珪集》一卷，唐殷文珪撰。乾寧五年進士。後仕南康。其子曰崇義，歸朝更姓名，即湯悅也。

　　廣棪案：《宋史》卷二百八、〈志〉第一百六十一、〈藝文〉七、〈別集類〉

著錄：「殷文圭《冥搜集》二十卷，又《登龍集》十五卷。」惟未著錄此
書。文圭，兩《唐書》無傳。《唐詩紀事》卷六十八「殷文圭」條載：「文
圭，池州人，居九華，小字桂郎。苦學，所用墨池，底爲之穴。舉進士，
中途遇一叟曰：『眉綠，拳可入口，神仙狀也。如學道，當沖虛；爲儒，
當大有名於天下。』唐末，詞場請託公行，文圭與游恭獨步場屋。乾寧
中，帝幸三峯，文圭攜梁王表薦及第，仍列牓中。尋爲裴樞宣諭判官，
至大梁，朱全忠表薦之。既而由汴宋馳歸，全忠大怒，遣吏捕之，已不
及矣。自是屢言措大率皆負心，每以文圭爲證。白馬之禍，蓋由此也。
文圭事楊行密，終左千牛衞將軍。子崇義，自江南歸朝，改姓湯，名悅。」
可參證。文圭，《唐才子傳》卷第十，《十國春秋》卷第十一、〈吳〉十一、
〈列傳〉均有傳。《全唐詩》卷七百七收其詩一卷，並謂：「殷文圭，宋
時避諱，改殷爲湯。」蓋避宋太祖趙匡胤嫌名也。

盧士衡集一卷

《盧士衡集》一卷，後唐盧士衡撰。天成二年進士。

　　廣棪案：《宋史》卷二百八、〈志〉第一百六十一、〈藝文〉七、〈別集類〉
著錄：「《盧士衡詩》一卷。」與此同。《全唐詩》卷七百三十七「盧士衡」
條載：「盧士衡，後唐天成二年進士。《集》一卷，今存詩七首。」士衡，
兩《唐書》無傳。考《登科記考》卷二十五「後唐明宗聖德和武欽孝皇
帝」條載：「天成二年丁亥，進士二十三人：黃仁穎，狀元。王蟾、盧士衡、
馬胤遜、李濤。」可參證。

劉昭禹集一卷

《劉昭禹集》一卷，湖南天策府學士桂陽劉昭禹撰。

　　廣棪案：《崇文總目》卷五、〈別集類〉五著錄：「《劉昭禹詩》一卷。」錢
東垣輯釋本。《宋志》同。《唐詩紀事》卷第四十六、「劉昭禹」載：「昭禹字
休明，婺州人也。少師林寬，爲詩刻苦。」《十國春秋》卷第七十三、〈楚〉
七、〈列傳〉載：「劉昭禹字休明，桂陽人。一云婺州人。起家湖南縣令，事
武穆王父子，歷官容管節度推官，天策府學士，終嚴州刺史。有詩三百

篇,爲《集》一卷,行世。昭禹少師林寬,爲詩刻苦,不憚風雨。平居論詩曰:『五言如四十賢人,不亂著一字,屠沽輩也。』又云:『索句如獲玉匣,精求必得其寶。』嘗有詩云:『句向夜深得,心從天外歸。』又有〈送休上人之衡岳經費冠卿舊居〉二章,甚稱於時。昭禹善詩,而好折節下賢,一日見石文德詩於坐中,駭服曰:『君,文苑之雄也。』力薦於文昭王,同隸天策府。其虛懷多此類。」可參證。

熊皦屠龍集一卷

《熊皦屠龍集》一卷,五代晉九華熊皦撰。後唐清泰二年進士。《集》中多下第詩,蓋老於場屋者。

廣棪案:《郡齋讀書志》卷第十八、〈別集類〉中著錄:「熊皦《屠龍集》五卷。右晉熊皦。後唐清泰二年進士。爲延安劉景巖從事。天福中,說景巖歸朝,擢右司諫。坐累,黜上津令。《集》有陶穀〈序〉。陳沆賞皦〈早梅詩〉云:『一夜欲開盡,百花猶未知。』曰:『太妃容德,於是乎在。』」《宋志》亦作五卷,《解題》著錄者僅詩集。皦,《唐才子傳》卷第十、〈熊皦〉載:「皦,九華山人。唐清泰二年進士,劉景巖節度延安,辟爲從事。晉天福中,說景巖歸朝,以功擢右諫議。竟坐累,黜爲上津令。工古律詩,語意俱妙。嘗賦〈早梅〉云:『一夜開欲盡,百花猶未知。』甚傳賞士林,且知其必遇。今有《屠龍集》、《南金集》,合五卷傳世,學士陶穀序之。」考《登科記考》卷二十五「後唐潞王」條載:「(清泰)二年乙未,進士十四人:熊皦、薛居正、劉載。」可參證。

符蒙集一卷

《符蒙集》一卷,題符侍郎。同光三年進士也。同年四人,蒙初爲狀頭,覆試爲第四。

廣棪案:《宋志》未著錄此書。《全唐詩》卷七百九十五「符蒙」條載:「符蒙字適之。後唐同光三年進士,官侍郎。」下收其逸句:「都緣心似水,故以鉢爲舟。〈題壁畫杯渡道人〉。」蒙,《舊五代史》卷五十九、〈唐書〉三十五〈列傳〉、第十一附〈符習〉,載:「子蒙嗣,位至禮部侍郎。

《永樂大典》卷一萬八千一百二十九。」《新五代史》卷二十六、〈唐臣傳〉第十四、〈符習〉載：「習二子：令謙、蒙。……蒙，少好學，性剛鯁，爲成德軍節度副使。後事晉，官至禮部侍郎。」考《登科記考》卷二十五「後唐莊宗光聖神閔孝皇帝」條載：「同光三年乙酉，進士四人：符蒙，《書錄解題》：『符蒙，同光三年進士。同年四人，蒙初爲狀頭，覆試爲第四。』按諸書或作『符蒙正』，『正』字衍。蒙第三人，陳氏以爲第四人，誤。」可參證。同書卷二十六「後晉齊王」條載：「開運元年甲辰，知貢舉：禮部侍郎符蒙。按《舊五代史》本紀：『天福八年五月，以中書舍人吳承範爲禮部侍郎。六月，禮部侍郎吳承範卒。』《吳承範傳》云：『少帝嗣位，遷禮部侍郎，知貢舉。尋遘疾而卒。』是先以吳承範知舉，承範卒，故以符蒙代之。」是蒙嘗知貢舉。兩《五代史》、《解題》均漏載。

李建勳集一卷

《李建勳集》一卷，館臣案：高棅《唐詩品彙》作三卷。**南唐宰相李建勳撰。**
　　廣棪案：《崇文總目》卷五、〈別集類〉五著錄：「《李建勳詩》二卷。」《宋史》卷二百八、〈志〉第一百六十一、〈藝文〉七、〈別集類〉著錄：「《李建勳集》二十卷。」所著錄卷數均與此不同。建勳，馬、陸《南唐書》及《十國春秋》均有傳。《唐才子傳》卷第十、〈李建勳〉載：「建勳字致堯，廣陵人。仕南唐爲宰相，後罷，出鎮臨川。未幾，以司徒致仕，賜號鍾山公，年已八十。志尚散逸，多從仙侶參究玄門。時宋齊丘有道氣，在洪州西山，建勳造謁致敬，欲授真果，題詩贈云：『春來漲水涼如活，曉出西山勢似行。玉洞有人經劫在，持竿步步就長生。』歸高安別墅，一夕無病而逝。能文，賦詩琢鍊頗工，調既平安，終少驚人之句也。有《鍾山集》二十卷，行於世。」考此書宋刊本瞿鏞《鐵琴銅劍樓藏書目錄》卷第十九、〈集部〉一、〈別集類〉著錄：「《李丞相詩集》二卷，宋刊本。題隴西李建勳。此亦書棚本，每半葉十行，行十八字。卷上末有『臨安府洪橋子南河西岸陳宅書籍鋪印』一行。案此本與席刻本有異者，如『留題愛敬字』，不作『宿題』；其詩次〈溪齋〉後，不次〈宿山房後〉。又〈小園〉云：『竹蘺荒引蔓』，不作『竹籬』；〈清溪草堂閑興〉云：『獨有愛閑心』，不作『獨自』；〈宿友人山居〉云：『荒庭雪灑蒿』，不作『灑

蒿』;〈重臺蓮〉云:『斜倚西風絕比倫』,不作『北倫』。籤題『宋梓李丞相詩集全』八字,王伯穀筆也。卷首有朱子儋印、項元汴印、子京父印、項墨林鑑賞章諸朱記。」《鐵琴銅劍樓藏書目錄》著錄此本,商務印書館據以影入《四部叢刊續編》,張元濟有〈跋〉曰:「李建勳字致堯,南唐南平王德誠之子。少好學,能屬文,尤工詩。徐溫妻以女,起家爲金陵巡官,嘗佐知詢幕府,李昇鎮金陵,用爲副使,預禪代之策;拜中書侍郎同平章事。璟嗣立,尊遇與宋齊丘埒,出爲撫州節度,召拜司空,稱疾乞骸骨,以司徒致仕,賜號鍾山公;營別墅於山中,放意水石。先是,宋齊丘退居青陽,號九華先生;未幾,一徵而起,時論薄之。或謂建勳曰:『公未老,又無大疾恙,遽爲此舉,欲復爲九華先生邪?』建勳曰:『吾生平笑宋公輕出處,何至效之。自不知壽,欲求數年閒適爾!』因爲詩以見志曰:『桃花流水須相信,不學劉郎去又來。』馬令《南唐書》本傳,稱其博覽經史,民情政體,無不詳練,有蘊藉,而卒不得行。其爲詩,少時猶浮靡,晚年頗清淡平易,見稱於時云。《宋史‧藝文志》無建勳詩,獨陳氏《解題》有《李建勳集》一卷。此雖分上下卷,僅八十五首,而見志之詩亦未載,蓋遺佚多矣。」可參考。

孟賓于集一卷

《孟賓于集》一卷,五代進士孟賓于撰。仕湖南、江南。

廣棪案:《宋史》卷二百八、〈志〉第一百六十一、〈藝文〉七、〈別集類〉著錄:「孟賓于《金鼇詩集》二卷。」疑爲同一書,而卷數不同。賓于,馬、陸《南唐書》、《十國春秋》均有傳。《唐才子傳》卷第十、〈孟賓于〉載:「賓于,字國儀,連州人。聰敏特異,有鄉曲之譽。垂髫時,書所作百篇,名《金鼇集》,獻之李若虛侍郎。若虛採獵佳句,記之尺書,使賓于馳詣洛陽,致諸朝達,聲譽藹然,留寓久之。晉天福九年,禮部侍郎符蒙知貢舉,賓于簾下投詩云:『那堪雨後更聞蟬,溪隔重湖路七千。憶得故園楊柳岸,全家送上渡頭船。』蒙得詩,以爲相見之晚。遂擢第,時已敗六舉矣。與詩人李昉同年情厚。後賓于來仕江南李主,調滏陽令。因犯法抵罪當死,會昉拜翰林學士,聞在縲絏,以詩寄之曰:『初攜書劍別湘潭,金榜名標第十三。昔日聲塵喧洛下,近來詩價滿江

南。長爲邑令情終屈，縱處曹郎志未甘。莫學馮唐便休去，明君晚事未
爲慚。』後主偶見詩，遂釋之，遷水部郎中。又知豐城縣。興國中致仕，
居玉笥山。年七十餘卒。自號『羣玉峰叟』。有《集》今傳。」考《登
科記考》卷二十六「後晉齊王」條載：「開運元年甲辰，進士十三人：
孟賓于、李昉。知貢舉：禮部侍郎符蒙。」是賓于乃後晉齊王開運元年
（944）進士。

廖匡圖集一卷

《廖匡圖集》一卷，湖南從事廖匡圖撰。

　　廣棪案：《新唐書》卷六十、〈志〉第五十、〈藝文〉四、〈丁部集錄·別
集類〉著錄：「《廖氏家集》一卷，廖光圖，唐末人。」光圖即匡圖，避宋太
祖諱改。《崇文總目》卷五、〈別集類〉六著錄：「《廖圖詩》二卷。」錢東
垣輯釋本。廖圖亦即廖匡圖，避諱改。《宋史》卷二百八、〈志〉第一百六
十一、〈藝文〉七、〈別集類〉著錄：「《廖光圖詩集》二卷。」是此書或
作二卷。匡圖，陸游《南唐書》、《十國春秋》均有傳。《唐才子傳》卷第
十、〈廖圖〉載：「圖字贊禹，虔州虔化人。文學博贍，爲時輩所服。湖
南馬氏辟致幕下，奏授天策府學士。與同時劉昭禹、李宏皋、徐仲雅、
蔡昆、韋鼎、釋虛中，俱以文藻知名，賡唱迭和。齊己時寓渚宮，相去圖
千里，而每詩筒往來不絕，警策極多，必見高致。《集》二卷，今行於世。
時有荊南從事鄭準，亦工詩，與僧尚顏多所酬贈，詩亦傳。」可參證。

江爲集一卷

《江爲集》一卷，五代建安江爲撰。爲王氏所誅，當漢乾祐中。

　　廣棪案：《崇文總目》卷五、〈別集類〉五著錄：「《江爲詩》一卷。」錢東
垣輯釋本。《宋志》同。爲，馬、陸《南唐書》、《十國春秋》均有傳。《唐
才子傳》卷第十、〈江爲〉載：「爲，考城人，宋江淹之裔。少帝時，出
爲建陽吳興令，因家，爲郡人焉。爲，唐末嘗舉進士，輒不第。工於詩，
有『天形圍澤國，秋色露人家』，『月寒花露重，江晚水烟微』等，膾炙
人口。少游白鹿寺，有句：『吟登蕭寺旃檀閣，醉倚王家玳瑁筵。』後主
南遷見之，曰：『此人大是富貴家。』時劉洞、夏寶松就傳詩法。爲益傲

肆,自謂俯拾青紫,乃詣金陵求舉,屢黜於有司,怏怏不能已,欲束書亡越。會同謀者上變,按得其狀,伏罪。今建陽縣西靖安寺,即處士故居,後留題者甚眾。有《集》一卷,今傳。」可參證。乾祐,後漢隱帝年號。《解題》謂江為「為王氏所誅」,與此所記為南唐所誅不同。考《十國春秋》卷第九十七、〈閩〉八、〈列傳‧江為〉載:「江為,其先宋州人,避亂徙建陽,遂為建州人。遊廬山白鹿洞,師處士陳貺二十年,尤工於詩,有風人之體。為常有吟〈隋堤柳〉詩:『錦纜龍舟萬里來,醉鄉繁盛忽塵埃。空餘兩岸千株柳,雨葉風花作恨媒。』盛傳於時。會福州亂,有故人任福州官屬者,恐禍及,將亡去江南,間道謁為。為與草〈投江南表〉,其人未出境,為邊吏所禽,得囊中所撰表章,於是收為與奔者,俱械至刑所。為臨刑,辭色不撓,且曰:『嵇康之死也,顧日影彈琴。吾彈賦一篇足矣。』乃索筆為詩而死,聞者傷之。《詩集》一卷傳世。」是《十國春秋》正記為被閩王氏所誅,所記與《解題》同。

劉乙集一卷

《劉乙集》一卷,_{廣棪案:《文獻通考》作「《劉一集》」。}似唐末五代人。〈藝文志〉不載。其詩怪而不律,亦不工。

　　廣棪案:此《集》,《新唐書‧藝文志》、《崇文總目》、《宋史‧藝文志》均未載。《全唐詩》卷七百六十三「劉乙」條載:「劉乙字子真,泉州人。仕閩,為鳳閣舍人,棄官隱安溪鳳髻山。《集》一卷,今存詩一首。」乙,《十國春秋》卷第九十七、〈閩〉八、〈列傳〉有傳,載:「劉乙字子真,泉州人。通文,時官鳳閣舍人。晉使盧損來聘,康宗遣乙勞之,已而棄官隱鳳山,與詹敦仁為友。所為詩,有『掃石雲隨帚,耕山鳥傍人』之句。敦仁常命子琲訪乙,贈以詩,至今傳之。_{詩云:『掃石耕山舊子真,布衣草履自隨身。石崖壁立題詩處,知是當年鳳閣人。』}乙常乘醉與人爭妓,既醒慚悔,集書籍因酒致失者,編以自警。題曰:《百悔經》,自後不飲,至於終身。_{何喬遠《閩書》云:『予讀《五代史》,晉天福二年,閩王昶遣使朝貢,高祖遣散騎常侍盧損入閩,封昶為王。王令繼恭主之,遣中書舍人劉乙勞於館。乙見損衣冠偉然,騶僮甚盛,他日遇諸塗,布衣芒屨而已。損使人誚之曰:「鳳閣舍人,何僻下之甚也。」乙羞愧,以手掩面而走。心竊疑之。夫乙故高士,閩王遣之勞晉使,蓋明欲藉以為重,成禮而退,遂返初服,正隱者之高致,羞媿掩走,必損惡昶託疾歸,}

言其主文致之詞，而歐陽仍之耳。抑損以上國之使入閩，何得無騶從前呼，必待其至前，方見而反走邪？』」可參考。《全唐詩》收乙〈題建造寺〉云：「曾看書圖勞健羨，如今親見畫猶粗。減除天半石初泐，欠卻幾株松未枯。題像閣人漁浦叟，集生臺鳥謝城烏。我來一聽支公論，自是吾身幻得吾。」其詩誠如直齋所言，「怪而不律，亦不工」也。

文丙集一卷

《文丙集》一卷，稱布衣文丙，<small>廣梭案：盧校注：《通攷》「文丙」下有「所業」二字。</small>未詳何人。

　　廣梭案：《宋史》卷二百八、〈志〉第一百六十一、〈藝文〉七、〈別集類〉著錄：「《文丙詩》一卷。」與此同。《全唐詩》卷八百八十七「文丙」條，收丙詩五首。

蔣吉集一卷、蘇拯集一卷、王周集一卷

《蔣吉集》一卷、《蘇拯集》一卷、<small>館臣案：《文獻通考》作「蘇拯」，原本作「極」，誤，今改正。</small>《王周集》一卷，皆未詳何人。

　　廣梭案：蔣吉，生平未詳。《全唐詩》卷七百七十一收其詩十五首。蘇拯，與段文圭同時。《唐才子傳》卷第十、〈段文圭〉載：「唐季，文體澆漓，才調荒穢。稍稍作者，強名曰詩。南郭之竽，苟存於眾響，非復盛時之萬一也。如王周、劉兼、司馬札、蘇拯、許琳、李咸用等數人，雖有集相傳，皆氣卑格下，負魚目唐突之慚，竊碔砆韞襲之濫，所謂『家有弊帚，享之千金，不自見之患也』。文圭稍入風度，間見奇崛，其殆庶幾乎？」是其證。《宋史》卷二百八、〈志〉第一百六十一、〈藝文〉七、〈別集類〉著錄：「《蘇拯詩》一卷。」與此同。王周，《舊五代史》卷一百六、〈漢書〉八、〈列傳〉第三，《新五代史》卷四十八、〈雜傳〉第三十六均有傳。《舊五代史》周本傳載：「王周，魏州人。少勇健，從軍事唐莊宗、明宗，稍遷裨校，以戰功累歷郡守。晉天福初，范延光叛於魏州，周從楊光遠攻降之，安重榮以鎮州叛，從杜重威討平之，以功授貝州節度使，歲餘，移鎮涇州。先是，前帥張彥澤在任苛虐，部民逃

者五千餘戶,及下車,革前弊二十餘事,逃民歸復,賜詔褒美。後歷鄧、陝二鎮。陽城之役,周時爲定州節度使,大軍往來,供饋無闕,未幾,遷鎮州節度使。周稟性寬惠,人庶便之。開運末,杜重威降於契丹,引契丹主臨城諭之。周泣曰:『受國重恩,不能死戰,而以兵降,何面南行見人主與士大夫乎?』乃痛飲欲引決,家人止之,事不獲已,及見契丹主,授鄧州節度使、檢校太師。高祖定天下,移鎮徐州,加同平章事。乾祐元年二月,以疾卒於鎮,輟視朝二日,贈中書令。周性寬恕,不忤物情。初刺信都,州城西橋敗,覆民租車。周曰:『橋梁不飭,刺史之過也。』乃還其所沈粟,出私財以修之,民庶悅焉。《永樂大典》卷一萬八千一百三十二。」是則於王周,固未可謂「未詳何人」。考《全唐詩》卷七百六十五「王周」條載:「王周。登進士第。曾官巴蜀。《詩》一卷。(胡震亨云:『《唐》、《宋藝文志》並無其人,惟《文獻通考》載入唐人集目中。今考〈峽船詩序〉引陸魯望〈茶具詩〉,其人蓋在魯望之後。而詩題紀年有戊寅、己卯兩歲。近則梁之(貞)〔禎〕明,遠則宋之太平興國也。自註地名又有漢陽軍、興國軍。為宋郡號。殆五代人而入宋者。』)」是《全唐詩》館臣亦未考及兩《五代史》中有〈王周傳〉也。

顧非熊集一卷

《顧非熊集》一卷,廣棪案:盧校本此條在《馬戴集》條後。唐盱眙主簿顧非熊撰。館臣案:《唐書》顧非熊大中盱眙主簿,原本誤作「台州」,今改正。況之子,會昌五年進士。

廣棪案:《新唐書》卷六十、〈志〉第五十、〈藝文〉四、〈丁部集錄・別集類〉著錄:「《顧非熊詩》一卷,況之子,大中盱眙簿,棄官隱茅山。」《宋史》卷二百八、〈志〉第一百六十一、〈藝文〉七、〈別集類〉著錄:「《顧非熊詩》一卷。」與此同。《舊唐書》卷一百三十、〈列傳〉第八十、〈顧況〉載:「子非熊,登進士第,累佐使府,亦有詩名于時。」《唐才子傳》卷第七、〈顧非熊〉載:「非熊,姑蘇人,況之子也。少俊悟,一覽輒能成誦。工吟,揚譽遠近。性滑稽好辯,頗雜笑言,凌轢氣焰子弟。既犯眾怒,擠排者紛然。在舉場角藝三十年,屈聲被人耳。會昌五年,諫議大夫陳商放榜。初,上洽聞非熊詩價,至是怪其不第,敕有司

進所試文章，追榜放令及第。劉得仁賀以詩曰：『愚爲童稚時，已解念君詩。及得高科早，須逢聖主知。』授盱眙主簿，不樂拜迎，更厭鞭撻，因棄官歸隱。王司馬建送詩云：『江城柳色海門烟，欲到茅山始下船。知道君家當瀑布，菖蒲潭在草堂前。』一時餞別吟贈，俱名流。不知所終。或傳住茅山十餘年，一旦遇異人，相隨入深谷，不復出矣。有《詩》一卷，今行於世。」可參證。

吳興集一卷

《吳興集》一卷，廣棪案：盧校本作十卷。《文獻通考》作「皎然《杼山集》十卷」。唐僧吳興謝皎然清晝撰。康樂十世孫。廣棪案：《文獻通考》闕以上二句。顏魯公為刺史，與之唱酬，廣棪案：《文獻通考》作「酬唱」。其後刺史于頔為作〈集序〉。廣棪案：《文獻通考》闕「于頔」二字。所居龍興寺之西院，今天寧寺是也。又嘗居杼山寺。廣棪案：《文獻通考》下有「在妙喜」三字。盧校本同。

廣棪案：《新唐書》卷六十、〈志〉第五十、〈藝文〉四、〈丁部集錄·別集類〉著錄：「《皎然詩集》十卷，字清晝，姓謝，湖州人，靈運十世孫，居杼山。顏真卿為刺史，集文人撰《韻海鏡源》，預其論著。貞元中，集賢御書院取其《集》以藏之，刺史于頔為〈序〉。」《郡齋讀書志》卷第十八、〈別集類〉中著錄：「皎然《杼山集》十卷。右唐僧皎然撰。字清晝，吳興人。謝靈運十世孫。工篇什，德宗詔錄本納集賢院，《集》前有于頔〈序〉并〈贈晝上人詩〉。」《宋史》卷二百八、〈志〉第一百六十一、〈藝文〉七、〈別集類〉著錄：「《僧皎然詩》十卷。」是《皎然詩集》、《杼山集》、《僧皎然詩》與《吳興集》為同書異名。上述各書著錄均作十卷，《解題》作一卷，疑爲十卷之誤。皎然，兩《唐書》無傳。贊寧《宋高僧傳》卷第二十有〈唐湖州杼山皎然傳〉，《唐才子傳》卷第四亦有〈皎然上人〉。于頔字允元，河南人。《舊唐書》卷一百五十六、〈列傳〉第一百六，《新唐書》卷一百七十二、〈列傳〉第九十七有傳。頔有〈釋皎然杼山集序〉，曰：「《詩》自風雅道息，二百餘年而騷人作。其旨愁思，其文婉麗，亡楚之變風歟？至西漢李陵、蘇武，始全爲五言詩體，源於風，流於騷，故多憂傷離遠之情。梁昭明所撰《文選》，錄古詩十九首，亡其名氏。

觀其辭，蓋東漢之世，亦蘇、李之流也。自建安中，王仲宣、曹子建鼓
其風；晉世，陸士衡、潘安仁揚其波。王、曹以氣勝，潘、陸以文尚。
氣勝者，魏祖興武功於二京已覆；文尚者，晉武圖帝業於五胡肇亂。觀
其人文興亡之跡，人焉廋哉！人焉廋哉！宋高祖平桓元，定江表；文帝
繼業，五十年間，江左寧謐。魏、晉文章，鬱然復興。康樂侯謝靈運獨
步江南，俯視潘、陸。其文炳而麗，其氣逸而暢；驅風雷於江山，變晴
昏於洲渚；煙雲以之慘淡，景氣為其澄霽；信江表之文英，五言之麗則
者也。迨於齊世，宣城守謝元暉亦得其詞調，涵於氣格，不侔康樂矣。
梁、陳已降，雖作者不絕，而五言之道不勝其情矣。有唐，吳興開士釋
皎然，字清晝，即康樂之十世孫，得詩人之奧旨，傳乃祖之菁華，江南
詞人莫不楷範，極於緣情綺靡，故辭多芳澤。師古興制，故律尚清壯。
其或發明元理，則深契真如，又不可得而思議也。貞元壬申歲，余分刺
吳興之明年，集賢殿御書院有命徵其文集，余遂採而編之，得詩五百四
十六首，分為十卷，納於延閣書府。上人以余嘗著詩述論前代之詩，遂
託余以〈集序〉，辭不獲已，畧志其變。上人之植性清和，稟質端懿，
中祕空寂，外開方便，妙言說於文字，了心境於定惠，又釋門之慈航智
炬也。余游方之內者，何足以叩元關。謝氏世為詩人，豈佛書所為習氣
云爾！」可參考。

靈一集一卷

《靈一集》一卷，唐僧，與皇甫曾同時。

　　廣棪案：《宋史》卷二百八、〈志〉第一百六十一、〈藝文〉七、〈別集類〉
　　著錄：「《僧靈一詩》一卷。」與此同。至皇甫曾，《新唐書》卷二百二、
　　〈列傳〉第一百二十七、〈文藝〉中有傳，載：「皇甫冉字茂政，十歲便
　　能屬文，張九齡歎異之。與弟曾皆善詩。天寶中，踵登進士，授無錫尉。
　　王縉為河南元帥，表掌書記。遷累右補闕，卒。曾字存常，歷監察御史。
　　其名與冉相上下，當時比張氏景陽、孟陽云。」是則靈一亦天寶時人。
　　考《宋高僧傳》卷第十五、〈明律篇〉第四之二有〈唐餘杭宜豐寺靈一傳〉。
　　《唐才子傳》卷第三、〈道人靈一〉載：「一公，剡中人。童子出家，缾
　　缽之外，餘無有。天性超穎，追蹤謝客。隱麻源第三谷中，結茅讀書。

後白業精進，居若耶溪雲門寺，從學者四方而至矣。尤工詩，氣質淳和，格律清暢。兩浙名山，暨衡、廬諸甲剎，悉所經行。與皇甫昆季、嚴少府、朱山人、徹上人等爲詩友，酬贈甚多。刻意聲調，苦心不倦，騁譽叢林。後順寂於岑山。《集》今傳世。」是靈一與皇甫曾爲詩友。曾有《皇甫曾集》一卷，《解題》已著錄。

無可集一卷

《無可集》一卷，唐僧賈無可撰。島弟也。

廣桉案：《宋史》卷二百八、〈志〉第一百六十一、〈藝文〉七、〈別集類〉著錄：「《僧無可詩》一卷。」與此同。無可，兩《唐書》無傳。《唐才子傳》卷第六、〈無可〉載：「無可，長安人，高僧也。工詩，多爲五言。初，賈島棄俗，時同居青龍寺，呼島爲從兄。與馬戴、姚合、厲玄多有酬唱，律調謹嚴，屬興清越，比物以意，謂之象外句。如曰：『聽雨寒更盡，開門落葉深。』又曰：『微陽下喬木，遠燒入秋山。』凡此等新奇，當時翕然稱尚，妙在言用而不失其名耳！今《集》一卷，相傳。」考《新唐書》卷一百七十六、〈列傳〉第一百一、〈韓愈〉附〈賈島〉，載：「島字浪仙，范陽人，初爲浮屠，名无本。」是則無可，長安人；无本，范陽人；以同姓之故，呼島爲從兄。無可非島之親弟，《解題》誤。

禪月集十卷

《禪月集》十卷，館臣案：《唐詩紀事》作《西嶽集》十卷，《文獻通攷》作《寶月詩》一卷，此本作《禪月集》者，貫休號禪月上人，因名其《集》也。唐僧蘭溪貫休撰。姓姜氏，後入蜀。

廣桉案：《崇文總目》卷五、〈別集類〉三著錄：「《禪月詩》三卷，僧貫休撰。鑒按：今本二十五卷。」錢東垣輯釋本。《郡齋讀書志》卷第十八、〈別集類〉中著錄：「貫休《禪月集》三十卷。右唐僧貫休撰。字德隱，姓姜氏，婺州人。後入蜀，號禪月大師。初，吳融爲之〈序〉，其弟子曇域削去，別爲〈序引〉，僞蜀乾德中獻之。」《宋志》同。所著錄卷數均與《解題》不同。《唐詩紀事》卷第七十五「僧貫休」條載：「姓姜氏，

字德隱，婺州蘭溪人。錢鏐自稱吳越國王，休以詩投之曰：『貴逼身來不自由，幾年勤苦蹈林丘。滿堂花醉三千客，一劍霜寒十四州。萊子衣裳宮錦窄，謝公篇詠綺霞羞。他年名上凌烟閣，豈羨當時萬戶侯！』鏐諭改爲四十州，乃可相見。曰：『州亦難添，詩亦難改。然閑雲孤鶴，何天而不可飛。』遂入蜀，以詩投王建曰：『河北河南處處災，惟聞全蜀少塵埃。一瓶一鉢垂垂老，萬水千山得得來。秦苑幽棲多勝景，巴歈陳貢愧非才。自慚林藪龍鍾者，亦得親登郭隗臺。』建遇之甚厚。建二年，召令誦近詩。時貴戚皆坐，休欲諷之，乃稱〈公子行〉云：『錦衣鮮華手擎鶻，閑行氣貌多輕忽。稼穡艱難總不知，五帝三皇是何物？』建稱善，貴倖皆怨之。休與齊己齊名，有《西岳集》十卷，吳融爲之〈序〉。卒死于蜀。」貫休，《唐才子傳》卷第十有傳。

白蓮集十卷

《白蓮集》十卷，唐僧齊己撰。長沙胡氏。

廣棪案：《崇文總目》卷五、〈別集類〉三著錄：「《白蓮集》十卷，僧齊己撰。」錢東垣輯釋本。《宋史》卷二百八、〈志〉第一百六十一、〈藝文〉七、〈別集類〉著錄：「《僧齊己集》十卷。」與此同。《唐詩紀事》卷第七十五「僧齊己」條載：「齊己本姓胡，名得生。詩名多湖湘間，與鄭谷爲詩友。」《唐才子傳》卷第九、〈齊己〉載：「齊己，長沙人，姓胡氏。早失怙恃，七歲穎悟。爲大溈山寺司牧，往往抒思，取竹枝畫牛背爲小詩。耆夙異之，遂共推挽入戒。風度日改，聲價益隆。遊江海名山，登岳陽，望洞庭。時秋高水落，君山如黛，唯湘川一條而已，欲吟杳不可得，徘徊久之。來長安數載，遍覽終南、條、華之勝。歸，過豫章，時陳陶近仙去，己留題有云：『夜過修竹寺，醉打老僧門。』至宜春投詩鄭都官云：『自封修藥院，別下著僧牀。』谷曰：『善則善矣，一字未安。』經數日來曰：『別掃如何？』谷嘉賞，結爲詩友。曹松、方干，皆己良契。性放逸，不滯土木形骸，頗任琴樽之好。嘗撰《玄機分別要覽》一卷，摭古人詩聯，以類分次，仍別〈風〉、賦、比、興、〈雅〉、〈頌〉。又撰《詩格》一卷。又與鄭谷、黃損等共定用韻爲葫蘆、轆轤、進退等格，並其詩《白蓮集》十卷，今傳。」可參證。

棲白集一卷、脩睦東林集一卷、尚顏供奉集一卷

《棲白集》一卷、廣棪案：《文獻通考》作「《柳白集》」，誤。《脩睦東林集》一卷、《尚顏供奉集》一卷，皆唐僧。貫休而下，盡唐末人也。廣棪案：《文獻通考》此下有「脩睦死於維揚朱瑾之難」句，盧校本同。

　　廣棪案：《崇文總目》卷五、〈別集類〉三著錄：「《僧尚顏詩》一卷。」又：「《僧脩睦詩》一卷。」錢東垣輯釋本。未著錄《棲白集》。《宋史》卷二百八、〈志〉第一百六十一、〈藝文〉七、〈別集類〉著錄：「《僧棲白詩》一卷。」又：「《僧脩睦詩》一卷。」又：「《僧尚顏《荊門集》五卷。」所著錄之《荊門集》五卷，與《供奉集》一卷，應非同一書。《全唐詩》卷八百二十三「栖白」條載：「栖白，越中僧。前與姚合交，後與李洞、曹松相贈答。宣宗朝，嘗居薦福寺，內供奉，賜紫。《詩》一卷，今存十六首。」同書卷八百四十九「脩睦」條載：「脩睦，光化中爲洪州僧正。與貫休、處默、棲隱爲詩友。詩二十三首。」同書卷八百四十八「尚顏」條載：「尚顏字茂聖，俗姓薛。尚書能之宗人也。出家荊門。工五言詩，《集》五卷，今存詩三十四首。」可參證。

薛濤集一卷

《薛濤集》一卷，廣棪案：《文獻通考》作「《薛洪度詩》一卷」。唐成都妓女薛濤撰。字洪度，廣棪案：《文獻通考》無以上二句。盧校本無「字洪度」三字。號薛校書，世傳奏授，恐無是理，殆一時州鎮褒借爲戲，如今世《白帖》借補之類耶？濤得年最長，至近八十。

　　廣棪案：《郡齋讀書志》卷第十八、〈別集類〉中著錄，「《薛洪度詩》一卷。右唐薛濤字洪度，四川樂妓。工爲詩，當時人多與酬贈。武元衡奏校書郎。大和中卒。李肇云：『樂妓而工詩者，濤亦文妖也。』」《唐才子傳》卷第六、〈薛濤〉載：「濤，字洪度，成都樂妓也。性辨惠，調翰墨。居浣花里，種菖蒲滿門，傍即東北走長安道也，往來車馬留連。元和中，元微之使蜀，密意求訪，府公嚴司空知之，遣濤往侍。微之登翰林，以詩寄之曰：『錦江滑膩峨嵋秀，幻出文君與薛濤。言語巧偷鸚鵡舌，文章分得鳳皇毛。紛紛詞客皆停筆，箇箇公侯欲夢刀。別後相思隔烟水，菖蒲花發五雲高。』及武元衡入相，奏授校書郎，蜀人呼妓爲校書，自濤

始也。後胡曾贈詩曰：『萬里橋邊女校書，枇杷樹下閉門居。掃眉才子知多少，管領春風總不如。』濤工為小詩，惜成都牋幅大，遂皆製狹之，人以為便，名曰薛濤牋。且機警閑捷，座間談笑風生。高駢鎮蜀門日，命之佐酒，改一字愜音，令且得形象，曰：『口，似沒梁斗。』答曰：『川，似三條椽。』公曰：『奈一條曲何？』曰：『相公為西川節度，尚用一破斗，況窮酒佐雜一曲椽，何足怪哉！』其敏捷類此特多，座客賞歎。其所作詩，稍欺良匠，詞意不苟，情盡筆墨，翰苑崇高，輒能攀附。殊不意裙裾之下，出此異物，豈得匿其人而棄其學哉！大和中卒。有《錦江集》五卷，今傳，中多名公贈答云。」《錦江集》已佚。《全唐詩》卷八百三有〈薛濤詩〉一卷，其「薛濤」條載：「薛濤，字洪度。本長安良家女，隨父宦，流落蜀中，遂入樂籍。辨慧工詩，有林下風致。韋皋鎮蜀，召令侍酒賦詩，稱為女校書。出入幕府，歷事十一鎮，皆以詩受知。暮年屏居浣花溪，著女冠服，好製松花小牋，時號薛濤牋。有《洪度集》一卷。今編《詩》一卷。」均可參證。

李季蘭集一卷

《李季蘭集》一卷，唐女冠，與劉長卿同時，相謔調之語見《中興間氣集》。

廣棪案：《宋史》卷二百八、〈志〉第一百六十一、〈藝文〉七、〈別集類〉著錄：「《李季蘭詩集》一卷，唐女道士李裕撰。」與此同。高仲武《中興間氣集》卷之下「李季蘭」條載：「士有百行，女唯四德，季蘭則不然。形氣既雌，詩意亦蕩，自鮑昭以下，罕有其倫。如『遠水浮仙棹，寒星伴使車』，蓋五言之佳境也。上倣班姬則不足，下比韓英則有餘，不以遲暮，亦一俊嫗。」下收詩六首，並無與劉長卿相謔調之語。考《唐才子傳》卷第二、〈李季蘭〉載：「季蘭，名冶，以字行，峽中人，女道士也。美姿容，神情蕭散，專心翰墨，善彈琴，尤工格律。當時才子，頗誇纖麗，殊少荒豔之態。始年六歲時，作〈薔薇詩〉云：『經時不架却，心緒亂縱橫。』其父見曰：『此女聰黠非常，恐為失行婦人。』後以交游文士，微泄風聲，皆出乎輕薄之口。夫『士有百行，女唯四德。季蘭則不然。形器既雌，詩意亦蕩。自鮑昭以下，罕有其倫』。時往來剡中，與山人陸羽、上人皎然，意甚相得。皎

然嘗有詩云：『天女來相試，將花欲染衣。禪心竟不起，還捧舊花歸。』其譴浪至此。又嘗會諸賢於烏程開元寺，知河間劉長卿有陰重之疾，誚曰：『山氣日夕佳。』劉應聲曰：『眾鳥欣有託。』舉坐大笑，論者兩美之。天寶間，玄宗聞其詩才，詔赴闕。留宮中月餘，優賜甚厚，遣歸故山。評者謂：『上比班姬則不足，下比韓英則有餘。不以遲暮，亦一俊嫗。』有《集》，今傳於世。」可參證。與劉長卿相機調之語，見《唐才子傳》。

魚玄機集一卷

《魚玄機集》一卷，唐女冠。坐妒殺女婢抵死。余嘗言婦女從釋入道，有司不禁，亂禮法、敗風俗之尤者。原註：事見《補妒記》。

廣棪案：《宋史》卷二百八、〈志〉第一百六十一、〈藝文〉七、〈別集類〉著錄：「《魯玄機詩集》一卷，（考證）臣開鼎案：魚玄機喜讀書，有才思，補闕李億妾，後為女冠。魯字誤。」與此同。《唐詩紀事》卷第七十八「魚玄機」條載：「玄機，咸通中西京咸宜觀女道士也，字幼微。善屬文，其詩有『綺陌春望遠，瑤徽春興多』；又『殷勤不得語，紅淚一雙流』；又『焚香登玉壇，端簡禮金闕』；又『雲情自鬱爭同夢，仙貌長芳又勝花』。後以笞殺女童綠翹事下獄，獄中有詩云：『易求無價寶，難得有情郎。』又云：『明月照幽隙，清風開短襟。』」《唐才子傳》卷第八、〈魚玄機〉載：「玄機，長安人，女道士也。性聰慧，好讀書，尤工韻調，情致繁縟。咸通中及笄，為李億補闕侍寵。夫人妒，不能容。億遣隸咸宜觀披戴。有怨李詩云：『易求無價寶，難得有心郎。』與李郢端公同巷，居止接近，詩筒往反。復與溫庭筠交游，有相寄篇什。嘗登崇真觀南樓，覩新進士題名榜，賦詩曰：『雲峰滿目放春情，歷歷銀鉤指下生。自恨羅衣掩詩句，舉頭空羨榜中名。』觀其志意激切，使為一男子，必有用之才，作者頗賞憐之。時京師諸宮宇女郎，皆清俊濟楚，簪星曳月，惟以吟詠自遣。玄機傑出，多見酬酢云。有《詩集》一卷，今傳。」可參證。此條直齋原註有「事見《補妒記》」。《補妒記》，《解題》卷十一、〈小說家類〉著錄，「《補妒記》八卷，稱京兆王績編。不知何時人。古有宋虞之《妒記》等，今不傳，故補之。自商、周而下，迄於五代，史傳所有妒婦皆載之，末及神怪、雜說、文論等，最後有治妒二方，尤可笑也。」《補妒記》，其書未見。

詩集類下 廣校案：盧校本作卷五十三〈詩集類〉下。校注曰：「有元本。」

伍喬集一卷

《伍喬集》一卷，本江南進士，後歸朝。

　　廣校案：《全唐詩》卷七百四十四「伍喬」條載：「伍喬，廬江人。南唐時，舉進士第一，仕至考功員外郎。《詩》一卷。」與此同。《唐才子傳》卷第七、〈伍喬〉載：「喬，少隱居廬山讀書，工爲詩，與杜牧之同時擢第。初，喬與張洎少友善，洎仕爲翰林學士，眷寵優異。喬時任歙州司馬，自傷不調，作詩寄洎，戒去僕曰：『俟張游宴，即投之。』洎得緘云：『不知何處好銷憂？公退攜樽即上樓。職事久參侯伯幕，夢魂長達帝王州。黃山向晚盈軒翠，黟水含春遶郡流。遙想玉堂多暇日，花時誰伴出城遊？』洎動容久之，爲言於上，召還，爲考功員外郎，卒官。今有詩二十餘篇，傳於世。」可參證。喬，馬、陸《南唐書》，《十國春秋》均有傳。

李九齡集一卷

《李九齡集》一卷，洛陽李九齡撰。乾德二年進士第三人。

　　廣校案：《宋史》卷二百八、〈志〉第一百六十一、〈藝文〉七、〈別集類〉著錄：「《李九齡詩集》一卷。」與此同。厲鶚《宋詩紀事》卷二「李九齡」條載：「九齡，洛陽人。乾德五年進士第一。」與《解題》異。考《全唐詩》卷七百三十「李九齡」條載：「李九齡，洛陽人。唐末進士。入宋，登乾德二年進士第三人。《詩》一卷。」則可參證。《全唐詩》與《解題》同。

巴東集三卷

《巴東集》三卷，丞相萊國忠愍公下邽寇準平仲撰。廣校案：《文獻通考》無此句。初，廣校案：《文獻通考》「初」上有「公」字。以將作監丞知巴東縣，自擇其詩百餘首，廣校案：《文獻通考》「首」作「篇」。且為之〈序〉，今刻於巴東。

廣棪案:《讀書附志‧拾遺》著錄:「《巴東集》一卷。右萊國忠愍公寇準之詩也。《郡齋讀書志》云:『《寇忠愍詩》三卷。』希弁所藏《巴東集》,乃公自編而為之〈序〉,凡一百五十有六篇,〈秋風亭記〉附。按公本傳云:『巴東有秋風亭,公析韋應物一言為二句云:「野水無人渡,孤舟盡日橫。」識者知其必大用,凡五年不得代。』邑庭有二栢,民以比甘棠。《集》後有范忠文諸公題秋風亭詩。然東坡亦有詩曰:『萊公昔未遇,寂寞在巴東。聞道山中樹,猶餘手種松。』惜不之載焉。」可參證。《宋史》卷二百八、〈志〉第一百六十一、〈藝文〉七、〈別集類〉著錄:「《寇準詩》三卷,又《巴東集》一卷。」疑《巴東集》應為一卷,《解題》作三卷,或因《寇準詩》作三卷而誤。陸游《渭南文集》卷第二十八有〈跋巴東集〉,云:「予自乾道庚寅入蜀,至淳熙戊戌東歸,九年間兩過巴東,登秋風、白雲二亭,觀萊公手植檜,未嘗不悵然流涕,恨古人之不可作也。又十有七年,慶元丙辰六月二十四日,山陰陸某,時年七十二。」準字平仲,華州下邽人。真宗時為相。歿後十一年,復太子太傅,贈中書令、萊國公,後又賜諡曰忠愍。《宋史》卷二百八十一、〈列傳〉第四十有傳。

忠愍公集三卷

《忠愍公集》三卷,廣棪案:《文獻通考》作「《寇忠愍詩》」。盧校本同。河陽守范雍得寇公詩二百首,廣棪案:《文獻通考》無「寇」字。為三卷,今刻板道州。

廣棪案:《郡齋讀書志》卷第十九、〈別集類〉下著錄:「《寇忠愍詩》三卷。右皇朝寇準字平叔。華州人。太平興國中舉進士科。淳化五年,參知政事,定策立真宗為皇太子。景德元年,拜平章事。契丹入寇,決親征之策。凡三入相。真宗不豫,皇后預政,準白上,請太子監國,因令楊億草制,且進億以代丁謂。詰朝,準被酒漏言,累貶雷州司戶,徙衡州司馬,卒。仁宗時,贈中書令,諡忠愍,嘗封萊國公。初,篤學喜屬文,尤長詩什,多得警句。在相位,論議忠直,不顧身謀。仇邪媒孽,既以譖死,或又謗之,云:『在相位時,與張齊賢相傾,朱能為天書降乾祐,準知而不言。』曾子固明其不然,曰:『審如是,丁謂拂鬚,固足以悅之。』司馬溫公〈訓儉文〉亦言其奢侈,子孫丐於海上。然以史考之,萊公蓋無子也。《集》有范雍〈敘〉,

共二百四十首。『野水無人渡』及〈江南春〉二首，皆在：獨『到海只十里』
之詩，已亡其全篇矣。」《宋史》卷二百八、〈志〉第一百六十一、〈藝文〉
七、〈別集類〉著錄：「《寇準詩》三卷。」可參證。

草堂集二卷

《草堂集》二卷，廣校案：盧校本作三卷。校注曰：「館本作二卷，與《通攷》合。」
處士鉅鹿魏野仲先撰。廣校案：盧校本「鉅鹿」作「鉅鹿郡」。

廣校案：《郡齋讀書志》卷第十九、〈別集類〉下著錄：「魏仲先《草堂集》
二卷、《鉅鹿東觀集》二卷。右皇朝魏野字仲先，陝州人。志清逸，以吟
詠自娛，忘懷榮利，隱於陝之東郊。手植竹木，繞以流泉，鑿土袤丈，
曰樂天洞，前立草堂。爲詩清苦，句多警策，與寇準、王旦善，每往來
酬唱。祀汾陰歲，召不起。卒，贈著作郎。《集》有薛田〈序〉。《鉅鹿東
觀集》乃野之子閑集其父詩四百篇，以贈著作，故以『東觀』名《集》。」
《宋史》卷二百八、〈志〉第一百六十一、〈藝文〉七、〈別集類〉著錄：
「魏野《草堂集》二卷，又《鉅鹿東觀集》十卷。」與此同。野字仲先，
陝州陝人。《宋史》卷四百五十七、〈列傳〉第二百一十六、〈隱逸〉上有
傳。其〈傳〉謂有《草堂集》十卷，疑爲《鉅鹿東觀集》十卷之誤。

鉅鹿東觀集十卷

《鉅鹿東觀集》十卷，野之子閑集其父詩四百篇，薛田爲之〈序〉。廣
校案：盧校本「薛」上有「密學」二字。野既沒，廣校案：盧校本「野」作「魏野」。
贈著作郎，故以「東觀」名《集》。

廣校案：《郡齋讀書志》卷第十九、〈別集類〉下著錄：「魏仲先《草堂集》
二卷、《鉅鹿東觀集》二卷。右皇朝魏野字仲先，陝州人。……卒贈著作郎。
《集》有薛田〈序〉。《鉅鹿東觀集》乃野之子閑集其父詩四百篇，以贈著
作，故以『東觀』名《集》。」《宋史》卷二百八、〈志〉第一百六十一、〈藝
文〉七、〈別集類〉著錄：「《鉅鹿東觀集》十卷。」可參證。薛田，《宋史》
卷三百一、〈列傳〉第六十有傳。其〈傳〉曰：「薛田字希稷，河中河東人。
少師事种放，與魏野友善。進士，起家丹州推官。」其所撰〈序〉曰：「文

勝質則史，質勝文則野。夫詩之作，不與文偕，大率情根於意，言發乎情，點而化之，流爲章句。且綺靡者不以煙火爲尚，風雅者不以金石爲多，但務其陳古刺今，去邪守正而已。非所謂者，雖懷質文之宏辨，負博勝之逸才，故未能臻極於淵閫矣！鉅鹿魏野，字仲先，甘棠東郭人也。秉心孤高，植性沖淡，視浮榮如脫屣，輕寵利若鴻毛。友義朋仁，世稀與比。自丱及長，善於詩筆，每叙事感發，見景立言，非規方體圓，動能破的。故人之美惡、物之形態、時之興替、事之特變，遇事激發，則可千里之外而應之。舊有《草堂集》，行在人間，傳諸海外，眞可謂一代之名流，詎俾乎逸才宏辨者知也。大中祥符中，先皇帝展祀汾睢，誕由力陂，海輅所幸，博采隱淪。是時首被溫詔，遜避不起，其介介也如此。余與之交越三十年，凡遇景遣興，迭爲酬唱，每筒遞往還，則馳無遠邇。天禧己未歲冬，余尹正京洛，許造公居，豈謂未及其期而隨物化去！天子聞之乃震悼，制贈秘書省著作郎，仍錫之賻幣，蠲以公徭，其光遁也又如彼。今歲之春，余忝綏益部，載歷郡陰憇止之辰，追訪郊墅噫巖亭，索寞淒涼，此時竹樹菁葱，依稀舊日，奈伊人之既往，而流風之如在，有令息閑，尤增素尚。綽有父風，能琴外，亦酷于風雅，出先君所著新舊詩三百篇，除零落外，以其〈國風〉教化，諷刺歌頌、比興緣情者混而編〔之〕，凡其詩之可觀者彙爲七卷，求其叙述，欲使乎先君之道、之行，彬蔚而不泯耳！余既往知生，不當詿讓，聊陳梗概，用布之於編首，《漢書》班固引著作局爲東觀，因取諸贈典，故命之曰《鉅鹿東觀集》。時天聖元年十二月二十七日，樞密直學士、知益州苑兵馬鈐轄，薛田述。」此書薛〈序〉作七卷，《解題》、《宋志》作十卷，《郡齋讀書志》作二卷，頗不相同。

潘逍遙集一卷

《潘逍遙集》一卷，_{廣棪案：《文獻通攷》作三卷。}四門助教廣陵潘閬逍遙撰。_{館臣案：晁公武《讀書志》作大名人。　廣棪案：《文獻通考》無以上各句。}嘗賜及第，_{廣棪案：《文獻通考》此句上有「閬」字。}後坐追奪，_{廣棪案：盧校本「追」作「名」。}或云坐盧多遜黨，追捕變姓名，僧服入中條山，卒於泗州。又有嚴陵刻本同，但少卷末三首。_{廣棪案：《文獻通考》無「或云」以下九字。}

廣棪案：《郡齋讀書志》卷第十九、〈別集類〉下著錄：「《潘逍遙詩》三卷。右皇朝潘閬字逍遙，大名人。通《易》、《春秋》，尤以詩知名。太宗嘗召對，賜進士第，將官使之，不就。王繼恩與之善。繼恩下獄，捕閬甚急，久之弗得。咸平初，來京師，尹收繫之。真宗釋其罪，以為滁州參軍，後卒於泗上。與王禹偁、孫何、柳開、魏野交好最密。《集》有祖無擇〈序〉，錢易、張逵皆碣其墓，附於《集》後。蘇子瞻少年時，過一山院，見壁上有句云：『夜涼知有雨，院靜若無僧。』而不知何人詩。今《集》有此聯，乃閬〈夏日宿西禪院〉詩也。小說中謂閬坐盧多遜黨，嘗追捕，非也。」孫猛《郡齋讀書志校證》曰：「《書錄解題》卷二十謂閬為廣陵人，《輿地紀勝》卷三十七引《續資治通鑑長編》亦謂閬為揚州人。」疑閬為廣陵人。《宋史》卷二百八、〈志〉第一百六十一、〈藝文〉七、〈別集類〉著錄：「《潘閬詩》一卷。」與《解題》同。閬，《宋史》無傳。《宋詩紀事》卷五「潘閬」條載：「閬字逍遙，大名人。嘗居錢塘。太宗召對，賜進士第，王繼恩與之善。繼恩下獄，捕閬弗得。咸平初來京，尹收繫之。真宗釋其罪，以為滁州參軍，後卒于泗上。小說中謂閬坐盧多遜黨，追捕，非也。有《詩集》。」《宋詩紀事》所記，據《郡齋讀書志》。《逍遙集》嚴陵刻本，今不傳。

東里楊聘君集一卷

《東里楊聘君集》一卷，處士鄭圃楊朴契元撰。太宗嘗召對，拜郎中不受，以其子為長水尉。

廣棪案：《宋史》卷二百八、〈志〉第一百六十一、〈藝文〉七、〈別集類〉著錄：「《楊朴詩》一卷。」與此同。朴，《宋史》無傳。《宋元學案補遺》卷四十四、〈趙張諸儒學案補遺〉「梅溪同調·附錄·承奉楊先生朴」條載：「楊朴字文之，黃巖人。淳熙八年特科。在太學，以《春秋》與王梅溪齊名，時號王、楊。紹興中，申嚴挾書之禁，先生為公試榜首，高宗書其姓名于御屏。終承奉郎。《台州府志》。」是則《宋元學案補遺》所記，與《解題》著錄者殊非一人。俟再考。

滕工部集一卷

《滕工部集》一卷，滕白撰。篇首〈寄陳摶〉，知為國初人。又有〈右省懷山中〉及〈臺中寄朱從事〉詩，則其歷歷清要亦多矣。史傳亡所見，未有考也，_{廣校案：盧校本「考也」後作「後記得嘗為戶部判官、南面軍前轉運使，坐軍事損折免官」。校注曰：「此本是。」}後見《實錄》載：「嘗以戶部判官為南面前轉運使，坐軍糧損折免官。」

 廣校案：《秘書省續編到四庫闕書目》卷一、〈集類・別集〉著錄：「《滕白詩》一卷，_闕。輝按：後重見。陳《錄》作《滕工部集》。」同書同卷、〈集類・別集〉著錄：「《滕白詩》一卷，_闕。輝按：見前，此重出。」_{葉德輝考證本。}與此同。白，《宋史》無傳。《全唐詩》卷七百三十一「滕白」條載：「滕白，官郎中，歷臺省。有《工部集》一卷，今存詩二首。」其〈題文川村居〉云：「種茶巖接紅霞塢，灌稻泉生白石根。皤腹老翁眉似雪，海棠花下戲兒孫。」考《中國古今地名大辭典》「文水」條曰：「在陝西城固縣西北。《水經注》：『文水，即門水也。』《城固縣志》：『兩水合流，有如文字。宋范伯年對明帝云：「臣鄉有文川。」即此。』是則據此詩，白乃陝西城固人，又年屆眉壽也。

王喦集一卷

《王喦集》一卷，王喦撰。《集》中有〈春日感懷上滕白郎中〉，蓋亦國初人。又有「聖駕親征河東」及有「甲午避寇，全家欲下荊南」之語，_{廣校案：盧校本「全」作「今」。誤。}則是李順亂蜀之歲。喦蓋蜀人也耶？_{廣校案：《文獻通考》「耶」作「也」。}

 廣校案：喦，《宋史》無傳。其《集》，《宋志》未著錄。《全唐詩》卷七百三十一「王喦」條載：「王喦，蜀人，曾避地荊南。有《集》一卷。今存詩六首。」考喦有〈燕〉詩云：「一巢功績破春光，絮落花殘兩翅狂。月樹風枝不棲去，強來言語泥雕梁。」滕白亦有〈燕〉詩，云：「短羽新來別海陽，眞珠高卷語雕梁。佳人未必全聽爾，正把金針繡鳳凰。」兩詩同押下平聲七陽韻，應屬酬和之作，足證喦、白為同時人。甲午，後唐廢帝清泰元年（934）。

漁舟集五卷

《漁舟集》五卷，_{館臣案：《文獻通攷》作一卷。}處士成都郭震希聲撰。自稱汾陽山人。李畋為作〈集序〉。淳化四年忽作詩曰：「朝出東門遊，東門好春色。青青原上草，莫放征馬食。」詣闕獻書，言蜀利病，未幾順賊已作矣。

　　廣棪案：《宋史》卷二百八、〈志〉第一百六十一、〈藝文〉七、〈別集類〉著錄：「《郭震集》四卷。」卷數不同。《秘書省續編到四庫闕書目》卷一、〈集類・別集〉著錄：「《郭震詩》五卷，_{闕。}《宋志》云：『《郭震集》四卷。』」是此《集》原作五卷，《文獻通考》作一卷，疑誤。震，《宋史》無傳。厲鶚《宋詩紀事》卷五「郭震」條載：「震字希聲，成都人。有《漁舟集》。」陸心源《宋詩紀傳小傳補正》卷一載：「郭震以詩名，號漁舟先生。淳化四年詣闕上書，言蜀將有變。未幾順賊作亂。先生留中原不歸。無子。李畋序其事。_{《四川通志》。}」《宋史翼》卷三十六、〈列傳〉第三十六、〈隱逸〉載：「郭震字希聲，成都人。博學能詩，才識過人。淳化中嘗出東郊，忽賦詩曰：『今日出東郊，東郊好春色。青青原上草，莫放征馬食。』遂走京師，上書言蜀將亂，不報。已而李順起於卭棶閒。自是括囊不言，隱身漁釣。病將死，其友往問之，側臥欹枕而言。其友曰：『子且正身。』震笑曰：『此行豈可復替名耶！』識者謂其臨死生而不亂云。有《漁舟前後集》，行于世。_{《東都事畧》。}」均可參證。李畋字渭卿，自號谷子。《宋史翼》卷二十六、〈列傳〉第二十六、〈文苑〉一有傳，所撰〈序〉已佚。

王初歌詩集一卷

《王初歌詩集》一卷，王初撰。未詳何人。有〈延平天慶觀〉詩，當是祥符後人也。

　　廣棪案：《宋志》未著錄此書。初，《宋史》無傳。考《宋會要輯稿》第四冊、〈帝系〉八之二七載：「紹聖三年六月五日，詔公主女之子依舊條推恩。其元祐五年六月八日指揮不得行。先是吏部特推恩格，公主女之夫補承奉郎。元祐五年六月八日勅公主女適夫與左班殿直，願就文資者授假承事郎；其已有官人即依舊法。至是，三省奏以秦國惠和公主親女

永嘉郡主，王氏親男初子通，乞依格施行。而有司以女之子，未敢用特恩格，故有是詔。」據是，則王初乃永嘉郡主之郡馬，有子王通。

書臺集三卷

《書臺集》三卷，處士南隆朱有大有撰。自稱雲臺山人。天禧中王晦叔守蜀，以古風六十言遺之。「書臺」者，其所居坊名也。

廣棪案：《宋志》未著錄此書。朱有，《宋史》無傳。王晦叔即王曙，《宋史》卷二百八十六、〈列傳〉第四十五有傳。其〈傳〉曰：「王曙字晦叔，隋東皋子績之後。世居河汾，後為河南人。中進士第，再調定國軍節度推官。咸平中，舉賢良方正科，策入等，遷秘書省著作佐郎，知定海縣。還，為羣牧判官，考集古今馬政，為《羣牧故事》六卷，上之。遷太常丞、判三司憑由理欠司。坐舉進士失實，降監廬州茶稅，再遷尚書工部員外郎、龍圖閣待制。以右諫議大夫為河北轉運使，坐部吏受賕，降知壽州。徙淮南轉運使，勾當三班院，權知開封府。以樞密直學士知益州。繩盜以峻法，多致之死。有卒夜告其軍將亂，立辨其偽，斬之。蜀人比之張詠，號『前張後王』。入為給事中。」是則朱有「以古風六十首遺之」，正晦叔「以樞密直學士知益州」時也。咸平、天禧，皆真宗年號。

甘棠集一卷

《甘棠集》一卷，知制誥上蔡孫僅鄰幾撰。廣棪案：《文獻通考》脫「撰」字。咸平元年進士第一人，後其兄何一榜。嘗從何通判陝府，以所賦詩集而序之，首篇曰「甘棠思循吏」，故以名《集》。僅兄弟皆不壽，廣棪案：盧校注：「元本無『僅』字。」故不大顯。

廣棪案：《宋史》卷二百八、〈志〉第一百六十一、〈藝文〉七、〈別集類〉著錄：「《孫僅詩》一卷。」即此書。僅，蔡州汝陽人。《宋史》卷三百六、〈列傳〉第六十五附其兄〈孫何〉。其〈傳〉曰：「僅字鄰幾。少勤學，與何俱有名于時。咸平元年，進士甲科，兄弟連冠貢籍，時人榮之。解褐舒州團練推官，會詔舉賢良方正之士，趙安仁以僅名聞。策入第四等，擢光祿寺丞、直集賢院，俄知浚儀縣。景德初，拜太子中允、開封府推

官，賜緋。北邊請盟，遣使交聘，僅首為國母生辰使。改本府判官，遷右正言、知制誥，賜金紫，同知審官院。是冬，永興孫全照求代，真宗思擇循良任之，御書邊肅泊僅二名示宰相。或言僅嘗倅京府，諳民政，乃命知永興軍府。僅純厚長者，為政頗寬，嘗詔戒焉。大中祥符元年，加比部員外郎。代還，知審刑院。頃之，拜右諫議大夫、集賢院學士、權知開封府。改左諫議大夫，出知河中府。歸朝，復領審刑院。久次，進給事中。天禧元年正月，卒，年四十九。錄其子大理評事和為衛尉寺丞。僅性端愨，中立無競，篤於儒學，士大夫推其履尚，有《集》五十卷。僅弟侑亦登進士第，至殿中丞。」可參證。至〈孫何傳〉載何卒時年四十四，是「僅兄弟皆不壽」也。

錢希白歌詩二卷

《錢希白歌詩》二卷，<small>廣棪案：《文獻通考》作「《錢氏白歌詩》」，誤。</small>**翰林學士吳越錢易希白撰。**

> 廣棪案：《宋史》卷二百八、〈志〉第一百六十一、〈藝文〉七、〈別集類〉著錄：「《錢易集》六十卷。」與此不同。《四庫闕書目·別集類》著錄：「《錢易歌詩》二卷。<small>按《宋史·藝文志》作《錢易集》六十卷。徐松編輯本。</small>」《秘書省續編到四庫闕書目》卷一、〈集類·別集〉著錄：「《錢易歌詩》二卷，<small>輝按：《宋志》同，陳《錄·詩集類》作《錢希白歌詩》。</small>」<small>葉德輝考證本。</small>是《四庫闕書目》著錄《錢易歌詩》二卷，非《宋志》著錄，葉德輝按語誤也。錢易字希白，宋真宗時為翰林學士。《宋史》卷三百一十七、〈列傳〉第七十六附〈錢惟演〉。

廢王倧之子。咸平二年進士第二人，景德二年制科。初，錢氏歸國，羣從皆補官，獨易與兄昆不見錄，遂刻志讀書，<small>廣棪案：盧校本「刻」作「尅」。</small>**皆第進士，昆至諫議大夫。**

> 案：《宋史》易本傳載：「易字希白。始，父倧嗣吳越王，為大將胡進思所廢，而立其弟俶。俶歸朝，羣從悉補官，易與兄昆不見錄，遂刻志讀書。昆字裕之，舉進士，為治寬簡便民，能詩，善草隸書，累官右諫議大夫，以秘書監于家。易年十七，舉進士，試崇政殿三篇，日未中而就。言者惡其輕俊，特罷之。然自此以才藻知名。……易再舉進士，就開封

府試第二。自謂當第一,爲有司所屈。……明年,第二人中第。……景德中,舉賢良方正科,策入等。」可參證。

易子彥遠、明逸又皆以賢良方正入等。宋興,父子兄弟制舉登科者,惟錢氏一門。

案:《宋史》易本傳載:「子彥遠、明逸,相繼皆以賢良方正應詔。宋興以來,父子兄弟制策登科者,錢氏一家而已。」與此同。

易有《集》百五十卷,未見,家止有此及《滑稽集》四卷而已。

案:《宋史》易本傳載:「易才學贍敏過人,數千百言,援筆立就。又善尋尺大書行草,及喜觀佛書,嘗校《道藏經》,著《殺生戒》,有《金閨》、《瀛州》、《西垣制集》一百五十卷,《青雲總錄》、《青雲新錄》、《南部新書》、《洞微志》一百三十卷。」又《宋志》著錄《錢易集》六十卷,是易《集》固不止「百五十卷」。至《滑稽集》,《解題》卷十七、〈別集類〉中著錄:「《滑稽集》四卷,翰林學士吳越錢易希白撰。多譎諷之詞。淳化癸巳自序。」是直齋家有《滑稽集》四卷。

和靖集三卷、西湖紀逸一卷

《和靖集》三卷、廣棪案:《文獻通考》作「《林和靖詩》」。《西湖紀逸》一卷,館臣案:《宋史·藝文志》:《和靖詩集》七卷,又《詩》二卷。**處士錢唐林逋君復撰。**

廣棪案:《郡齋讀書志》卷第十九、〈別集類〉下著錄:「《林君復集》二卷。右皇朝林逋字君復,杭州錢塘人。少刻志爲學,結廬西湖之孤山。眞宗聞其名,詔郡縣常存遇之。善行書,喜爲詩,其語孤峭澄淡。臨終作一絕曰:『茂陵他日求遺藁,猶喜初無封禪書。』或刻石置之其墓中。賜諡曰和靖先生。《集》有梅聖俞〈序〉。」書名、卷數不同。《宋史》卷二百八、〈志〉第一百六十一、〈藝文〉七、〈別集類〉著錄:「《林逋詩》七卷,又《詩》二卷。」其「《詩》二卷」云云,疑與《郡齋讀書志》著錄者爲同一書。考瞿鏞《鐵琴銅劍樓藏書目錄》卷第二十、〈集部〉二、〈別集類〉二著錄:「《和靖先生詩集》一卷,宋刊殘本。不題名。前有皇祐五年太常博士宛陵梅堯臣撰〈序〉,略曰:『先生詩,時人貴重甚於寶玉,先生未嘗自貴,就輒棄之,故所存百無一二。諸孫大年掇拾

之，請爲〈序〉。』云云。每半葉九行，行二十字。『樹』字闕筆，『構』字注『高宗廟諱』，『敦』字注『御名』。光宗時刻本也。原書分上、下二卷，今存上卷。」是此宋刊殘本亦爲二卷本。頗疑《解題》作三卷者，乃爲二卷之譌。迪，《宋史》卷四百五十七、〈列傳〉第二百一十六、〈隱逸〉上有傳。其〈傳〉曰：「林逋字君復，杭州錢塘人。少孤，力學，不爲章句。性恬淡好古，弗趨榮利，家貧，衣食不足，晏如也。初放遊江、淮間，久之歸杭州，結廬西湖之孤山，二十年足不及城市。眞宗聞其名，賜粟帛，詔長吏歲時勞問。薛映、李及在杭州，每造其廬，清談終日而去。嘗自爲墓於其廬側。臨終爲詩，有『茂陵他日求遺稿，猶喜曾無《封禪書》之句。』既卒，州爲上聞，仁宗嗟悼，賜諡和靖先生，賻粟帛。」可參證。《西湖紀逸》一卷，《宋志》未著錄。

梅聖俞爲之〈序〉。

案：聖俞所撰〈序〉曰：「天聖中，聞錢塘西湖之上有林君，巉巉有聲，若高峰瀑泉，望之可愛，即之愈清，挹之甘潔而不厭也。是時，余因適會稽還，訪於雪中。其談道，孔、孟也。其語近世之文，韓、李也。其順物玩情，爲之詩則平澹邃美，詠之令人忘百事也。其辭主乎靜正，不主乎刺譏，然後知其趣向博遠，寄適於詩爾！君在咸平、景德間已大有聞，會朝廷修封禪，未及詔聘，故終老而不得施用於時。凡貴人鉅公一來，語合慕仰，低回不忍去。君既老，不欲強起之，乃令長吏歲時勞問。及其歿也，諡曰和靖先生。先生少時多病，不娶無子，諸孫大言能掇拾所爲詩，請余爲〈序〉。先生諱逋，字君復，年六十二。其詩時人貴重甚於寶玉，先生未嘗自貴也，就輒棄之，故所存者百無一二焉，於戲惜哉！皇祐五年六月十三日，太常博士，梅堯臣撰。」可參證。

《紀逸》者，近時桑世昌澤卿所輯遺文逸事也。

案：《西湖紀逸》乃桑世昌所輯。世昌，《宋史》無傳。《宋詩紀事》卷六十三「桑世昌」條載：「世昌字澤卿，淮海人，居天台，陸放翁諸甥。著《蘭亭博議》、《回文類集》、《莫庵詩集》。」

清風集一卷

《清風集》一卷，職方員外郎鮑當撰。

廣棪案：《宋史》卷二百八、〈志〉第一百六十一、〈藝文〉七、〈別集類〉
著錄：「《鮑當集》一卷，又《後集》一卷。」《秘書省續編到四庫闕書目》
卷一、〈集類・別集〉著錄：「《清風後集》一卷，輝按：《宋志》：『《鮑當
集》一卷，又《後集》一卷。』陳《錄》：『《清風集》一卷，云鮑當撰。』
《遂初目》：『鮑當《清風集》。』無卷數。」是則《清風集》即《鮑當集》。
鮑當，《宋史》無傳。《宋詩紀事》卷七「鮑當」條載：「當，景德二年進
士，爲河南府法曹，歷職方員外郎。有《清風集》。」《宋詩紀事小傳補
正》卷一載：「鮑當，至道年，職方員外郎，知明州。《四明圖經》。眞宗時，
知慶元。仁宗時，知衢州。景祐四年，職方郎中，知湖州。五年三月，
卒于任。」可參證。

石曼卿歌詩集一卷

《石曼卿歌詩集》一卷，廣棪案：《文獻通考》作「《石曼卿集》一卷。」盧校本
作二卷。祕閣校理宋城石延年曼卿撰。廣棪案：《文獻通考》無此句。

　　廣棪案：《郡齋讀書志》卷第十九、〈別集類〉下著錄：「《石曼卿集》一
卷。右皇朝石延年字曼卿，南京宋城人。舉進士不中，爲三班奉職，改
太常寺太祝，遷祕閣校理。氣貌雄偉，喜論事，善書札，縱酒不羈，世
多傳其仙去。其詩如〈春陰〉、〈紅梅〉，及『樂意相關禽對語，生香不
斷樹交花』、『鷺聲不逐春光老，花影常隨日腳流』之句，至今諷詠焉。」
卷數與此同。《宋史》卷二百八、〈志〉第一百六十一、〈藝文〉七、〈別
集類〉著錄：「《石延年詩》二卷。」則卷數不同。延年字曼卿，先世幽
州人。晉以幽州遺契丹，其祖舉族南走，家于宋城。眞宗時，爲秘閣校
理。《宋史》卷四百四十二、〈列傳〉第二百一、〈文苑〉四有傳。

自爲〈序〉，廣棪案：《文獻通考》此句上有「其詩」二字。石介復爲作〈序〉。

　　案：石介《徂徠集》卷十八、〈序〉有〈石曼卿詩集序〉，曰：「詩之作，
與人生偕者也。凾愉樂悲鬱之氣必舒於言，能者述之，傳於律，故其流
行無窮，可以播而交鬼神也。古之有天下者，欲知風教之感、氣俗之變，
必立官司採掇而監聽之。由是張弛其務，以足其所思，乃能享世長久，
弊亂無由而生。厥後廢官，詩不傳。在上者不復知民之所嚮，故政化顚
悖，治道亡矣。詩之於時亦可見大道，於文字習爲故常，但作者才致鄙

迫，不能深入其域耳。國朝祥符中，民風豫而泰，操筆之士率以藻麗為勝，惟曼卿與穆參軍伯長自任以古道，作為文必經實，不放於世。而曼卿之詩又特震奇秀發，蓋能取古之所未至，託諷物象之表，警時動眾，未嘗徒設，雖能文者，累數千百言，不能卒其義。獨以勁語蟠泊，會而終於篇，而復氣橫意舉，飄出章句之外，學者不可尋其屏閫而依倚之，其詩之豪者，與曼卿姿宇軒豁，遇事輒詠。前後所為不可計，其遺亡而存者纔三百餘篇，古律不異，分為二冊。一日觴予，酒作而謂予曰：『子賢於文而又知詩，能為我序詩乎？』予應曰：『諾。』遂有作，欲使觀者知詩之原，施之於用而已矣。」延年所自為〈序〉，未見。

其仕以三舉進士，為三班奉職，出處詳見歐陽公所作〈墓志〉。

案：《歐陽修全集》卷二十四、〈墓表・石曼卿墓表〉載：「曼卿諱延年，姓石氏。其上世為幽州人。幽州入于契丹，其祖自成治以其族間走南歸，天子嘉其來，將祿之，不可，乃家於宋州之宋城。父諱補之，官至太常博士。幽燕俗勁武，而曼卿少亦以氣自豪。讀書不治章句，獨慕古人奇節偉行、非常之功，視世俗屑屑，無足動其意者。自顧不合於時，乃一混以酒，然好劇飲，大醉，頹然自放，由是益與時不合。而人之從其遊者，皆知愛曼卿落落可奇，而不知其才之有以用也。年四十八，康定二年二月四日，以太子中允祕閣校理卒于京師。曼卿少舉進士，不中。真宗推恩，三舉進士，皆補奉職。曼卿初不肯就，張文節公素奇之，謂曰：『母老，乃擇祿耶？』曼卿矍然起就之。遷殿直。久之，改太常寺太祝，知濟州金鄉縣。歎曰：『此亦可以為政也。』縣有治聲，通判乾寧軍。丁母永安縣君李氏憂，服除，通判永靜軍，皆有能名。充館閣校勘，累遷大理寺丞，通判海州，還為校理。莊獻明肅太后臨朝，曼卿上書，請還政天子。其後太后崩，范諷以言見幸，引嘗言太后事者，遽得顯官。欲引曼卿，曼卿固止之乃已。自契丹通中國，德明盡有河南，而臣屬遂務休兵，養息天下。然內外弛武三十餘年，曼卿上書言十事，不報。已而元昊反，西方用兵，始思其言。召見。稍用其說，籍河北、河東、陝西民，得鄉兵數十萬。曼卿奉使籍兵河東，還稱旨，賜緋衣銀魚。天子方思盡其才，而且病矣。既而聞邊將有欲以鄉兵扞賊者，笑曰：『此得吾粗也。夫不教之兵，勇怯相雜。若怯者見敵而動，則勇者亦牽而潰矣。

今或不暇教，不若募其敢行者，則人人皆勝兵也。』其視世事蔑若不足
爲，及聽其施設之方，雖精思深慮，不能過也。」可參證。

呂文靖集五卷

《呂文靖集》五卷，丞相許國文靖公壽春呂夷簡坦夫撰。

> 廣棪案：《宋志》未著錄此書。夷簡字坦夫，先世萊州人。祖龜祥知壽
> 州，子孫遂爲壽州人。仁宗時爲相，進位司空，辭不拜，徙許國公。卒
> 贈太師、中書令，諡文靖。有《集》二十卷。與此不同，《宋史》卷三
> 百一十一、〈列傳〉第七十有傳。

文靖不以文鳴，而其詩清潤和雅，未易及也。

> 案：《宋詩紀事》卷九「呂夷簡」條載〈天花寺〉詩云：「賀家湖上天花
> 寺，一一軒窗向水開。不用閉門防俗客，愛閑能有幾人來。」又〈重遊
> 雁山〉云：「往來遊海嶠，上徹最高層。雲外疑無路，山中忽見僧。虎
> 蹲臨澗石，猿掛半巖藤。何日拋龜紐，孤峰上再登。」皆清潤和雅之類
> 也。

藥名詩一卷

《藥名詩》一卷，廣棪案：《文獻通考》作「《陳亞之集》一卷」。司封郎中陳
亞亞之撰。廣棪案：盧校本「中」下有維揚二字。《文獻通考》無此句。咸平五
年進士。有《集》三卷，《藥名詩》特其一體爾。廣棪案：盧校本「《藥名
詩》」作「此」。如「馬嘶曾到寺，犬吠乍行村」，「吏辭如賀日，民送似
迎時」皆佳句，廣棪案：《文獻通考》「似」作「自」。誤。，不在此《集》也。

> 廣棪案：《郡齋讀書志》卷第十九、〈別集類〉下著錄：「《陳亞之集》一
> 卷。右皇朝陳亞，字亞之。性滑稽，喜賦藥名詩，仕至司封郎中。藥名
> 詩始於唐人張籍，有『江皋歲暮相逢地，黃葉霜前半下枝』之詩，人謂
> 起於亞，實不然也。」《宋史》卷二百八、〈志〉第一百六十一、〈藝文〉
> 七、〈別集類〉著錄：「陳亞《藥名詩》一卷。」是《陳亞之集》一卷，
> 亦即此書。亞，《宋史》無傳。《宋詩紀事》卷七「陳亞」條載：「亞字亞
> 之，維揚人。咸平五年進士，嘗爲杭之於潛令，仕至太常少卿。好爲藥

名詩，有《澄源集》。」其下引《迂叟詩話》:「陳亞郎中，滑稽。嘗爲藥名詩百首，其美者有『風月前湖夜。軒窗半夏凉』，不失詩家之體。」可參證。

金陵覽古詩三卷

《金陵覽古詩》三卷，虞部員外郎楊備撰。億之弟也。

廣棪案:《宋史》卷二百八、〈志〉第一百六十一、〈藝文〉七、〈別集類〉著錄:「楊備《姑蘇百題詩》三卷。」而未著錄此書。備，《宋史》無傳。周應合《景定建康志》卷四十九、〈儒雅傳〉載:「楊備字修之，建平人也。慶歷中爲尚書虞部員外郎，分司南京上輕車都尉。往復道出江上，賦百篇二韻，命曰《金陵覽古百題詩》，各註其事于題之下，與南唐朱存詩並傳于時。」《宋詩紀事》卷十七「楊備」條載:「備字修之，建平人，億之弟。慶歷中爲尚書虞部員外郎，分司南京上輕車都尉。有《姑蘇百題》、《金陵覽古詩》。」均可參證。

李問集一卷

《李問集》一卷，國子博士廣陵李問舜俞撰。廣棪案:《文獻通考》「舜俞」作「舜愈」。

廣棪案:《宋史》卷二百八、〈志〉第一百六十一、〈藝文〉七、〈別集類〉著錄:「《李問詩》一卷。」與此同。李問，《宋史》無傳。生平不可考。

晁君成集十卷、別集一卷

《晁君成集》十卷、《別集》一卷，新城令晁端友君成撰。

廣棪案:《郡齋讀書志》卷第十九、〈別集類〉下著錄:「晁氏《新城集》十卷。右皇朝族祖新城府君也。公諱某，字君成。早登進士第，爲杭州新城令，以沒。蘇子瞻嘗稱其詩清厚靜深，而每篇輒出新意奇語。」《宋史》卷二百八、〈志〉第一百六十一、〈藝文〉七、〈別集類〉著錄:「《晁端友詩》十卷。」然均闕「《別集》一卷」。端友，《宋史》無傳。黃庭堅《黃豫章集》卷二十三、〈墓誌銘·晁君成墓誌銘〉載:「晁端友字君成，

文元弟迪之曾孫。事親孝，恭人，不聞于其兄弟之言。與人交，其不崖
異，可親；其有所不爲，可畏。生二十五年乃舉進士，得官，從仕二十
三年，然後得著作佐郎。四十七以卒。少時以文謁宋景文公，景文稱愛
之。晚獨好詩，蘇子瞻論其詩曰：『清厚深靜，如其爲人。』杜孝錫〈狀〉
曰：『哭君成者無不盡哀。』皆知名長者也。」可參考。

東坡為作〈序〉。

案：蘇軾《東坡全集》卷三十四、〈叙・晁君成詩集叙〉曰：「達賢者有
後，張湯是也；張湯宜無後者也。無其實而竊其名者無後，揚雄是也；
揚雄宜有後者也。達賢者有後，吾是以知蔽賢者之無後也；無其實而竊
其名者無後，吾是以知有其實而辭其名者之有後也。賢者，民之所以生
也；而蔽之，是絕民也。名者，古今之達尊也；重於富貴而竊之，是欺
天也。絕民欺天，其無後不亦宜乎？故曰：達賢者與有其實而辭其名者
皆有後，吾常誦之云爾。乃者官於杭，杭之新城令晁君君成諱端友者，
君子人也。吾與之游三年，知其爲君子，而不知其能文與詩，而君亦未
嘗有一語及此者。其後，君既歿於京師，其子補之出君之詩三百六十篇，
讀之而驚曰：『嗟夫！詩之指雖微，然其美惡、高下猶有可以言傳而指見
者，至於人之賢不肖，其深遠茫眛難知，蓋甚於詩。今吾尚不能知君之
能詩，則其所謂知君之爲君子者，果能盡知之乎？』君以進士得官，所
至，民安樂之，惟恐其去。然未嘗以一言求於人，凡從仕二十有三年，
而後改官以沒。由此觀之，非獨吾不知，舉世莫之知也。君之詩清厚靜
深，如其爲人，而每篇輒出新意奇語，宜爲人所共愛。其勢非君深自覆
匿，人必知之。而其子補之於文無所不能，博辯俊偉，絕人遠甚，將必
顯於世，吾是以益知有其實而辭其名者之必有後也。昔李部爲漢中候吏，
和帝遣二使者微服入蜀，館於部，部以星知之。後三年，使者爲漢中守，
而部猶爲候吏，人莫知之者。其博學隱德之報在其子，故《詩》曰：『豈
弟君子，神所勞矣。』」可參證。

補之，其子也。

案：《宋史》卷四百四十四、〈列傳〉第二百三、〈文苑〉六、〈晁補之〉
載：「晁補之字無咎，濟州鉅野人，太子少傅迥五世孫，宗愨之曾孫也。
父端友，工於詩。」可證。

擊壤集二十卷

《擊壤集》二十卷，處士共城邵雍堯夫撰。

　　廣桉案：《郡齋讀書志》卷第十九、〈別集類〉下著錄：「邵堯夫《擊壤集》
二十卷。右皇朝邵雍堯夫，隱居洛陽。熙寧中，與常秩同召，力辭不起。
邃於《易》數。始爲學，至二十年不施枕榻睡，其精思如此。歌詩蓋其
餘事，亦頗切理，盛行於時。卒謚康節。《集》自爲〈序〉。」與此同。《宋
史》卷二百八、〈志〉第一百六十一、〈藝文〉七、〈別集類〉著錄：「《邵
雍集》二十卷。」應同屬一書。雍字堯夫，其先范陽人，後徙共城。《宋
史》卷四百二十七、〈列傳〉第一百八十六、〈道學〉一有傳。

自爲之〈序〉。

　　案：雍〈序〉云：「《擊壤集》，伊川翁自樂之詩也，非唯自樂，又能樂時
與萬物之自得也。伊川翁曰：『子夏謂：「詩者，志之所之也，在心爲志，
發言爲詩，情動於中而形於言，聲成其文而謂之音。」是知懷其時則謂
之志，感其物則謂之情，發其志則謂之言，揚其情則謂之聲，言成章則
謂之詩，聲成文則謂之音，然後聞其詩，聽其音，則人之志情可知之矣。
且情有七，其要在二，二謂身也，時也。謂身則一身之休慼也，謂時則
一時之否泰也。一身之休慼，則不過貧富貴賤而已；一時之否泰，則在
夫興廢治亂者焉。是以仲尼刪詩，十去其九；諸侯千有餘國，〈風〉取十
五；西周十有二王，〈雅〉取其六；蓋垂訓之道，善惡明著者存焉耳。近
世詩人窮慼則職于怨懟，榮達則專于淫泆，身之休慼發于喜怒，時之否
泰出于愛惡，殊不以天下大義而爲言者，故其詩大率溺于情好也。噫！
情之溺人也甚于水。古者謂水能載舟，亦能覆舟，是覆載在水也，不在
人也；載則爲利，覆則爲害，是利害在人也，不在水也；不知覆載能使
人有利害邪？利害能使水有覆載耶？二者之間，必有處焉。就如人能蹈
水，非水能蹈人也，然而有稱善蹈者，未始不爲水之所害也。若外利而
蹈水，則水之情，亦由人之情也；若內利而蹈水，則敗壞之患立至于前，
又何必分乎人焉，水焉？其傷性害命一也。性者道之形體也，性傷則道
亦從之矣；心者性之郛郭也，心傷則性亦從之矣。身者心之區宇也，身
傷則心亦從之矣；物者身之舟車也，物傷則身亦從之矣；是知以道觀性，
以性觀心，以心觀身，以身觀物，治則治矣，然猶未離乎害者也。不若

以道觀道，以性觀性，以心觀心，以身觀身，以物觀物，則雖欲相傷，
其可得乎？若然，則以家觀家，以國觀國，以天下觀天下，亦從而可知
之矣。』予自壯歲業于儒術，謂人世之樂何嘗有萬之一二，而謂名教之
樂固有萬萬焉，況觀物之樂復有萬萬者焉。雖死生榮辱轉戰于前，曾未
入于胸中，則何異四時風花雪月一過乎眼也？誠爲能以物觀物而兩不相
傷者焉，蓋其間情累都忘去爾，所未忘者獨有詩在焉。然而雖曰未忘，
其實亦若忘之矣！何者？謂其所作異乎人之所作也。所作不限聲律，不
沿愛惡，不立固必，不希名譽，如鑑之志形，如鐘之應聲，其或經道之
餘，因閑觀時，因靜照物，因時起志，因物寓言，因志發詠，因言成詩，
因詠成聲，因詩成音，是故哀而未嘗傷，樂而未嘗淫，雖曰吟詠情性，
曾何累于性情哉？鐘鼓樂也，玉帛禮也，與其嗜鐘鼓玉帛，則斯言也不
能無陋矣！必欲廢鐘鼓玉帛，則其如禮樂何？人謂風雅之道，行于古而
不行于今，殆非通論，牽于一身而爲言者也。吁！獨不念天下爲善者少，
害善者多，造危者眾，而持危者寡，志士在畎畝則以畎畝言，故其詩名
之曰《伊川繫壤集》。時有宋治平丙午中秋日也。」可參證。

始自共城徙河南，卒於熙寧十年，謚康節。

案：《宋史》雍本傳載：「邵雍字堯夫。其先范陽人，父古徙衡漳，又徙
共城。雍年三十，游河南，葬其親伊水上，遂爲河南人。雍少時，自雄
其才，慷慨欲樹功名。於書無所不讀，始爲學，即堅苦刻厲，寒不爐，
暑不扇，夜不就席者數年。已而歎曰：『昔人尚友於古，而吾獨未及四方。』
於是踰河、汾，涉淮、漢，周流齊、魯、宋、鄭之墟，久之，幡然來歸，
曰：『道在是矣。』遂不復出。……嘉祐詔求遺逸，留守王拱辰以雍應詔，
授將作監主簿，復舉逸士，補潁州團練推官，皆固辭乃受命，竟稱疾不
之官。熙寧十年，卒，年六十七，贈秘書省著作郎。元祐中賜謚康節。」
可參證。

臨川詩選一卷

《臨川詩選》一卷，汪藻彥章得《半山別集》，皆罷相後山居時老筆。
過江失之，遂於《臨川集》錄出。又言有表、啟十餘篇，不存一字。

廣棪案：《宋志》未著錄此書，乃汪藻所選王安石詩，而據《臨川集》錄

出者。藻字彥章，饒州德興人。《宋史》卷四百四十五、〈列傳〉第二百四、〈文苑〉七有傳。

注荊公集五十卷

《注荊公集》五十卷，館臣案：《文獻通攷》作十五卷。　廣棪案：盧校注：「今不全，刻本係刪本。」參政眉山李璧季章撰。廣棪案：《文獻通考》「璧」作「壁」，盧校本同。謫居臨川時所為也。廣棪案：《文獻通考》「所為也」作「所作」。

廣棪案：《讀書附志》卷下、〈別集類〉二著錄：「《王荊公詩註》五十卷。右李文懿公璧所註，魏文靖公了翁序。」《四庫全書總目》卷一百五十三、〈集部〉六、〈別集類〉六著錄：「《王荊公詩註》五十卷，江蘇巡撫採進本。宋李璧撰。考《宋史》及諸刊本，璧或從玉作璧。然璧為李燾第三子。其兄曰垕，曰塾。其弟曰重。名皆從土。則作璧誤也。璧字季章，號雁湖居士。初以蔭入官。後登進士。寧宗朝累遷禮部尚書，參知政事，兼同知樞密院事。諡文懿。事蹟具《宋史》本傳。是書乃其謫居臨川時所作。劉克莊《後村詩話》嘗譏其註『歸腸一夜繞鍾山』句，引《韓詩》不引〈吳志〉。註『世論妄以蟲疑冰』句，引《莊子》不引盧鴻一、唐彥謙語。指為疏漏。然大致捃摭蒐採，具有根據。疑則闕之，非穿鑿附會者比。原本流傳絕少，故近代藏書家俱不著錄。海鹽張宗松得元人槧本，始為校刊。《集》中古今體詩，以世行《臨川集》校之，增多七十二首。其所佚者，附錄卷末。考葉紹翁《四朝聞見錄》，稱『開禧初，韓平原欲興兵，遣張嗣古覘敵。張還，大拂韓旨。復遣璧。璧還，與張異詞，階是進政府』云云。是璧附和權姦，以致喪師辱國，實墮其家聲，其人殊不足重。而箋釋之功，足裨後學，固與安石之詩均不以人廢云。」可參證。璧字季章，眉之丹稜人。寧宗時拜參知政事。《宋史》卷三百九十八、〈列傳〉第一百五十七有傳。《解題》作「壁」，疑誤。

助之者曾極景建。

案：曾極，《宋史》無傳。《宋詩紀事》卷六十七「曾極」條載：「極字景建，臨川布衣，文定公弟宰之後，以詩語訕謗，謫道州，卒。有《舂陵小雅》、《金陵百詠》。」可參考。

魏鶴山為作〈序〉。

案：耿文光《萬卷精華樓藏書記》卷一百十、〈集部〉二、〈別集類〉七著錄：「《王荊公詩集箋註》五十卷，宋李壁註。清綺齋本。乾隆辛酉武原張宗松校刊，有〈序〉並〈例〉，次《宋史》本傳，次目錄。末有補遺詩五首。鶴山〈序〉已佚。每卷末刻『武原張宗松青』在校刊板，甚精工。」是魏〈序〉已佚。

注東坡集四十二卷、年譜、目錄各一卷

《注東坡集》四十二卷、《年譜》、《目錄》各一卷，司諫吳興施元之德初與吳郡顧景蕃共為之。元之子宿從而推廣，且為《年譜》以傳於世。

廣棪案：《宋志》未著錄此書。《四庫全書總目》卷一百五十四、〈集部〉七、〈別集類〉七著錄：「《施注蘇詩》四十二卷、《東坡年譜》一卷、《王注正譌》一卷、《蘇詩續補遺》二卷，內府藏本。宋施元之註。元之字德初，吳興人。陸游作是書〈序〉，但稱其官曰司諫，其始末則無可考矣。其同註者為吳郡顧禧，游〈序〉所謂助以顧君景繁之賅洽也。元之子宿，又為補綴，《書錄解題》所謂『其子宿從而推廣，且為《年譜》以傳於世』也。《吳興掌故》但言宿推廣為《年譜》，不言補註，與《書錄解題》不同。今考書中實有宿註，則《吳興掌故》為漏矣。嘉泰中，宿官餘姚，嘗以是書刊版，緣是遭論罷，故傳本頗稀，世所行者惟王十朋分類註本。康熙乙卯，宋犖官江蘇巡撫，始得殘本於藏書家。已佚其卷一、卷二、卷五、卷六、卷八、卷九、卷二十三、卷二十六、卷三十五、卷三十六、卷三十九、卷四十。犖屬武進邵長蘅補其闕卷。長蘅撰《王註正譌》一卷，又訂定《王宗稷年譜》一卷，冠於集首。其註則僅補八卷，以病未能卒業。更倩高郵李必恆續成三十五卷、三十六卷、三十九卷、四十卷。犖又撫拾遺詩為施氏所未收者得四百餘首，別屬錢塘馮景註之，重為刊版。乾隆初，又詔內府刊為巾箱本，取攜既便，遂衣被彌宏。元之原本，註在各句之下。長蘅病其間隔，乃彙註於篇末。又於原註多所刊削，或失其舊。後查慎行作《蘇詩補註》，頗斥其非。亦如長蘅之詆王註。然數百年沈晦之笈，實由犖與長蘅復見於世，遂得以上邀乙夜之觀。且剞劂棗梨，壽諸不朽，其功亦何可盡沒歟！」可參證。施元之，《宋史翼》卷二十八、〈列傳〉第二十八、〈文苑〉三有傳，載：「施元之字德初，

長興人。紹興二十四年進士。《談志》。以絕識博名天下。陸游〈東坡詩注序〉。
乾道二年，除秘書省正字；五年五月，除秘書省著作佐郎；十月，除起
居舍人；十一月，兼國史院編修官；是月除左司諫。《中興館閣錄》。……
嘗注蘇詩，與吳郡顧景蕃共爲之。元之子宿從而推廣，且爲《年譜》，
以傳於世。《書錄解題》。陸游序之曰：『用功深，歷歲久，於東坡之意可
無遺憾。』〈東坡詩注序〉。」其子宿，《宋史翼》卷二十九、〈列傳〉第二
十九、〈文苑〉四有傳，載：「施宿字武子，長興人，元之〈文學〉有傳。
子。陸游〈會稽志序〉。紹熙四年進士。〈宋進士表〉。慶元間知餘姚縣，……
晚爲淮東倉曹，時有故舊在言路，因書遺以番葡萄，歸院相會，出以薦
酒。有問，知所自，憾其不己致也。劾之，無以蔽罪。宿嘗以其父元之
所著坡詩，刻之倉司。有所識同郡傅稺字漢儒，窮乏相投，善歐書，遂
俾書之錄板，以瞞其歸。因摭此事，坐以贓私。《癸辛雜識》。」顧景蕃名
禧，《宋史》、《宋史翼》均無傳。《宋詩紀事補遺》卷四十六「顧禧」條
載：「字景繁，吳郡人。父彥誠，仕兩浙轉運。禧居光福山，閉戶誦讀，
不求仕進。紹興間，郡以遺逸薦，不起。後築室邵村，表曰漫莊。凡田
居五十年而終。嘗與施宿合注蘇詩，著有《志道集》。」可參考。

陸放翁爲作〈序〉，頗言注之難，蓋其一時事實，既非親見，又無故老
傳聞，有不能盡知者。噫，豈獨坡詩也哉！廣棪案：《文獻通考》無「也」字。
注杜詩者非不多，往往穿鑿傅會，皆臆決之過也。

案：陸游《渭南文集》卷第十五、〈施司諫註東坡詩序〉曰：「古詩，唐
虞賡歌，夏述禹戒作歌，商周之詩皆以列於經，故有訓釋。漢以後詩見
於蕭統《文選》者，及高帝、項羽、韋孟、楊惲、梁鴻、趙壹之流，歌
詩見於史者，亦皆有註。唐詩人最盛名家者以百數，惟杜詩註者數家，
然褧不爲識者所取。近世有蜀人任淵，嘗註宋子京、黃魯直、陳無己三
家詩，頗稱詳贍。若東坡先生之詩，則援據閎博，指趣深遠，淵獨不敢
爲之說。某頃與范公至能會於蜀，因相與論東坡詩，慨然謂予：『足下
當作一書，發明東坡之意，以遺學者。』某謝不能。他日，又言之，因
舉二三事以質之，曰：『「五畝漸成終老計，九重新掃舊巢痕。」「遙知
叔孫子，已致魯諸生」，當若爲解？』至能曰：『東坡竄黃州，自度不復
收用，故曰「新掃舊巢痕。」建中初，復召元祐諸人，故曰「已致魯諸

生」恐不過如此耳！』某曰：『此某之所以不敢承命也。昔祖宗以三館
養士，儲將相材；及官制行，罷三館，而東坡蓋嘗直史館，然自讁為散
官，削去史館之職久矣，至是史館亦廢，故云「新掃舊巢痕」，其用字
之嚴如此。而「鳳巢西隔九重門」，則又李義山詩也。建中初，韓、曾
二相得政，盡收用元祐人，其不召者亦補大藩。惟東坡兄弟猶領宮祠，
此句蓋寓所謂不能致者二人，意深語緩，尤未易窺測。至如「車中有布
乎」，指當時用事者，則猶近而易見。「白首沉下吏，綠衣有公言」，乃
以侍妾朝雲，嘗歎黃師，是仕不進，故此句之意，戲言其上僭，則非得
於故老，殆不可知；必皆能知此，然後無憾。』至能亦太息曰：『如此
誠難矣。』後二十五、六年，某告老居山陰澤中，吳興施宿武子出其先
人司諫公所註數十大編，屬某作〈序〉。司諫公以絕識博學名天下，且
用工深，歷歲久，又助之以顧君景蕃之該洽，則於東坡之意，蓋幾可以
無憾矣。某雖不能如至能所託，而得序斯文，豈非幸哉！嘉泰二年正月
五日，山陰老民陸某序。」可參證。

**沈括先與坡同在館閣，後察訪兩浙，至杭，求坡近詩籤貼，以為訕懟李
定等，論詩置獄，實本於括云。** 廣桉案：《文獻通考》無此數句，盧校本同。盧
校注曰：「《通考》無。疑後人所加。」

　　案：丁傳靖輯《宋人軼事彙編》卷十一「沈括」條載：「沈括素與蘇軾
　　同在館閣。軾論事與時異，補外。括察訪兩浙，陛辭，神宗語括曰：『蘇
　　軾通判杭州，卿其善遇之。』括至杭，與軾論舊，求手錄近詩一通。歸
　　即籤籤貼以進，云詞皆訕懟。其後李定、舒亶論軾詩置獄，實本於括云。
　　元祐間，軾知杭州，括閒廢在潤，往來迎謁恭甚，軾益薄其為人。《蘇詩
　　總案》引王銍《元祐補錄》。」可參證。

山谷集三十卷、外集十一卷、別集二卷

《山谷集》三十卷、 廣桉案：《文獻通考》作十一卷，盧校本同。盧校注曰：「元
本與《通攷》同。館本作《山谷集》三十卷，非。」《外集》十一卷、《別集》
二卷， 館臣案：《宋史・藝文志》，《外集》十四卷。 **黃庭堅魯直撰。**

　　廣桉案：《郡齋讀書志》卷第十九、〈別集類〉下著錄：「黃魯直《豫章集》
　　三十卷、《外集》十四卷。右皇朝黃庭堅魯直。」《宋史》卷二百八、〈志〉

第一百六十一、〈藝文〉七、〈別集類〉著錄：「《黃庭堅集》三十卷、《樂府》二卷、《外集》十四卷、《書尺》十五卷。」所著錄均與《解題》有所異同。庭堅字魯直，洪州分寧人。《宋史》卷四百四十四、〈列傳〉第二百三、〈文苑〉六有傳。

江西所刻《詩派》，即《豫章前》、《後集》中詩也。

案：《解題》卷十五、〈總集類〉著錄：「《江西詩派》一百三十七卷、《續派》十三卷，自黃山谷而下三十五家，又曾紘、曾思父子詩。詳見〈詩集類〉。詩派之說本出於呂居仁，前輩多有異論，觀者當自得之。」是《江西詩派》所收山谷詩，即據《豫章前》、《後集》也。考《萬卷精華樓藏書記》卷一百十三、〈集部〉二、〈別集類〉十「《山谷內集注》二十卷、《外集注》十七卷、《別集注》二卷、《外集補》四卷、《別集補》一卷，附《年譜》十四卷」條引翁方綱《進書提要》曰：「《黃集》分《內》，《外集》、《別集》者，合詩文言之也。此三《集》皆注本，則但注其詩耳。《內集》一稱《正集》，其又稱《前集》者，則編《外集》者之詞。蓋《內集》編次成書在《外集》之前，故注家相承謂《內集》爲《前集》耳，或遂因此而目《外集》爲《後集》，失其義矣。」是則《解題》所稱《豫章前集》者，即《山谷集》三十卷，所稱《後集》者，即《外集》十一卷也。

《別集》者，慶元中莆田黃汝嘉增刻。

案：汝嘉，《宋史》無傳。《宋詩紀事補遺》卷之六十三「黃汝嘉」條載：「嘉定元年知江山縣，從祀岳武穆祠。」慶元、嘉定，皆寧宗年號。

山谷編年詩集三十卷、年譜二卷

《山谷編年詩集》三十卷、《年譜》二卷，山谷詩文，其甥洪氏兄弟所編，斷自進德堂以後。廣棪案：《山谷詩注・內集》「進德堂」作「退聽堂」。

廣棪案：《萬卷精華樓藏書記》卷一百十三、〈集部〉二、〈別集類〉十「《山谷內集注》二十卷、《外集注》十七卷、《別集注》二卷、《外集補》四卷、《別集補》一卷，附《年譜》十四卷」條，耿文光案語曰：「山谷入館後所作爲《內集》，少時所作爲《外集》。公自編退聽堂詩，初無意盡去少

作，其甥洪炎與朱敦儒、李彤重編《豫章集詩》，去少作而雜以他文，爲
三十卷。」可參證。是則《山谷編年詩集》三十卷，乃洪炎等所編。

今《外集》所載數卷，有晚年刪去者，故任子淵所注亦惟取《前集》而已。

案：任子淵即任淵，《宋史》無傳。《宋蜀文輯存作者考》載：「任淵字
子淵，新津人。紹興十五年四川類試第一。仕至潼川提刑。著有《註山
谷後山詩》及《沂庵集》四十卷。」淵有此書〈序〉，曰：「大凡以詩名
世者，一句一字必月鍛季鍊，未嘗輕發，必有所考。昔中山劉禹錫嘗云：
『詩用僻字，須要有來去處。』宋考功詩云：『馬上逢寒食，春來不見
餳。』嘗疑此字僻，因讀《毛詩》有餳注，乃知《六經》中唯此注有此
餳字。而宋景文公亦云：『夢得嘗作〈九日詩〉，欲用餻字，思《六經》
中無此字，不復爲。』故景文〈九日食餻詩〉云：『劉郎不肯題餻字，
虛負人間一世豪。』前輩用字嚴密如此，此詩注之所以作也。本朝山谷
老人之詩，盡極騷雅之變，後山從其游，將寒冰焉，故二家之詩，一句
一字，有歷古人六七作者，蓋其學該通乎儒釋老莊之奧，下至於醫卜百
家之說，莫不盡摘其英華，以發之於詩。始山谷來吾鄉，徜徉於巖谷之
間，余得以執經焉。暇日因取二家之詩，略注其一二，第恨寡陋，弗詳
其祕，姑藏於家，以待後之君子有同好者相與廣之。政和辛卯重陽日書。」
可參考。

**監丞黃㽦子耕者，其諸孫也，既會稡《別集》，復盡取其平生詩，以歲
月次第編錄，且為之《譜》，今刊板括蒼。**

案：黃㽦字子耕，隆興分寧人，曾任軍器監丞。《宋史》卷四百二十三、
〈列傳〉第一百八十二有傳。㽦有此書〈序〉，曰：「文集之有年譜尚矣。
先太史詩文徧天下，而年譜獨闕。近世惟傳蜀本詩集，舊注援據爲詳，
第循洪氏所編退聽之舊，自元豐戊午以上無所稽焉，觀者病之。此固家
之子孫不容不任其責。㽦不揆，少日過庭，粗聞舊事，竊嘗有志於是。
中間多病廢志，十遺七八；日復老矣，懼將泯沒。蓋嘗編次遺文，爲《別
集》二十卷。然於編年無所攷證，因悉收《豫章文集》、《外集》、《別集》、
《尺牘》遺文，家藏舊稿，故家所收墨跡，與夫四方碑刻，它集議論之
所及者，旁羅博搜，系諸歲月。獨恨㽦生晚，距先太史之歿今已百年，

一時裒次，豈敢妄謂無所差舛，姑俟博聞君子質而正之。昔山房李彤季敵於《豫章外集》有言：『雖先生晚年刪去，後學安敢棄遺。』此則營今日掇拾之意。其或眞跡既亡，別無考證，則審略之，尙幾不滋異時之疑。至於見聞單淺，排纉無攷，此則孤陋不學之罪，又奚敢辭。歲在屠維協洽日南至諸孫營謹序。」可參證。

青城史容儀甫近注《外集》，《外集》者，謂山谷曾欲以「前」、「後」倣《莊子》為「內」、「外」也。 廣棪案：《文獻通考》無「青城」以下文字。盧校本同。盧校注曰：「《通考》無，疑後人所加。」

案：史容，《宋史》無傳。《宋會要輯稿》第一百三冊、〈職官〉七四之九載：「（嘉泰元年正月）十九日，知彭州史容特降一官，知永康軍趙彥霈特降兩官，並放罷。以容守彭州用親隨冒請軍糧，交通關節，夾造私醞貨賣。彥霈爲政慘酷，遇事羅織富民，爲四川制置劉秀奏故也。」是容爲寧宗時人，曾知彭州。此書容有〈序〉，曰：「山谷自言欲倣莊周，分其詩文爲內、外篇，意固有在，非去此取彼。今《內集》詩已有注，而《外集》未也。疑若有所去取焉者，茲豈山谷之意哉！秦少游〈與李德叟簡〉云：『黃魯直過此，爲留兩日，其〈弊帚〉、〈焦尾〉兩編，文章高古，邈然有二漢之風。今時交游中以文墨自業者，未見其比。』又〈簡參寥〉云：『魯直近從此赴太和，今得渠新詩一編，高古絕妙，吾屬未有其比。僕頃不自揆，妄欲與之後先而騙，今乃知不及遠甚。』赴太和，蓋元豐庚申歲，而〈焦尾〉、〈弊帚〉，即《外集》詩文也。其爲時輩所推如此。建炎間，山谷之甥洪玉父爲胡少汲編《豫章集》，獨取元祐入館後所作，蓋必有謂未可據依，此續注之所不得已也。因以少游語冠於篇首，其作詩歲月，別行詮次，有不可考者悉皆附見。舊多舛誤，略如是正，餘且從疑，以俟博識。」可參證。惟仍未悉容注此書之歲月。此書另有錢文子〈序〉，曰：「書出于世，唯《六經》諸子，及遷、固之史有注其下方者，以其古今之變，詁訓之不相通也。而今人之文，今人乃隨而注之，則自蘇、黃之詩始也。詩動乎情，發乎言，而成乎音。人爲之，人誦之，宜無難知也。而蘇、黃二公，乃以今人博古之書，譬楚大夫而居於齊，應對唯唔，無非齊言，則楚人莫喻也。如將以齊言而喻楚人，非其素嘗往來莊嶽之間，其孰能之。山谷之詩與蘇同律，而語尤雅

健，所援引者乃多於蘇，其《詩集》已有任淵、史會更注之矣。而公所自編謂之《外集》者，猶不易通。史公儀甫遂繼而為之注，上自《六經》諸子、歷代之史，下及釋老之藏、稗官之錄，語所關涉，無不盡究。予官成都，得於公之子叔廉，而夜閱之。其於山谷之詩，既悉疏理，無復凝結，而古文舊事，因公之注，所發明者多矣。夫讀古人之書，得之於心，應之於手，固非區區采之簡冊而後用之也。而為之注者，乃即羣言而究其所自來，則注者之功宜難於作。而公以博洽之能，乃隨作者為之訓釋，此其追慕先輩，加惠後學之意，殆非世俗之所能識也。昔白樂天作詩，使嫗讀之，務令易知；而揚子雲草《太元》，其詞艱深，人不能通，乃曰：『後有揚子雲，必好之矣！』古之君子固有不狗世俗，而自信於後世之知我者若公於山谷，既以子雲而知子雲，其為之訓釋，則又諄諄然為人言之，是亦樂天之志也。公，蜀青衣人，名容，號蓭室居士。仕至太中大夫，晚謝事，著書不自休。嘗為《補韵》及《三國地名》，皆極精密。今年餘七十，耳目清明，齒髮不衰，他日傳於世者，又將不止於數書而已也。嘉定元年十二月乙酉，晉陵錢文子序。」是容注此書，應成於嘉定元年（1208）十二月前。容之孫史百溫有〈跋〉，曰：「先大父蓭室先生所注《山谷外集詩》，脫藁之日，永嘉白石錢先生文季為之〈序引〉，鋟木於眉，蓋嘉定戊辰歲也，是書已行於世。其後大父優游林泉者近十年，復參諸書為之增註，且細考山谷出處歲月，別行詮次，不復以舊集古律詩為拘，考訂之精，十已七八。其間不可盡知者，附之本年。蜀板已燬，遺藁幸存，今刻之閩憲治，庶與學者共之，并以大父實錄本傳附見。淳祐庚戌嘉平旦日，奉朝請大夫、福建路提點刑獄公事，季溫百拜謹跋。」是則史容注山谷《外集》有蜀板，刊於嘉定戊辰（1208）；又有閩本，刊於淳祐庚戌（1250）也。

后山集六卷、外集五卷

《后山集》六卷、廣棪案：《文獻通考》作「後山」，下同。《**外集**》五卷，廣棪案：盧校本作《外集》三卷。**陳師道無己撰**。廣棪案：《文獻通考》作「無已」。**亦於《正集》中錄出入《詩派》。**

　　廣棪案：《郡齋讀書志》卷第十九、〈別集類〉下著錄：「陳無己《后山集》

二十卷。」《宋史》卷二百八、〈志〉第一百六十一、〈藝文〉七、〈別集類〉著錄：「《陳師道集》十四卷。」卷數著錄不同，蓋此乃就《江西詩派》一書錄出之卷數。陳師道字履常，一字無己，彭城人。《宋史》卷四百四十四、〈列傳〉第二百三、〈文苑〉六有傳。

江西宗派之說，出於呂本中居仁。前輩固有議其不然者矣。

> 案：江西宗派之說，直齋不以爲然。《解題》卷十五、〈總集類〉「《江西詩派》一百三十七卷、《續派》十三卷」條已論之，見前引。

后山雖曰見豫章之詩，盡棄其學而學焉，然其造詣平澹，眞趣自然，寔豫章之所缺也。

> 案：魏衍〈後山先生集序〉曰：「初先生學於曾公（鞏），譽望甚偉，及見豫章黃公庭堅詩，愛不捨手，卒從其學，黃亦不讓。士或謂先生過之，惟自謂不及也。」王雲〈後山先生集序〉曰：「建中靖國辛巳之冬，雲別涪翁於荊州。翁曰：『陳無己，天下士也。其讀書如禹之治水，知天下之脈絡，有開有塞，至于九川滌源，四海會同者也；其論事，救首救尾，如常山之蛇；其作文，深知古人之關鍵；其作詩，深得老杜之句法；今之詩人不能當也。子有意學問，不可不往掃斯人之門。』雲再拜受教。」《文獻通考》卷二百四十四、〈經籍考〉七十一〈集詩集〉「《註黃山谷詩》二十卷、《註後山詩》六卷」條引後村劉氏曰：「後山樹立甚高，其議論不以一字假借人，然自言其詩師豫章公。或曰：『黃、陳齊名，何師之有？』余曰：『射較一鏃，奕角一著，惟詩亦然。後山地位去豫章不遠，故能師之。若問秦、晁諸人，則不能爲此言矣。此惟深於詩者知之。』文師南豐，詩師豫章，二師皆極天下之本色，故後山詩文，高妙一世。」均可參證。

注黃山谷詩二十卷、注后山詩六卷

《注黃山谷詩》二十卷、《注后山詩》六卷，廣棪案：《文獻通考》作「後山」。館臣案：原本脫「《注后山詩》六卷」，與《解題》中「二集皆取前集」二語不符，今據《文獻通攷》補入。**新津任淵子淵注。**

> 廣棪案：黃虞稷、倪燦《宋史藝文志補・集部・別集類》著錄：「任淵《黃太史精華錄》八卷，《內集注》二十卷，字子淵，新津人。」惟闕載「《注后

山詩》六卷」。任淵有此書〈序〉，中云：「本朝山谷老人之詩，盡極騷雅之變，後山從其游，將寒冰焉。故二家之詩，一句一字，有歷古人六七作者，蓋其學該通乎儒釋老莊之奧，下至於醫卜百家之說，莫不盡摘其英華，以發之於詩。始山谷來吾鄉，徜徉於嚴谷之間，余得以執經焉。暇日因取二家之詩，略注其一二，第恨寡陋，弗詳其祕，姑藏於家，以待後之君子有同好者相與廣之。」是淵實注黃、陳二家之詩。

鄱陽許尹為〈序〉。大抵不獨注事而兼注意，用功為深。廣棪案：《文獻通考》作「用工」。

案：許尹，《宋史》無傳。《宋詩紀事》卷四十九「許尹」條載：「尹字覺民，紹興中處州守。」《宋詩紀事小傳補正》卷三載：「許尹，樂平人。政和進士，歷知興化、永、柳、處、卭五州，有善政。高宗時攝蜀帥，甚得人心，進司農卿，總川賦，不忍重朘民力，以便宜積財粟。孝宗即位，尹奏乞延儒臣講求治道。尋以敷文閣學士致仕。有《文集》數十卷。《江西通志》。」尹此書〈序〉曰：「《六經》所以載道而之後世，而詩者止乎禮義，道之所存也。周詩三百五篇，有其義而亡其辭者，六篇而已。大而天地日星之變，小而蟲魚草木之化，嚴而君臣父子，別而夫婦男女，順而兄弟，群而朋友，喜不至瀆，怨不至亂，諫不至訐，怒不至絕，此詩之大略也。古者登歌清廟，會盟諸侯，季子之所觀，鄭人之所賦，與夫士大夫交接之際，未有舍此而能達者。孔子曰：『為此詩者，其知道乎？』又曰：『不學《詩》，無以言。』蓋詩之用於世如此。周衰，官失學廢，〈大雅〉不作久矣。由漢以來，詩道浸微，陵夷至于晉、宋、齊、梁之間，哇淫甚矣。曹、劉、沈、謝之詩，非不工也，如刻繪染縠，可施之貴介公子，而不可用之黎庶。陶淵明、韋蘇州之詩，寂寞枯槁，如叢蘭幽桂，可宜於山林，而不可置於朝廷之上。李太白、王摩詰之詩，如亂雲敷空，寒月照水，雖千變萬化，而及物之功亦少。孟郊、賈島之詩，酸寒儉陋，如蝦蟹蜆蛤，一啖便了，雖咀嚼終日，而不能飽人。唯杜少陵之詩，出入今古，衣被天下，藹然有忠義之氣，後之作者，未有加焉。宋興二百年，文章之盛，追還三代，而以詩名世者，豫章黃庭堅魯直，其後學黃而不至者，後山陳師道無己。二公之詩，皆本於老杜而不為者也，其用事深密，雜以儒佛，虞初稗官之說，雋永鴻寶之書，牢籠漁獵，取諸左右。後生晚學，此祕未覩者，往往苦其難知。三江任君子淵，博極群書，

尚友古人，暇日遂以二家詩爲之注解，且爲原本立意始末，以曉學者，非若世之箋訓，但能標題出處而已也。既成以授僕，欲以言冠其首。予嘗患二家詩興寄高遠，讀之有不可曉者，得君之解，玩味累日，如夢而寤，如醉而醒，如痿人之獲起也，豈不快哉！雖然，論畫者可以形似，而捧心者難言；聞絃者可以數知，而至音者難說。天下之理涉於形名度數者可傳也，其出於形名度數之表者不可得而傳也。昔後山〈答秦少章〉云：『僕之詩，豫章之詩也，然僕所聞於豫章，願言其詳。豫章不以語僕，僕亦不能爲足下道也。』嗚呼！後山之言，殆謂是耶？今子淵既以所得於二公者筆之於書矣，若乃精微要妙如古所謂味外味者，雖使黃、陳復生，不能以相授，子淵尚得而言乎？學者宜自得之可也。子淵名淵，嘗以文藝類試有司，爲四川第一，蓋今日之國士，天下士也。紹興乙亥冬十二月，鄱陽許尹謹敍。」可參證。

二《集》皆取《前集》。

案：《前集》者，指《山谷集》三十卷與《後山集》六卷。

陳詩以魏衍〈集記〉冠焉。

案：任淵〈後山先生集序〉曰：「讀後山詩，大似參曹洞禪，不犯正位，切忌死語，非冥搜旁引，莫窺其用意深處，此詩註所以作也。近時刊本參錯繆誤，政和中，王雲子飛得後山門人魏衍親授本，編次有序，歲月可考，今悉據依，略加緒正。詩止六卷，益以注，卷各釐爲上、下，作之有謂，而存之可傳，無怪夫詩之少也。衍字昌世，作〈後山集記〉，頗能道其出處，今置之篇首，後有學者得以覽觀焉。天社任淵書。」又魏衍〈後山集記跋〉云：「先生姓陳，諱師道，字履常，一字無己，彭城人。幼好學，行其所知，慕古作者，不爲進取計也。年十六，謁南豐先生曾公鞏，曾大器之，遂受業於門。元豐四年，神宗皇帝命曾典史事，且謂修史最難，申敕切至。曾薦爲其屬，朝廷以白衣難之。方復請，而以憂去，遂寢。太學又薦其文行，乞爲學錄，不就。樞密章公惇高其義，冀來見，特薦於朝，而終不一往。元祐初，翰林學士蘇公軾與侍從列薦，乃官之，俾教授其鄉。未幾，除太學博士，言事者謂先生嘗謁告，詣南都見蘇公爲私，遂罷。移潁州教授。紹聖初，又以餘黨罷，換江州彭澤令，未行。丁母憂，寓僧舍，人不堪其

貧，暨外除，猶不言仕者凡四年。左右圖書，日以討論爲務。益其志專，欲以文學名後世也。元符三年，除棣州教授。隨除秘書省正字，將用矣，歿於建中靖國元年十二月之二十九日，年四十九。友人鄒公浩買棺以殮，朝廷特賜絹二百疋，嘗與往來者共購之，灰後得歸。初先生學於曾公，譽望甚偉。及見豫章黃公庭堅詩，愛不捨手，卒從其學，黃亦不讓。士或謂先生過之，惟自謂不及也。先生既歿，其子豐登以全藁授衍曰：『先實知子，子爲編次，而狀其行。』衍既狀其行矣，親錄藏於家者今十三年，顧未敢當也。衍嘗謂唐韓愈文冠當代，其傳門人李漢所編。衍從先生學者七年，所得爲多，今又受其所遺。甲乙丙藁，皆先生親筆，合而校之，得古律詩四百六十五篇，文一百四十篇。詩曰五七，雜以古律，文曰千百，不分類。衍今離詩爲六卷，類文爲十四卷，次皆從舊，合二十卷。目錄一卷，又手書之。竊惟先生之文，簡重典雅，法度謹嚴，詩語精妙，蓋未嘗無謂而作。其志意行事，班班見於其中，小不逮意則棄去，故家之所留者止此。昔漢揚雄作《太玄》、《法言》、箴、賦，如劉歆號知文，始敬之，後而短毀，謂其必傳者，桓譚一人而已。先生之文，早見稱於曾、蘇二公，世人好之者，猶以二公故也。今賢士大夫競收藏之，則其傳也，奚待於衍耶？後豈不有得手寫故本以證其誤者，則不肖之名，因附茲以不朽爲幸焉。其闕方求而補諸，又有《解洪範相表闡微彰善》、《詩話叢談》，各自爲《集》云。政和五年十月六日，門人彭城魏衍謹記跋。」可參考。

盧載雜歌詩一卷

《盧載雜歌詩》一卷，盧載厚元撰。《集》中有與胡則、錢惟演往來詩。

廣棪案：此書及撰人均不可考。考胡則字子正，婺州永康人。生太宗、眞宗之世，《宋史》卷二百九十九、〈列傳〉第五十八有傳。史稱則「無廉名，喜交結，尚風義」。錢惟演字希聖，吳越王俶之子。眞、仁宗時人。《宋史》卷三百一十七、〈列傳〉第七十六有傳。是則盧載亦太宗至仁宗時人。

琴軒集一卷

《琴軒集》一卷，題南榮浪翁李有慶撰。與石昌言、任師中同時。卷末贈答十二絕，闕其六。其曰癸巳歲者，殆皇祐中耶？

　　廣棪案：此書及撰人均不可考。石昌言，即石揚休，其先江都人，後徙京兆，仁宗時人。《宋史》卷二百九十九、〈列傳〉第五十八有傳。任師中，即任伋。《宋史》卷三百四十五、〈列傳〉第一百四、〈任伯雨〉載：「任伯雨字德翁，眉州眉山人。父孜，字遵聖，以學問氣節推重鄉里，名與蘇洵埒，仕至光祿寺丞。其弟伋，字師中，亦知名，嘗通判黃州，後知瀘州。當時稱『大任』、『小任』。」是伋乃任孜之弟，伯雨之叔。考秦觀《淮海集》卷第三十三、〈誌銘・瀘州使君任公墓表〉載：「任公諱伋，字師中，眉州眉山人。少學，讀書通其大義，不治章句。性任俠喜事，與其兄孜相繼舉進士中第，知名於時，眉人敬之，號二任，而蘇先生洵尤與厚善。……公以元豐四年三月二十四日卒于遂州西禪佛舍，享年六十有四。」則伋為神宗時人，而李有慶亦仁宗至神宗時人。癸巳，仁宗皇祐五年（1053）也。

元章簡玉堂集十卷

《元章簡玉堂集》十卷，廣棪案：《文獻通考》作「《元章簡詩集》」。盧校本作《元章簡集》。參政元絳厚之撰。

　　廣棪案：《郡齋讀書志》卷第十九、〈別集類〉下著錄：「《元氏集》三卷。右皇朝元絳字厚之，杭州人。鑲廳中進士第，為翰林學士、參知政事。立朝無特操。晚入翰林，諂事王安石及其子弟，時論鄙之。工文辭，為流輩所推許。卒，年七十六。諡章簡。」非同屬一書。《宋史》卷二百八、〈志〉第一百六十一、〈藝文〉七、〈別集類〉著錄：「元絳《玉堂集》二十卷，又《玉堂詩》十卷。」其《玉堂詩》十卷，與此書同。絳字厚之，其先臨川危氏。唐末，曾祖仔倡聚眾保鄉里，進據信州，為楊氏所敗，奔杭州，易姓曰元。祖德昭，仕吳越至丞相，遂為錢塘人。《宋史》卷三百四十三、〈列傳〉第一百二有傳。神宗時拜三司使、參知政事。卒諡章簡。

劉景文集一卷

《劉景文集》一卷，_{廣椒案：《文獻通考》作「十卷」。}左藏庫使知隰州劉季孫景文撰。

> 廣椒案：《宋志》未著錄此書。季孫，《宋史》無傳。《宋詩紀事》卷三十「劉季孫」條載：「季孫字景文，贈侍中，平之子。以左藏庫副使爲兩浙兵馬都監，蘇軾薦其才，除知隰州，仕至文思副使，有《集》。」可參證。

環慶死事將平之子也。

> 案：劉平，《宋史》卷三百二十五、〈列傳〉第八十四有傳。其〈傳〉曰：「劉平字士衡，開封祥符人。……寶元元年，以殿前都虞候爲環慶路馬步軍副總管。會元昊反，遷邠州觀察使，爲鄜延路副總管兼鄜延、環慶路同安撫使。……屬元昊盛兵攻保安軍，時平屯慶州，范雍以書召平，平率兵與石元孫合軍趨土門。既又有告敵兵破金明、圍延州者，雍復召平與元孫救延州。平素輕敵，督騎兵晝夜倍道行，明日，至萬安鎮。平先發，步軍繼進，夜至三川口西十里止營，遣騎兵先趨延州爭門。時鄜延路駐泊都監黃德和將二千餘人，屯保安北碎金谷，巡檢万俟政、郭遵各將所部分屯，范雍皆召之爲外援，平亦使人趣其行。詰旦，步兵未至，平與元孫還逆之。行二十里，乃遇步兵，及德和、万俟政、郭遵所將兵悉至，將步騎萬餘結陣東行五里，與敵遇。時平地雪數寸，平與敵皆爲偃月陣相嚮。有頃，敵兵涉水爲橫陣，郭遵及忠佐王信薄之，不能入。官軍並進，殺數百人，乃退。敵復蔽盾爲陣，官軍復擊卻之，奪盾，殺獲及溺水死者幾千人。平左耳、右頸中流矢。日暮，戰士上首功及所獲馬，平曰：『戰方急，爾各誌之，皆當重賞汝。』語未已，敵以輕兵薄戰，官軍引卻二十步。黃德和居陣後，望見軍卻，率麾下走保西南山，眾從之，皆潰。平遣其子宜孫馳追德和，執轡語曰：『當勒兵還，併力抗敵，奈何先奔？』德和不從，驅馬遁赴甘泉。平遣軍校杖劍遮留士卒，得千餘人。轉鬥三日，賊退還水東。平率餘眾保西南山，立七柵自固。敵夜使人叩柵，問大將安在，士不應。復使人僞爲戍卒，遞文移平，平殺之。夜四鼓，敵環營譟曰：『如許殘兵，不降何待！』平旦，敵酋舉鞭麾騎，自山四出合擊，絕官軍爲二，遂與元孫皆被執。初，德和言平降賊，朝廷發禁兵圍其家。及命殿中侍御史文彥博即河中府置獄，遣龐籍往訊焉，

具得其實。遂釋其家，德和坐腰斬。而延州吏民亦詣闕訴平戰沒狀，遂贈朔方軍節度使兼侍中，諡壯武，賜信陵坊第，封其妻趙氏為南陽郡太夫人，子孫及諸弟皆優遷，未官者錄之。其後降羌多言平在興州未死，生子于賊中。及石元孫歸，乃知平戰時被執，後沒于興州。」可參證。是則，平為季孫父，元孫乃其兄也。

東坡嘗薦之。坡在杭，季孫寄詩，有「四海共知霜鬢滿，重陽曾插菊花無」之句，其詩慷慨有氣，如其為人。

案：《宋詩紀事》卷三十「劉季孫」條載其〈寄蘇內翰〉詩，曰：「倦壓鼇頭請左符，笑尋潁尾為西湖。二三賢守去非遠，六一清風今不孤。四海共知霜鬢滿。重陽曾插菊花無。聚星堂上誰先到，欲傍金樽倒玉壺。」下引《石林詩話》曰：「季孫，平之子。能作七字詩。家藏書數千卷，為杭州鈐轄。子瞻作守，深知之。後嘗以詩寄子瞻云：『四海共知霜鬢滿，重陽曾插菊花無。』子瞻大喜，在潁州和季孫詩，所謂『一篇向人寫肝肺，四海知我霜鬢鬚。』蓋記此也。」可參證。

廣諷味集五卷

《廣諷味集》五卷，吏部侍郎南京王欽臣仲至撰。

廣棪案：《宋志》未著錄此書。欽臣，應天宋城人，王洙子。《宋史》卷二百九十四、〈列傳〉第五十三附〈王洙〉載：「欽臣字仲至，清亮有志操，以文贄歐陽脩，脩器重之。用蔭入官，文彥博薦試學士院，賜進士及第。歷陝西轉運副使。元祐初，為工部員外郎。奉使高麗，還，進太僕少卿，遷祕書少監。開封尹錢勰入對，哲宗言：『比閱書詔，殊不滿人意，誰可為學士者？』勰以欽臣對。哲宗曰：『章惇不喜。』乃以勰為學士，欽臣領開封。改集賢殿修撰、知和州。徙饒州，斥提舉太平觀。徽宗立，復待制、知成德軍。卒，年六十七。」然未載欽臣嘗任吏部侍郎。考范祖禹《范太史集》卷三十一、〈翰林詞草〉有〈賜新除尚書吏部侍郎王欽臣辭免不允詔〉，曰：「天官亞卿之小宰，攝職而授圖，惟得人。卿以文雅自將，歷更省部，已試之效，僉曰汝諧。疇其久勞，寵以眞秩，往服成命，毋庸遜辭。所請宜不允。」是欽臣曾除吏部侍郎。又《宋詩紀事》卷二十四「王欽臣」條載：「欽臣字仲至，洙之子。用蔭入官，文

彥博薦試學士院，賜進士及第。歷集賢殿修撰，知和州，徙饒州，斥提舉太平觀。徽宗立，復待制，知成德軍，卒，入黨籍。有《廣諷味集》。」可參證。

海門集八卷

《海門集》八卷，渤海張重撰。有〈上蘇子瞻內翰〉詩，又有〈與張伯玉游鑑湖晚歸〉詩。廣棪案《文獻通考》闕「與」字。伯玉知越州當嘉祐末，而東坡為翰苑在元祐間，重皆與同時，特未詳其人。

　　廣棪案：《宋史》卷二百八、〈志〉第一百六十一、〈藝文〉七、〈別集類〉著錄：「《張重集》八卷。」即此書。重，《宋史》無傳，生平無可考。子瞻，即蘇軾。張伯玉，《宋史》無傳。《宋詩紀事》卷二十「張伯玉」條載：「伯玉字公達，建安人。第進士，嘗為蘇州郡從事，范文正公舉以應賢良方正、能直言極諫科。嘉祐中為御史，出知太平府。後選司封郎中，有《蓬萊集》。」下引《鐵圍山叢談》曰：「張端公伯玉，仁廟朝人也。名重當時，號張百杯。又曰張百篇。言一飲酒百杯，一掃詩百篇故也。」可參證。是則重為仁宗至哲宗時人。

王岐公宮詞一卷

《王岐公宮詞》一卷，王珪禹玉撰。

　　廣棪案：《郡齋讀書志》卷第十九、〈別集類〉下著錄：「《華陽集》一百卷。右皇朝王珪字禹玉，其先成都人，故號『華陽』，後居開封。少好學，日誦數千言。及長，博通羣書。慶曆二年，廷試第二。嘉祐初，入翰林，至熙寧三年，始參大政，凡為學士者十五年。後拜相。薨，年六十七。諡文恭。」《宋史》卷二百八、〈志〉第一百六十一、〈藝文〉七、〈別集類〉著錄：「《王珪集》一百卷。」即《華陽集》，均非本書。珪字禹玉，成都華陽人。哲宗時，封岐國公。《宋史》卷三百一十二、〈列傳〉第七十一有傳。考《宋詩紀事》卷十五「王珪」條錄珪宮詞八首，其一云：「花裏宮鶯曉未啼，千牛仗下報班齊。銀袍五百趨龍尾，天子臨軒賜御題。」其二云：「侍輦歸來步玉階，試穿金縷鳳頭鞋。墀前摘得宜男草，笑插黃金十二釵。」其三云：「內苑宮人學打球，青絲飛控

紫驊騮。朝朝結束防宣喚，一樣眞珠絡轡頭。」其四云：「黃昏鎖院聽
宣除，翰長平明趁起居。撰就白麻先進草，金泥降出內中書。」其五云：
「紗幔薄垂金麥穗，簾鉤纖挂玉蔥條。樓西別起長春殿，香壁紅泥透蜀
椒。」其六云：「內人稀見水鞦韆，爭擘珠簾帳殿前。第一錦標誰奪得，
右軍輸卻小龍船。」其七云：「盤龍新織翠雲裘，簡點黃封玉匣收。防
備秋來供御著，金箱捧入曝衣樓。」其八云：「盡日閑窗睹選仙，小娃
爭覓倒盆錢。上籌爭占蓬萊島，一擲乘鷥出洞天。《十家宮詞》。」《王岐
公宮詞》一卷，可見者惟此八首。

逸民鳴一卷

《逸民鳴》一卷，旰江李覯撰。廣桉案：盧校本「旰」作「旴」。泰伯之姪孫。
　　廣桉案：《宋史》卷二百八、〈志〉第一百六十一、〈藝文〉七、〈別集類〉
　　著錄：「《李覯詩》二卷。」應同屬一書，而卷數不同。覯，《宋史》無
　　傳。泰伯，李覯字。建昌軍南城人。南城即旰江。覯，《宋史》卷四百
　　三十二〈列傳〉第一百九十一、〈儒林〉二有傳。

湛推官集一卷

《湛推官集》一卷，長樂湛鴻季潛撰。紹聖初韓昌國序。
　　廣桉案：此書及撰人均無可考。韓昌國亦無可考。

青山集三十卷

《青山集》三十卷，朝奉郎當塗郭祥正功父撰。
　　廣桉案：《宋史》卷二百八、〈志〉第一百六十一、〈藝文〉七、〈別集類〉
　　著錄：「《郭祥正集》三十卷。」應同屬一書。祥正字功父，太平州當塗
　　人。《宋史》卷四百四十四、〈列傳〉第二百三、〈文苑〉六有傳。然未載
　　祥正爲朝奉郎。考《永樂大典》卷之七千八百九十四〈汀州府·名宦〉載：
　　「郭祥正。字功父，當塗人。家出於青山。一名謝公山，因號謝公山人。
　　初，母夢太白而生，梅聖俞一見曰：『眞太白後身。』王荊公稱其詩豪邁
　　精絕。熙寧間仕至殿中丞，簽書保信軍節度判官。即掛冠，號醉吟先生。

李伯時爲之寫眞，東坡作贊。時方強仕，諸公交薦于朝。尋通判于汀，與守陳公軒相驩莫逆，每於暇日聯轡郊行，觴詠酬酢，逮令所傳詩猶百餘篇。繼攝漳州，忤部使者，陷以他獄，五年而後直。又號漳南浪士。稍遷朝奉郎，高要郡復棄去，竟不出。有《青山集》行于世。」是祥正曾官朝奉郎。

初見賞於梅聖俞，後見知於王介甫，仕不達而卒。李端叔晚寓其鄉，祥正與之爭名，未嘗同堂語，廣校案：《文獻通考》闕「語」字。**至爲俚語以譏誚之，則其爲人不足道也。**

案：《宋史》祥正本傳載：「郭祥正字功父，太平州當塗人，母夢李白而生。少有詩聲，梅堯臣方擅名一時，見而歎曰：『天才如此，眞太白後身也！』舉進士，熙寧中，知武岡縣，簽書保信軍節度判官。時王安石用事，祥正奏乞天下大計專聽安石處畫，有異議者，雖大臣亦當屛黜。神宗覽而異之，一日問安石曰：『卿識郭祥正乎？其才似可用。』出其章以示安石，安石恥爲小臣所薦，因極口陳其無行。時祥正從章惇察訪辟，聞之，遂以殿中丞致仕。後復出，通判汀州，知端州，又棄去，隱于縣青山，卒。」可參證。李端叔即李之儀，《宋史》卷三百四十四、〈列傳〉第一百三附〈李之純〉。其〈傳〉曰：「之儀字端叔。登第幾三十年，乃從蘇軾於定州幕府。歷樞密院編修官，通判原州。元符中，監內香藥庫。御史石豫言其嘗從蘇軾辟，不可以任京官，詔勒停。徽宗初，提舉河東常平。坐爲范純仁〈遺表〉，作〈行狀〉，編管太平，遂居姑熟。久之，徙唐州，終朝請大夫。之儀能爲文，尤工尺牘，軾謂入刀筆三昧。」直齋稱祥正「其爲人不足道」，顯與《永樂大典》稱「名宦」不同。

方秘校集十卷

《方祕校集》十卷，莆田方惟深子通撰。其父屯田龜年葬吳，遂爲吳人。與朱伯原厚善，廣校案：《文獻通考》闕「厚」字。以女嫁伯原之子。嘗舉進士冠其鄉，不第，晚得興化軍助教，年八十三以卒。

廣校案：《宋史》卷二百八、〈志〉第一百六十一、〈藝文〉七、〈別集類〉著錄：「《方惟深集》十卷。」即此書。惟深，《宋史》無傳。《宋元學案補遺》卷九十八、〈荆公新學略補遺・助教方先生惟深〉載：「方惟深字

子通，其先泉州人。父屯田龜年葬長洲，因家焉。先生鄉貢第一，試禮部不中，即棄去。有田廬，與其弟躬出入耕穫，閒則讀書。嘗游荆公之門，無一毫迎合意。其文學、行義，與朱長文同爲一世所宗，號鄉先生。舉遺逸，爲興化軍助教，卒年八十三。《姑蘇志》。」可參證。朱伯原即朱長文，蘇州吳人，官至秘書省正字，《宋史》卷四百四十四、〈列傳〉第二百三、〈文苑〉六有傳。

王荆公最愛其詩精詣警絕。

案：龔明之《中吳紀聞》卷第三、〈方子通〉載：「方惟深字子通，本莆田人。其父屯田公葬長洲縣，因家焉。最長於詩，嘗過黯淡灘，題一絕云：『溪流怪石礙通津，一一操舟若有神。自是世閒無妙手，古來何事不由人。』王荆公見之大喜，欲收致門下。蓋荆公欲行新法，沮之者多，子通之詩適有挈於心，故爲其所喜也。後子通以詩集呈荆公，侑以詩云：『年來身計欲何爲，跌宕無成一軸詩。懶把行藏問詹尹，願將生死遇秦醫。丹青效虎留心拙，斤匠良工入手遲。此日知音堪屬意，枯桐正在半焦時。』凡有所作，荆公讀之必稱善，謂深得唐人句法。嘗遺以書曰：『君詩精淳警絕，雖元、白、皮、陸有不可及。』子通游王氏之門，極蒙愛重，初無一毫迎合意，後以特奏名授興化軍助教，隱城東故廬，與樂圃先生皆爲一時所高。每部使者及守帥下車，必即其廬而見之。前後上章論薦者甚眾，子通竟無祿仕意。其於死生禍福之理，莫不超達。嘗造一園亭，不遇主人，自盤礡終日，因題於壁閒云：『何年突兀庭前石，昔日何人種松柏。乘興閒來就榻眠，一枕春風君莫惜。城西今古陽山色，城中誰有千年宅。往來何必見主人，主人自是亭中客。』其灑落類如此。仲殊一日訪子通，有絕句云：『多年不見玉川翁，今日相逢小榭東。依舊清涼無長物，只餘松檜養秋風。』可見其清高矣。年八十三而卒。有《詩集》行於世。無子，一女適樂圃先生之子發。」可參證。

始余得其詩二卷，乃其姪孫蕭山宰翺所編，後乃知莆中嘗刊板，爲十卷，且載程俱致道所作〈墓誌〉於末。

案：是則此書分二卷、十卷兩種。方翺刊於莆中者乃十卷本。翺，《宋史》無傳。《宋會要輯稿》第九十五冊、〈職官〉六一之五三載：「（乾道元年）七月四日，詔通判溫州翺與新監行在都進奏院汪悟兩易其任。以翺、悟

各為私計不便，乞兩易故也。」是則翱乃孝宗時人，初宰蕭山，後任溫州通判，易任新監行在都進奏院。程俱所撰〈莆陽方子通墓誌銘〉，見《北山小集》卷三十三、〈墓銘〉四載：「宣和四年正月庚辰，興化方公卒吳下，享年八十有三，以三月葬于長洲、武丘鄉、汝墳湖西先塋之南。其壻奉議郎、親賢宅講書朱發請銘于史官尚書、禮部員外郎程某。某以不佞，辭不獲，則叙而為之銘。公諱惟深，字子通，世為莆陽人。考諱龜年，終尚書屯田員外郎，葬吳，因留家不去。公生挺特，幼為人見稱鄉長者。長則端敏，涵養滋大，鄉貢為第一，試禮部不第，即棄去。吳下有田一廛，公與其弟躬出入耕穫，凡衣食之具，一毫必自己力。間則讀書，非苟誦其言而已也。至于黃帝、老莊之書，養生為壽者之說，其戶庭堂奧，根源派別，無不知。其所操之要，則曰無為而已。于四方別傳，得其大指不數。為人劇談，平居視之猶欺魄木雞也，及其論議古今道理，窮覈至到，確然莫能移。然常以雅道自娛，一篇出，人傳誦以熟。舒王以知制誥臥鍾山，得其詩，以謂精詣警絕，元、白、皮、陸有不到處。方元豐、元祐間，公賢益聞。以韋布之士，閉關陋巷，躬行不言，而孝友清介之風，隱然稱東南。時朱先生長文隱樂圃，二人皆以學術為鄉先生。士之往來吳下者，至必禮于其廬。朱公晚起，為太學博士，卒三館。公後死三十年，然世終莫得而挽也。元符初，孫集賢傑以郎官使淮浙，風采震懾州郡。入境遣從事問訊，且邀見，公辭焉。孫公至蘇，即日造公門，歸薦諸朝，雖知公之不可以吏也，以謂善人，國之紀，人之望也，庶幾旌善人以風士類乎！輒報聞，罷。崇寧中，詔舉遺逸，蒲輪走四方，二浙特起無慮，郡吳以公應詔，人以為處士之榮也。復報聞，罷。時宰相皆公故人，豈意其不可以起也，弗強焉。崇寧某年，有司舉貢籍，以年格應補軍州助教者，就賜勅牒、袍笏于其家。公得興化軍助教，命且至，或矚之曰：『是其志視軒裳珪紅亡如也，何助教云，是必辭。』公曰：『君命也。』拜受唯謹。公長不踰中人，貌古骨強，目光如水。居親側，洞洞屬屬；見弟，闓闓如也。交際，色勃如也，足躩如也。其歲時祭享，自滌除水火之役，身先之。蓋至老不變。閭里慶吊，每先眾人；其酬應曲折，雖小夫孺子，如見所畏者。至于王公貴人，去就疏數，或見或不見，皆有辭，非苟然者。或曰：『公信無求于世矣，何自苦為是拘拘者耶？』嗚呼！是所以為方子已矣。夫以亢為高，以隨為適，以放為達，以無忌

憚為果，其似而非。譬之擻紫也，足以眩盲聾，而不可以欺婁曠。且仁與禮，君子所不可斯須離者也，而謂處士可以去之乎？公初年四十無子，其弟有子，以謂吾先人有後足矣。即屏居于外，平生深于詩，遇得意，欣然忘食。中年忽若有所不樂者，因絕筆不道。夫卓絕之事可能，而常因循于所易；死生之決有不顧，而不能忘懷于嗜習。余于此知公之剛果絕人矣。公預知死期，期至不亂，喪葬皆有治命云。集其詩文為五卷。母趙氏，參知政事文安公安人之女；繼母王氏，封長壽縣君，宣州觀察使得一之孫；妻建安吳氏。公之葬，合諸吳氏之壙。二女，長嫁郟傑而卒，季嫁樂圃先生之仲子發也。銘曰：『猗歟方公，行峻而禮恭，從人而志獨學，該而守約，吳越之瞻也。一介不以與人，非以為儉；一介不以取諸人，非以為廉也，蓋妄取害于義，妄與害于仁。造端于取與之微，而賢否之分不容髮，故君子于此若是其嚴也。古之人有眇六合以為隘，捐一瓢以為煩，是以遯世絕跡，窮苦其身而不悔，故獨善濟物，不可得而兼也。雖位三旌，馬千駟，吾知其不以煩濁易安恬也。之人所以懷寶不試，寧老死而伏嵁巖也。』」可參考。

曾慥《詩選》直以為姑蘇人者，誤也。_{廣棪案：曾慥《詩選》原為「曾詩慥選」，今改正。盧校本亦作曾慥《詩選》。}**《詩選》又言荊公愛其「春江渺渺」一絕，手書之，遂載《臨川集》。**

案：惟深，莆田人。程俱所撰〈墓誌銘〉即稱「莆陽方子通」，曾慥誤。考《中吳紀聞》卷第四、〈方子通詩誤入荊公集〉載：「方子通一日謁荊公，未見。作詩云：『春江渺渺抱牆流，烟草茸茸一片愁。吹盡柳花人不見，春旗催日下城頭。』荊公親書方冊間，因誤載《臨川集》，後人不知此詩乃子通作也。」可參證。

曾紆《南游記舊》亦云，而其詩則「客帆收浦」者也。

案：上海古籍出版社《說郛三種》，其中二種均收曾紆《南游記舊》，一見昜五十，一見昜四十九，然均未載「客帆收浦」詩。蓋今見《說郛》所載之《南游記舊》，非全本也。

二詩皆不在今《集》中，豈以《臨川集》已收故耶？

案：《宋詩紀事》卷三十六「方惟深」條收此二詩。前者題作〈謁荊公不遇〉，後者題作〈舟下建溪〉。

二本大略同，亦微有出入。

案：二本，指二卷本與十卷本。

慶湖遺老集九卷、拾遺二卷

《慶湖遺老集》九卷、《拾遺》二卷，朝奉郎共城賀鑄方回撰。

廣棪案：《宋史》卷二百八、〈志〉第一百六十一、〈藝文〉七、〈別集類〉著錄：「賀鑄《慶湖遺老集》二十九卷。」考《四庫全書總目》卷一百五十五、〈集部〉八、〈別集類〉八著錄：「《慶湖遺老集》九卷，兩江總督採進本。宋賀鑄撰。……其詩自元祐己卯以前凡九卷，自製〈序〉文，是爲《前集》。己卯以後者爲《後集》。合《前》、《後集》共二十卷，同時程俱爲之〈序〉。今《後集》已佚，惟《前集》僅存。鑄子懔〈跋〉稱《後集》經兵火散失。則南宋已無完本。故《書錄解題》所載卷數與今本同也。」據是，則《解題》所著錄者爲《前集》，合《前》、《後集》共二十卷，則《宋志》著錄作二十九卷，恐誤。鑄字方回，衛州人。《宋史》卷四百四十三、〈列傳〉第二百二、〈文苑〉五有傳。史稱鑄「元祐中，李清臣執政，奏換通直郎，通判泗州，又倅太平州」。史又稱「鑄自號慶湖遺老，有《慶湖遺老集》二十卷」，足證《宋志》作二十九卷，其「九」字乃衍文。

〈自序〉言外監知章之後，且推本其初，出王子慶忌，以慶爲姓，居越之湖澤，今所謂鏡湖者，本慶湖也，避漢安帝及清河王諱，廣棪案：《文獻通考》「及」作「父」，盧校本同。改爲賀氏，慶湖亦轉爲鏡，未知其說何所據也。

案：程俱〈故朝奉郎賀公墓誌銘〉云：「公諱鑄，字方回，其先吳公子慶忌，避公子光亂，犇衛；妻子散走越，越人與之湖澤之田，表其族曰慶氏。漢避安帝諱，改氏賀。至唐，有爲陽穀令名知止者，于方回爲十五代祖。其後北徙，終止開封。孝惠皇后克配昌陵，家世仍以才武顯。」可參證。

其《東山樂府》，張文潛序之。

案：文潛，張耒字。其《柯山集》卷四十、〈序‧賀方回樂府序〉云：「文

章之于人，有滿心而發，肆口而成，不待思慮而工，不待雕琢而麗者，皆天理之自然，而情性之道也。世之言雄暴虣武者，莫如劉季、項籍；此兩人者，豈有兒女之情哉？至其過故鄉而感慨，別美人而涕泣，情發于言，流爲歌詞，含思淒婉，聞者動心焉。此兩人者，豈其費心而得之哉？直寄其意耳。予友賀方回，博學業文，而樂府之詞，高絕一世。携一編示予，大抵倚聲而爲之詞，皆可歌也。或者譏方回好學能文，而惟是爲工，何哉？予應之曰：『是所謂滿心而發，肆口而成，雖欲已焉而不得者。若其粉澤之工，則其才之所至，亦不自知也。夫其盛麗如遊金、張之堂，而妖冶如攬嬙、施之袪，幽潔如屈、宋，悲壯如蘇、李，覽者自知之，蓋有不可勝言者矣。』」可參證。

鑄後居吳下，葉少蘊爲作〈傳〉，詳其出處，且言與米芾齊名，然鑄生皇祐壬辰，視米芾猶爲前輩也。

案：葉少蘊，夢得字。其《建康集》卷八、〈傳・賀鑄傳〉載：「賀方回名鑄，衛州人，自言唐諫議大夫知章後，故號鑑湖遺老。長七尺，眉目聳拔，面鐵色，喜劇談，當世事可否，不略少假借。雖貴要權傾一時，小不中意，極口詆無遺辭，故人以爲近俠。然博學彊記，尤長於度曲，掇拾人所遺棄，少加隱括，皆爲新奇。初仕監太原工作，有貴人子適同事，驕倨不相下，方回微廉得其盜工作物若干，一日屏侍史，閉之密室，以杖數曰：『來若某時，盜某物，爲某用；某時盜某物，入於家。然乎？』貴人子惶駭，謝有之。方回曰：『能從吾治，免白發。』即起自袒其膚，杖數十下，貴人子叩頭祈哀，即大笑釋去，自是諸俠氣力頡頏者皆側目，不敢仰視。是時江淮間有米芾元章，以魁岸奇譎知名，而方回以氣俠雄爽適先後。二人每相遇，瞋目抵掌，論辯蠭起終日，各不能屈，談者爭傳爲口實。方回所爲詞章既多，往往傳播在人口。建中靖國間，黃庭堅魯直自黔中還，得其『江南梅子』之句，以爲似謝元暉。然以向氣使酒，終不得美官。初娶宗女，隸籍右選。李中書清臣執政，奏換通直郎，爲泗州通判，悒悒不得志，食宮祠祿，退居吳下，浮沉俗間，稍務引遠世，故亦無復軒輊如平日。家藏書萬餘卷，手自校讎，無一字脫誤，以是杜門將遂老。家貧甚，貸子錢自給。有負者輒折券與之，秋毫不以丐人。其所與交，終始厚者惟信安程致道。方回既自哀其平生所爲歌詞，名《東

山樂府》，致道爲之〈序〉，略道其爲人大槩矣。而予與方回往來亦極密，乃復爲之〈傳〉，使後世與致道〈序〉參見云。」可參證。

操縵集五卷

《操縵集》五卷，周邦彥撰。亦有《前集》中所無者。廣棪案：《文獻通考》「《前集》」作「《全集》」，盧校本同。

廣棪案：《宋志》未著錄此書。《前集》者，殆指《清眞集》二十四卷，《解題》卷十七、〈別集類〉中著錄。周邦彥字美成，錢塘人。《宋史》卷四百四十四、〈列傳〉第二百三、〈文苑〉六有傳。

得全居士集三卷

《得全居士集》三卷，趙鼎元鎭撰。全集號《忠正德文》。其曾孫璧別刊其詩，廣棪案：《文獻通考》「璧」作「壁」。附以樂府。

廣棪案：《宋史》卷二百八、〈志〉第一百六十一、〈藝文〉七、〈別集類〉著錄：「趙鼎《得全居士集》二卷，又《忠正德文集》十卷。」又著錄：「《得全居士詞》一卷，不知名。〔考證〕臣開鼎按：得全居士，趙鼎謫後號也。即本卷中亦有趙鼎《得全居士集》二卷。『不知名』三字衍。」是則《忠正德文集》十卷，其全集也。《得全居士集》二卷，其詩集也。另《得全居士詞》一卷。《解題》合詩、詞集而著錄，故云三卷。鼎字元鎭，解州聞喜人。《宋史》卷三百六十、〈列傳〉第一百一十九有傳。其曾孫璧，字或作壁，《宋史》無傳。《宋會要輯稿》第七十九冊、〈職官〉三六之八四載：「（紹興三年）二月四日，軍頭司言正額等子、趙壁等四人，合該陳乞出職；已被旨並留充；依舊指教新人，候將來引呈陳乞。其逐人並不依前項指揮出頭陳乞出職。詔趙壁不合皷唱無時，陳乞。先次斷訖，特與郴州牢城都頭日下出營，餘人免斷，依舊收管。」是壁乃高宗時人。

陸游曰：「忠簡謫朱崖，臨終自書銘旌曰：『身騎箕尾歸天上，氣作山河壯本朝。』」嗚呼！可不謂偉人乎！

案：陸游《老學庵筆記》卷一載：「趙元鎭丞相謫朱崖，病亟，自書銘旌云：『身騎箕尾歸天上，氣作山河壯本朝。』」《宋史》鼎傳亦載：「在吉

陽三年，潛居深處，門人故吏皆不敢通問，惟廣西帥張宗元時饋醪米。（秦）檜知之，令本軍月具存亡申。鼎遣人語其子汾曰：『檜必欲殺我。我死，汝曹無患；不爾，禍及一家矣。』先得疾，自書墓中石，記鄉里及除拜歲月。至是，書銘旌云：『身騎箕尾歸天上，氣作山河壯本朝。』遺言屬其子乞歸葬，遂不食而死，時紹興十七年也，天下聞而悲之。」可參證。

高隱集七卷

《高隱集》七卷，高隱處士蘄春林敏功子仁撰。^{館臣案：《宋史·藝文志》}有《林敏功集》十卷，曾端伯作〈高隱小傳〉，稱林敏功兄弟皆隱君子也，原本脫姓氏，今補入。嘗以《春秋》預鄉薦不第。

廣校案：《宋史》卷二百八、〈志〉第一百六十一、〈藝文〉七、〈別集類〉著錄：「《林敏功集》十卷。」應同屬一書，而卷數不同。敏功，《宋史》無傳。《宋詩紀事》卷三十三「林敏功」條載：「敏功字子仁，蘄春人。以《春秋》鄉薦不第，有《高隱集》。」下引《尚友錄》，載：「子仁年十六預鄉薦下第歸，杜門不出者二十年。元符末詔徵不赴，與弟敏修居比隣終老，以文字相友善。敏修亦終身不舉進士，世號二林。政和中，林震為郡首，謂：『吾宗有隱君子。』出郊見之。還朝，舉其隱德，賜號『高隱處士』，旌表其門。子仁〈謝表〉云：『自是難陪英俊之遊，何敢妄意高尚之事？臥牛衣而待旦，寒如之何？搔鶴髮以興懷，老其將至。』」又引《江西宗派圖錄》：「山谷云：『林處士詩甚佳，〈碧落碑〉無贗本也。』」均可參證。

有詩文百卷，^{廣校案：《文獻通考》「有詩」作「以詩」。}號《蒙山集》，兵火後不存。

案：《蒙山集》，《宋志》未著錄。

無思集四卷

《無思集》四卷，林敏修子來撰。敏功之弟。^{廣校案：《文獻通考》「弟」誤}作「第」。

廣校案：《宋志》未著錄此書。敏修，《宋史》無傳。《宋詩紀事》卷三十

三「林敏修」條載：「敏修字子來，敏功弟，有《無思集》。」下引《後村詩話》云：「二林詩極少。曾端伯作〈高隱小傳〉云：『有詩文百二十卷。』今所存十無一二。兄弟皆隱君子，不但以詩重。」可參證。

柯山集二卷

《柯山集》二卷，齊安潘大臨邠老撰。所謂「滿城風雨近重陽」者也。

廣桉案：《宋志》未著錄此書。大臨，《宋史》無傳。《宋史翼》卷十九、〈列傳〉第十九、〈循吏〉二、〈潘鯁〉載：「有三子。大臨字邠老，以詩名於時。《福建通志》。」則大臨，鯁之子。《宋詩紀事》卷三十三「潘大臨」條載：「大臨字邠老，齊安人。有《柯山集》。次弟大觀，字仲達，亦入江西派，其詩不傳。」大臨「滿城風雨近重陽」乃佚句。其友謝逸字無逸，臨川人，撰《溪堂集》，中有〈亡友潘邠老有滿城風雨近重陽之句今去重陽四日而風雨大作遂用邠老之句廣爲三絕〉，其一云：「滿城風雨近重陽，無奈黃花惱意香。雪浪翻天迷赤壁，令人西望憶潘郎。」其二云：「滿城風雨近重陽，不見修文地下郎。想得武昌門外柳，垂垂老葉半青黃。」其三云：「滿城風雨近重陽，安得斯人共一觴。欲問小馮今健否？雲中孤雁不成行。」可參證。

溪堂集五卷、補遺二卷

《溪堂集》五卷、《補遺》二卷，臨川謝逸無逸撰。

廣桉案：《宋史》卷二百八、〈志〉第一百六十一、〈藝文〉七、〈別集類〉著錄：「《謝逸集》二十卷，又《溪堂詩》五卷。」此即《溪堂詩》也。《補遺》二卷，《宋志》未著錄。逸，《宋史》無傳。《宋史翼》卷二十六、〈列傳〉第二十六、〈文苑〉一、〈謝逸〉載：「謝逸字無逸，臨川人。自號溪堂。少孤，博學工文辭，操履峻潔。再舉進士不第，黃庭堅嘗曰：『使斯人在館閣，當不減晁、張。』李商老謂：『其文步趨劉向、韓愈。』所著書有《春秋廣微》、《樵談》、《溪堂集》。其他詩、啓、碑、志、雜論數百篇。淳熙中繪像祠於郡學。《江西通志》。」可參證。

竹友集七卷

《竹友集》七卷，謝薖幼槃撰。_{廣棪案：《文獻通考》誤作「謝邁」。}逸之弟。

　　廣棪案：《宋史》卷二百八、〈志〉第一百六十一、〈藝文〉七、〈別集類〉
　　著錄：「《謝薖集》十卷。」應同屬一書，而卷數不同。薖，《宋史》無傳。
　　《宋史翼》卷二十六、〈列傳〉第二十六、〈文苑〉一附〈謝逸〉載：「逸
　　弟薖，字幼槃，自號竹友。嘗爲漕司首薦，省闈報罷，以琴奕詩酒自娛。
　　詩文不亞其兄，時稱二謝。呂本中云：『無逸似康樂，幼槃似元暉。』又
　　云：『二謝修身勵行，在崇、觀間無所汙染，不獨以文見稱。』著有《竹
　　友集》十卷。《江西通志》。」可參證。

日涉園集十卷

《日涉園集》十卷，廬山李彭商老撰。公擇之從孫。_{廣棪案：《文獻通考》}
_{誤作「公祥」。}

　　廣棪案：《宋志》未著錄此書。彭，《宋史》無傳。《宋史翼》卷二十六、
　　〈列傳〉第二十六、〈文苑〉一、〈李彭〉載：「李彭字商老，南康建昌
　　人。祖常，《宋史》有傳。彭詩文富贍宏博，錘鍊精研，句多警。江西
　　詩派居第九，在韓駒之次。《集》中多與蘇軾、黃庭堅、呂本中、陳師
　　道、張耒、何顒、徐俯、韓駒、蘇庠、謝薖相和。時蘇庠居廬山，以琴
　　書自娛，與彭齊名，稱蘇、李，有《日涉園集》。《書錄解題》，參《雲麓漫
　　鈔》、《日涉園集》。」公擇，常之字。《宋史》卷三百四十四、〈列傳〉第一
　　百三有傳。

清虛集一卷

《清虛集》一卷，_{廣棪案：《文獻通考》作「《清非集》」。}豫章洪朋龜父撰。

　　廣棪案：《宋史》卷二百八、〈志〉第一百六十一、〈藝文〉七、〈別集類〉
　　著錄：「《洪龜父詩》一卷。」即此書。朋，《宋史》無傳。《宋史翼》卷
　　二十七、〈列傳〉第二十七、〈文苑〉二、〈洪朋〉載：「洪朋字龜父，南
　　昌人。父民師，爲石州司法參軍。性孝，以毀卒。朋幼孤，受業於祖母
　　文成君李氏，手不釋書，落筆成文，尤長於詩。舅黃庭堅嘗謂：『龜父

筆力扛鼎，異日不患無聞。』兩貢禮部不遇，早卒。遺稿有《清非集》。
《江西通志》。」《宋詩紀事》卷三十三「洪朋」條載：「朋字龜父，南昌
人。黃山谷之甥。舉進士不第，有《清非集》。與弟芻駒父、炎玉父、
羽鴻父俱有才名，號四洪。」此書應名《清非集》，《解題》誤。黃庭堅
《山谷集》卷十三有〈洪龜父清非齋銘〉，蓋以齋號名其《集》也。〈洪
龜父清非齋銘〉云：「是是非非，知者之別。是謂是，非謂非，直者之
發，其別也以成。自其發也以成，他吝其非而不改，惟自屈也。大人能
格君心之非，是心術也，方寸之間與萬物為市。掃除不涓，照用則曀。
日清其非，虛室晰晰。」可參考。

老圃集一卷

《老圃集》一卷，諫議大夫洪芻駒父撰。

　　廣棪案：《宋志》未著錄此書。芻，《宋史》無傳。《宋詩紀事》卷三十三「洪
　　芻」條載：「芻字駒父。紹聖元年進士。崇寧中入黨籍。靖康中為諫議大夫。
　　汴京失守，坐為金人括財，流沙門島，卒。有《老圃集》。」可參證。

西渡集一卷

《西渡集》一卷，館臣案：原本作《西漢集》，今據《文獻通攷》改正。中書舍
人洪炎玉父撰。

　　廣棪案：《宋志》未著錄此書。炎，《宋史》無傳。《宋史翼》卷二十七、
　　〈列傳〉第二十七、〈文苑〉二、〈洪炎〉載：「洪炎字玉父，與兄朋、弟
　　芻、羽，俱以文詞名世，號四洪。舉進士，為穀城令，坐以兄弟罹元祐
　　黨，同貶竄。復知潁上譙縣，並有循政。累官著作郎、祕書少監。高宗
　　初，召為中書舍人。時方倥傯，除目填委。炎操筆立成，訓詞典雅，同
　　列歡服。有《西渡集》。嘗編《列仙臞儒事蹟》三卷，號《塵外記》。又
　　手錄雜家小說，行於世。《南昌耆舊記》、《江西通志》。」可參證。

洪氏兄弟四人，其母黃魯直之妹，不淑早世，所為賦〈毀璧〉者也。廣
棪案：盧校本「壁」作「璧」。

　　案：黃庭堅《山谷集》卷十六、〈序・洪氏四甥字序〉曰：「洪氏四甥，
　　其治經皆承祖母文城君講授。文城賢智，能立洪氏門戶如士大夫。蓋嘗

以義訓。四甥之名曰朋、芻、炎、羽。其友爲之易名，往往不似經意。舅黃庭堅爲發其蘊而字之。江發岷山，其盈濫觴，及其至於楚國，萬物並流，非夫有本而益之者眾邪？夫士也，不能自智其靈龜，好賢樂善以深其內則，十朋之龜，何由至哉！故朋之字曰龜父。飛黃騄耳之駒，一秣千里，御良而志得，食君場苗。蹇駿同軒，其在空谷，生芻一束，不知場穀之美也。能仕能止，惟其才；可仕可止，惟其時；何常之有哉！故芻之字曰駒父。大炎高丘，石共盡。和氏之璞，王者之器。溫潤而澤，晏然於焚如之時。蓋大不炎，無以知玉；事不難，無以知君子。故炎之字曰玉父。鴻雲飛而野啄，去來不繆其時，非其意不自下，故其羽可用爲儀。非夫好高之士，操行潔於秋天。使貪夫清明，懦夫激昂者，何足以論鴻之志哉！故羽之字曰鴻父。既字之，又告之曰：『曾子曰：「未得君，而忠臣可知者，孝子也；未有治，而能仕可知者，修士也。」』二三子，捨幼志，然後能近老成；人力學，然後切問；問學之功有加，然後樂聞過；樂聞過，然後執書冊而見古人。執柯以伐柯，古人豈眞遠哉！」是山谷爲洪氏兄弟之母舅。〈毀璧賦〉未見，恐已佚。

龜父舉進士不第。

案，龜父，洪朋字。《宋史翼》朋本傳載：「兩貢禮部不遇，早卒。」可參證。

其季羽鴻父坐上書，元符入籍終其身。

案：《宋人傳記資料索引》載：「洪羽字鴻父，南昌人，炎弟，黃庭堅甥，以文詞名世。紹聖四年進士，歷知台州軍。坐元符中上書入黨籍，編管江州。崇寧五年，於舊資上降兩資收敘。」可參證。

芻、炎皆貴，而芻靖康失節貶廢，

案：芻官至諫議大夫，炎爲中書舍人，皆貴也。芻汴京失守，坐爲金人括財，流沙門島，卒，以失節貶廢。《文獻通考》卷二百四十四、〈經籍考〉七十一、〈集詩集〉「《西渡集》」條後附後村劉氏曰：「三洪與徐師川皆豫章之甥，龜父警句往往前人所未道，然早卒，惜不多見。駒父詩尤工，初與龜父遊梅仙觀，龜父有詩，卒章云：『願爲龍鱗嬰，勿學蟬骨蛻。』是以直節期乃弟矣。駒父後居上坡，晚節不終，不特有愧於舅氏，亦有愧於長君也。玉父南渡後爲少蓬，〈聞師川召有懷駒父詩〉云：『欣逢白

鶴歸華表，更想黃龍出羽淵。』然師川卒不能返駒父於鯨波之外，玉父愛兄之道至矣，余讀而悲之。」可參考。

羽詩不傳。

案：羽詩，《宋志》亦未收，蓋不傳。

陵陽集四卷

《陵陽集》四卷，廣棪案：《文獻通考》作「《韓子蒼集》」。館臣案：《文獻通攷》作三卷，《宋史·藝文志》作十五卷。**《別集》二卷，韓駒子蒼撰。**

廣棪案：《郡齋讀書志》卷第十九、〈別集類〉下著錄：「《韓子蒼集》三卷。右皇朝韓駒字子蒼，仙井人。政和初，詣闕上書，特命以官，累擢中書舍人，權直學士院。王甫嘗命子蒼詠其家藏〈太乙眞人圖〉，詩盛傳一世。宣和間，獨以能詩稱云。」《宋史》卷二百八、〈志〉第一百六十一、〈藝文〉七、〈別集類〉著錄：「韓駒《陵陽集》十五卷，又《別集》三卷。」所著錄卷數均與《解題》不同。韓駒字子蒼，仙井監人。《宋史》卷四百四十五、〈列傳〉第二百四、〈文苑〉七有傳。

還還集二卷

《還還集》二卷，直龍圖閣江陵高荷子勉撰。

廣棪案：《宋志》未著錄此書。荷，《宋史》無傳。厲鶚《宋詩紀事》卷三十三「高荷」條載：「荷字子勉，荆南人，自號還還先生。元祐太學生，晚爲童貫客，得蘭州通判以終，有《集》。」陸心源《宋詩紀事小傳補正》卷二「高荷」條載：「歷官陝西漕屬，燕山平，獻凱歌，除直龍圖閣，知涿州而終。」可參證。

東湖集三卷

《東湖集》三卷，廣棪案：《文獻通考》作「二卷」。**樞密豫章徐俯師川撰。**

廣棪案：《宋史》卷二百八、〈志〉第一百六十一、〈藝文〉七、〈別集類〉著錄：「《徐俯集》三卷。」即此書。俯字師川，洪州分寧人。紹興三年，簽書樞密院事。《宋史》卷三百七十二、〈列傳〉第一百三十一有傳。

禧之子，亦魯直諸甥也，廣棪案：《文獻通考》闕「亦」字。思陵以黃庭堅故召用之，廣棪案：《文獻通考》「黃庭堅」作「魯直」。丞相呂頤浩作書，具道上旨，而時或言其由中人以進。其初除大坡也，程俱在西掖，繳奏不行，奉祠去，廣棪案：《文獻通考》「祠」作「嗣」，誤。其然乎？否耶？

案：《宋史》俯本傳載：「徐俯字師川，洪州分寧人。以父禧死國事，授通直郎，累官至司門郎。靖康中，張邦昌僭位，俯遂致仕。時工部侍郎何昌言與其弟昌辰避邦昌，皆改名。俯買婢名昌奴，遇客至，即呼前驅使之。建炎初，落致仕，奉祠。內侍鄭諶識俯於江西，重其詩，薦于高宗。胡直孺在經筵，汪藻在翰苑，迭薦之，遂以俯為右諫議大夫。中書舍人程俱言：『俯以前任省郎，遽除諫議，自元豐更制以來未之有。考之古今，非陽城、种放，則未嘗不循序而進，願姑以所應者命之。昔元稹在長慶間，擢知制誥，真不忝矣。緣其為荊南判司，命從中出，召為省郎，便知制誥，遂喧朝論，時謂荊南監軍崔潭峻實引之。近亦傳俯與宦寺倡酬，稱其警策，恐或者不知陛下得俯之由。』不報，俱遂罷。」可參證。

然俯在位，亦不聞有所建明也。

案：《宋史》俯本傳載：「紹興二年，賜進士出身，兼侍讀。三年，遷翰林學士，俄擢端明殿學士、簽書樞密院事。四年，兼權參知政事。宰相朱勝非言：『襄陽上流，所當先取。』帝曰：『盍就委岳飛？』參政趙鼎曰：『知上流利害，無如飛者。』俯獨持不可，帝不聽。會劉光世乞入奏，鼎言：「方議出師，大將不宜離軍。」俯欲許之，鼎固爭，俯乃求去，提舉洞霄宮。九年，知信州。中丞王次翁論其不理郡事，予祠。明年，卒。俯才俊，與曾幾、呂本中游，有《詩集》六卷。」是俯在位，殊未有所建明，直齋所言甚當。

東萊集二十卷、外集二卷

《東萊集》二十卷、《外集》二卷，中書舍人呂本中居仁撰。希哲之孫，好問之子，而祖謙之伯祖也，廣棪案：《文獻通考》此句作「伯謙之祖」。撰《江西宗派》者。後人亦以其詩入派中。廣棪案：《文獻通考》闕「亦」字。

廣棪案：《郡齋讀書志》卷第十九、〈別集類〉下著錄：「《呂居仁集》十卷。

右皇朝呂本中字居仁，好問右丞之長子。靖康初，權尙書郎。紹興中，賜進士第，除右史，遷中書舍人，已而落職奉祠。少學山谷爲詩，嘗作《江西宗派圖》，行於世。」《宋史》卷二百八、〈志〉第一百六十一、〈藝文〉七、〈別集類〉著錄：「《呂本中詩》二十卷。」同書卷二百九、〈志〉第一百六十二、〈藝文〉八、〈總集類〉著錄：「呂本中《江西宗派詩集》一百十五卷。」《四庫全書總目》卷一百五十八〈集部〉十一、〈別集類〉十一著錄：「《東萊詩集》二十卷，_{兩淮馬裕家藏本。}宋呂本中撰。本中有《春秋集解》，已著錄。其詩法出黃庭堅。嘗作《江西宗派圖》，列陳師道以下二十五人，而以己殿其末。……此《集》有慶元二年陸游〈序〉，乾道二年曾幾〈後序〉。《文獻通考》別載有《集外詩》二卷，此本無之，蓋已散佚。」均可參證。惟《郡齋讀書志》著錄此《集》作十卷，孫猛《郡齋讀書志校證》云：「《呂居仁集》十卷，原本作『《東萊集》二十卷、《外集》二卷』。按原本據《經籍考》卷七十二配補，而《經籍考》標題、卷數皆從《書錄解題》卷二十。今據袁本、《宛委》本改回。《東萊集》二十卷，乃乾道二年居仁通家子沈公雅刻於吳門郡齋_{（今有《四部叢刊續編》據日本內閣文庫藏本影印本）}，公武之父沖之與居仁唱酬最劇，是公武未嘗不能獲見乾道刊本。然檢乾道本曾幾〈序〉，止云公雅『哀集公詩，略無遺者，次第歲月，爲二十通』，無一語及《外集》。意者，《外集》當又爲後人附益，公武未必得見。故此條標題、卷數仍從袁本。又，《藏園羣書題記》卷三著錄慶元己未黃汝嘉重刊乾道本《正集》_{（殘）}三卷、《外集》三卷，傅增湘云：『考陳氏《直齋書錄解題》載《東萊詩集》二十卷、《外集》二卷，今目錄宛然具存，知「二」字實「三」字之訛，然而陳氏誤錄於先，馬氏《經籍考》遂承訛於後，世人莫知其非者。』原本繼《經籍考》後，又襲謬因訛仍作『二卷』，今附糾於此。」是《郡齋讀書志》袁本、《宛委》本亦作十卷。而《外集》，傅增湘《藏園群書題記》則作三卷。本中，《宋史》卷三百七十六、〈列傳〉第一百三十五有傳。其〈傳〉載：「呂本中字居仁，元祐宰相公著之曾孫，好問之子。……祖希哲師程頤，本中聞見習熟。……紹興六年，召赴行在，特賜進士出身，擢起居舍人兼權中書舍人。」可參證。同書卷四百三十四、〈列傳〉第一百九十三、〈儒林〉四、〈呂祖謙〉載：「呂祖謙字伯恭，尙書右丞子問之孫也。」據是，則本中乃祖謙之伯父，《解題》作「伯祖」，誤矣。

具茨集十卷

《具茨集》十卷，_{廣棪案：《文獻通考》作「晁氏《具茨集》」。館臣案：《文獻通}_{攷》作三卷。}晁沖之叔用撰。沖之在羣從中亦有才華，而獨不第。紹聖以來，黨禍既作，超然獨往，侍郎公武子止，蓋其子也。

廣棪案：《郡齋讀書志》卷第十九、〈別集類〉下著錄：「晁氏《具茨集》三卷。右先君子詩集也。呂本中以爲江西宗派，曾慥亦稱公早受知於陳無己，從兄以道嘗謂公宗族中最才華。喻汝礪序其詩云：『予嘗從叔用商近朝人物，嘉言善行，朝章國典，禮文損益，靡不貫洽。由叔用之學而達諸廊廟，溫厚足以代言，淵博足以顧問，則以詩鳴者，是豈叔用之志也哉？雖然，叔用既已油然棲志於林澗曠遠之中，遇事寫物，形於興屬，淵雅疏亮，未嘗爲悽怨危憤之音。予於是有以見叔用於消長用舍之際，未嘗不安而樂之者也。嗟乎！所謂含章內奧而深於道者，非邪？秦漢以來，士有抱奇懷能，流落不遇，往往躁心汗筆，有怨誹沈抑之思，氣候急刻，不能閒遠，古之詞人皆是也，所以往往無所建立於天下。唯深於道者，遺於世而不怨，發於辭而不怒，君子是以知其必能有爲於世者也。嗟乎！吾於叔用，豈直以詩人命之哉！』」可參證。惟《郡齋讀書志》作三卷，與《解題》不同。沖之，《宋史》無傳。《宋元學案補遺》卷四、〈陳氏門人〉「晁具茨先生沖之」條云：「晁沖之字叔用，一字用道，文莊公宗愨之曾孫也。少有才華，受知于陳后山。呂居仁《江西詩派圖》二十五人，先生與焉。紹聖初落黨中籍，超然家于具茨之下，屢薦不應，有《具茨集》。_{《姓譜》。雲濠謹案《具茨集・過陳無己墓詩》二首，前}_{詩云：『我亦嘗參諸弟子，往來徒步拜公墳。』後詩云：『以我懷公意，知公待我情。}_{五年三過客，九歲一門生。』知先生嘗及后山之門也。}」可參考。同書同卷、〈晁氏家學〉「晁先生公武」條：「晁公武字子止，具茨子。乾道初知興元府，束吏愛民，百廢具舉，庭無滯訟，稱爲良吏，世號昭德先生。_{《姓譜》。}」是公武乃沖之子。

青溪集一卷

《青溪集》一卷，臨川汪革信民撰。呂居仁序之。

廣棪案：此《集》，《宋志》未著錄。革，《宋史》無傳。《宋元學案》卷

二十三、〈滎陽學案・滎陽門人〉「教授汪青溪先生革」條載：「汪革，字信民，臨川人也。紹聖四年進士，官楚州教授。呂侍講原明方居符離，先生從之學，稱高弟。侍講嘗曰：『黃憲、茅容之儔也。』分教長沙，張侍郎舜民在焉，相與講學極契。蔡京當國，召爲宗正博士，力辭不就，曰：『吾不能附名不臣傳！』復爲楚州教授以卒，年止四十。侍講爲志其墓，晁景迂有詞哀之。先生篤實剛直，惜不免墮于禪學，則侍講之所夾雜也。故其詩云：『富貴空中花，文章木上癭。要知眞實地，惟有華嚴境。』不得入聖人之室矣。然其言云：『咬得菜根，則百事可做。』固名言也。學者稱爲青溪先生。雲濠案：青溪一作清溪。有《論語直解》、《青溪集》。謝逸與弟薖皆學于侍講，當事以八行薦，無逸力辭，兄弟終身老死布衣，其高節蓋得侍講之力。信民貽之詩曰：『新年更勵於陵操，妻子同鋤五畝蔬。』蓋不當唯以詞人目之。」《宋詩紀事》卷三十三「汪革」條載：「革字信民，自歙徙臨川。紹聖四年試禮部第一，分教長沙，又爲宿州教授。蔡氏當國，以周王宮教召，不就。復爲楚州教官，卒。有《青溪集》。」可參考。呂原明，希哲字，呂居仁之祖。居仁〈序〉已佚。

倚松集二卷

《倚松集》二卷，臨川饒節德操撰。後爲僧，號如璧。

廣栰案：《郡齋讀書志》卷第十九、〈別集類〉下著錄：「《饒德操集》一卷。右皇朝饒節字德操，曾布之客也。性剛峻，晚與布論不合，因棄去，祝髮爲浮屠，在襄、漢間聲望甚重云。」《宋史》卷二百八、〈志〉第一百六十一、〈藝文〉七、〈別集類〉著錄：「饒節《倚松集》十四卷。」所著錄卷數均與《解題》不同。節，《宋史》無傳。《宋元學案》卷二十三、〈滎陽學案・滎陽門人〉「饒德操節」條載：「饒節字德操，臨川人，從學呂侍講。以不合于曾布，毅然棄去，亦甚豎風節。及其末路，遂爲緇衣，則可駭矣。甚至貽呂居仁詩，勸以胡牀趺坐，專意學道。何其謬也。」《宋詩紀事》卷九十二「如璧」條載：「如璧，本撫州士人饒節，字德操。後爲僧，詩入江西派，有《倚松老人集》。」《宋人傳記資料索引》載：「饒節字德操，更名如璧，號倚松道人，臨川人。嘗爲曾布客，

後與布書論新法不合，乃祝髮爲浮屠。掛錫靈隱，晚主襄陽之天寧寺。嘗作偈云：『間攜經卷倚松立，試問客從何處來。』有《倚松老人集》，陸游稱爲當時詩僧第一。（互見釋如璧）」均可參證。《宋詩紀事》作「如璧」，誤。

遠遊堂集二卷

《遠遊堂集》二卷，知江州蘄春夏倪均父撰。

廣校案：《宋志》未見著錄此書。倪，《宋史》無傳。《宋詩紀事》卷三十三「夏倪」條載：「倪字均父，蘄州人，英公之孫。宣和中，自府曹左官祈陽監酒，有《遠遊堂集》。」《宋詩紀事》此條下引《江西宗派圖錄》云：「均父文詞富贍，儕輩罕及。嘗以『天寒霜露緜，遊子有所之』爲韻作十詩，留別饒德操，曲盡芊綿之致。赴江守日，張彥寔贈詩云：『未覺朝廷疏汲黯，極知州郡要文翁。』均父朝夕諷誦之。詩文一集，呂紫微爲之〈序〉。」是倪曾嘗知江州。

歸叟集一卷

《歸叟集》一卷，開封王直方立之撰。其高祖顯事晉邸，至樞密使。直方喜從蘇、黃諸名士游，廣校案：《文獻通考》「士」作「卿」，盧校本作「勝」。家有園池，娶宗女，為假承奉郎，自號歸叟，年甫四十而死。

廣校案：《宋志》未著錄此集。直方，《宋史》無傳。《宋元學案補遺》卷九十九、〈蘇氏蜀學略補遺·東坡門人〉「承奉王歸叟先生直方」條載：「王直方字立之，城南人。少知自好，樂從諸丈人行遊。無他嗜好，惟晝夜讀書，手自傳錄，凡未編數千。嘗以假承奉郎監懷州酒稅，尋易冀州糶官，亦僅累月，投劾歸。待而不復出，凡十餘年。處城隅一小園中，而笑傲自適如一日。命其園中之堂曰賦歸，亭曰頓有，亦足以見其志云。彭城陳無己卒于京師，先生賻弔，而割田十頃以周其孤。大觀三年卒。先生病臥久，景迂歸自關中，過其門，則曰：『我有所作詩文，他日无咎序之；死則以道銘我。』《晁迂景集》。雲濠謹案：后山詩註云：『王立之自號歸叟，有園亭在汴京城南，嘗從蘇、黃諸公遊。』」可參證。至其高祖王顯，《宋史》卷

二百六十八、〈列傳〉第二十七有傳，曰：「王顯字德明，開封人。初爲殿前司小史，太宗居藩，嘗給事左右。性謹介，不好狎，未嘗踐市肆。即位，補殿直，稍遷供奉官。太平興國三年，授軍器庫副使，遷尙食使。逾年，與郭昭敏並爲東上閤門使。八年春，拜宣徽南院使兼樞密副使。是夏，制授樞密使。上謂之曰：『卿世家本儒，少遭亂失學，今典朕機務，無暇博覽羣書，能熟《軍戒》三篇，亦可免於面牆矣。』因取是書及道德坊宅一區賜之。」可參證。

李希聲集一卷

《李希聲集》一卷，祕書丞李錞希聲撰。_{廣棪案：盧校注：「下九字元本無。」}與徐師川、潘邠老同時。_{館臣案：「與徐師川」二句原本脫漏，今據《文獻通攷》補入。}

廣棪案：《宋志》未著錄此書。錞，《宋史》無傳。《宋詩紀事》卷三十三「李錞」條載：「錞字希聲，官至秘書丞，有《集》。」徐師川，即徐俯，有《東湖集》；潘邠老，即潘大臨，有《柯山集》。

楊信祖集一卷

《楊信祖集》一卷，楊符信祖撰。未詳出處。

廣棪案：此書及撰人均無可考。《文獻通考》卷二百四十五、〈經籍考〉七十二、〈集_{詩集}〉著錄此書，下引後村劉氏曰：「『吏道官官惡，田家事事賢。』唐人得意語也。」「吏道」二語，應爲《楊信祖集》中詩句。

陳留集一卷

《陳留集》一卷，開封江端本子之撰。_{館臣案：江端本開封人，原本誤作「開州」，今改正。}以上至林子仁，_{廣棪案：盧校本「林子仁」作「林敏功」。}皆入《詩派》。

廣棪案：《宋志》未著錄此書。端本，《宋史》無傳。《宋元學案補遺》卷一、〈安定學案補遺·江氏家學〉「江先生端友江先生端本_{合傳}」載：「江端友字子我，端本字子之。子和二弟俱以文行稱，嘗裒子和之遺稾爲集

若干卷。先生兄弟一日白其母曰：『幸見聽，敢有言。』其母笑曰：『不欲從科舉乎？是吾素已疑之矣。且汝兄力學能文，屈於有司者二十年，常爲予言有司待士之禮薄，而法益苛，愧之終其身。汝等尚少，而亦能不樂於此乎？第汝安，則吾何有？』以故先生兄弟俱遂優游於圍城數畝之田，人多高之。《晁景迂集》。」可參考。至子仁，林敏功字。《宋史》卷二百八、〈志〉第一百六十一、〈藝文〉七、〈別集類〉著錄：「《林敏功集》十卷。」敏功，《宋史》無傳。《宋詩紀事》卷三十三「林敏功」條載：「敏功字子仁，蘄春人，以《春秋》鄉薦，不第。有《高隱集》。」下引《尚友錄》：「子仁年十六預鄉薦，下第歸，杜門不出者二十年。元符末，詔徵不赴。與弟敏修居比隣終老，以文字相友善。敏修亦終身不舉進士，世號二林。政和中，林震爲郡首，謂吾宗有隱君子，出郊見之。還朝，舉其隱德，賜號高隱處士，旌表其門。子仁〈謝表〉云：『自是難陪，英俊之遊；何敢妄意，高尙之事。臥牛衣而待旦，寒如之何！搔鶴髮以典懷，老其將至。』」又引《江西宗派圖錄》：「山谷云：『林處士詩甚佳，〈碧落碑〉，無贋本也。』」可參考。

七里先生自然集七卷

《七里先生自然集》七卷，江端友子我撰。端本兄也，休復鄰幾之孫。其父懋相有遺澤，子我以遜端本。靖康初，吳敏元中薦子我，召見賜出身，為京官，後至太常少卿。

廣棪案：《宋志》未著錄此書。端友，《宋史》無傳。《宋詩紀事》卷三十三「江端友」條載：「端友字子我，陳畱人，鄰幾之孫。以元祐黨，隱居封丘門外。靖康初，吳敏薦，召見，以爲承務郎，賜進士出身，諸王宮教授。上書辯宣仁誣謗，遭黜。渡江，寓居桐廬之鸑鷟源。後爲太常少卿，有《七里先生自然菴集》。」《宋史翼》卷十一、〈列傳〉第十一、〈江端友〉載：「江端友字子我，開封人，休復孫也。自號七里先生。父懋相有遺澤，以遜其兄端本。端友博學能詩，與呂居仁相唱和，隱居京城東郊封邱門外，迎養所生母，以孝聞。守節自重，躬耕蔬食，素有高行。蔡京欲辟之，不能致。靖康元年，金人圍城，上書論事甚眾，而終不肯一至公卿之門。四月，吳敏薦，賜同進士出身，除承務郎、諸王府贊讀。

上書辨宣仁誣謗。……被黜。渡江，寓居桐廬之蘆茨原。建炎元年七月，召爲兵部員外郎。八月，爲閩浙撫諭使，旋改禮部。紹興二年九月乞祠，主管台州崇道觀。三年五月辛未，主管溫州神主，兼權太常少卿。」均可參證。惟端友所撰書，《宋詩紀事》作《七里先生自然庵集》，與《解題》著錄微異，疑《解題》誤。

臨漢居士集七卷

《臨漢居士集》七卷，南豐曾紘伯容撰。

　　廣棪案：《宋志》未著錄此書。紘，《宋史》無傳。凌迪知《萬姓統譜》卷五十七載：「曾紘，南豐人，家襄陽，博學善屬文，號臨漢居士。子思，號懷峴居士，亦能文，俱有《集》行世。」《宋人傳記資料索引》載：「曾紘字伯容，自號臨漢居士，南豐人。宣和特科進士，累官文林郎致仕。放浪江湖，與子思賦詩爲樂。時人稱其五言秀出天然，原委山谷。有《臨漢居士集》。」可參證。

其父阜子山，於子固爲從兄弟。

　　案：阜，《宋史》無傳。劉攽《彭城集》卷二十二、〈制誥〉有〈通判隴州曾阜可通判邠州潘行可通判隴州制〉云：「朝廷之用人，常使其優裕樂職，無內顧之患，則能盡其智力。故有嫌者，許其自列，從其所便，則上無掣肘之慮，而下獲伸眉之幸矣。爾等並倅藩州，克勤民務。惟阜避茲芥蔕，與行易地而處，宜體茂恩，勉圖報効。」是阜嘗通判隴州，後改邠州。

懷峴居士集六卷

《懷峴居士集》六卷，曾思顯道撰。紘之子也。阜嘗將漕湖南，後家襄陽。紘父子皆有官，而皆高亢不仕。楊誠齋序其詩，以附《詩派》之後。

　　廣棪案：《宋志》未著錄此書。思，《宋史》無傳，生平事蹟無可考。阜之宦歷，據上條案語所引資料知曾通判隴、邠二州，《解題》此條又載其「漕湖南」。考《宋會要輯稿》第八十八冊、〈職官〉四八之三○載：「(元豐六年)四月一日，詔前知鄧州南陽縣曾阜、知穰縣陳知純並勒留

在本縣，同見任官催納積欠。以提舉司言皋任內欠坊場河渡錢五萬緡、常平錢八百千；知純任內欠坊場錢四萬緡、常平錢九百千也。」是則皋又曾知鄧州南陽縣。至楊誠齋序思此《集》，《誠齋集》卷八十四、〈序〉有〈江西續派二曾居士詩集序〉，其〈序〉曰：「古之君子，道克乎其中，必施乎其外。故用於時者，施也；傳於後者，亦施也。然用於時或不傳於後，傳於後或不用於時，二者皆難并也，是有幸有不幸焉。生而用，沒而傳，幸之幸也；生而用，沒而不傳，幸之不幸也；生而不用，沒而傳，不幸之幸也。至有生既不用於時，沒又不傳於後，豈非不幸之不幸也歟？南豐先生之族子有二詩人焉，曰臨漢居士伯容者，南豐從兄弟，曰子山名皋之子也。曰懷峴居士顯道者，伯容之子也。子山嘗位於朝，出漕湖南，後家於襄陽，遂爲襄陽人。伯容一世豪俊而能文，其詩源委山谷先生，然以不肯伉俍於世，有官而終身不就列。顯道得其父之句法，亦以氣節高雅，嘗宰祁陽，小不可其意即棄去，隱於衡之常寧者三十年。此君子之一不幸也。伯容放浪江湖間，與夏均父諸詩人游從唱和，其題與韻見於均父《集》中者三十有二篇。予每誦均父之詩，云曾侯第一，又云五言類玄度，又云秀句無一塵想，其詩而恨不見也。行天下五十年，每見士大夫，必問伯容父子詩，皆無能傳之者，此又君子之一不幸也。茲非所謂生不用於時，沒又不傳於後，不幸之不幸者歟？今日忽得故人尚書郎、江西漕使雷公朝宗書，寄予以《二曾詩集》二編，屬予序之，欣然盥手披讀三過，蔚乎若玉井之蓮，敷月露之下也；沛乎若雪山之水，瀉灩澦而東也；琅乎若岐山之鳳，鳴梧竹之風也。望山谷之宮庭，益排闥而入，歷階而升者歟？昔人之詩，有詩傳而人逸者矣，二〈南〉是也；有人傳而詩逸者矣，〈祈招〉是也；有人與詩俱傳者矣，〈載馳〉是也。然祭公謀父之作，雖逸於三百篇之外，而『式金式玉』之句，猶畧見於《檮杌》之史者，以子華之誦也。二曾之詩，昔無傳而今有傳，不以朝宗能誦之歟？不曰二曾不幸之幸歟？不曰後學大幸之幸歟？因命之曰江西續派而書其右，以補呂居仁之遺云。伯容名紘，顯道名思。朝宗之於顯道，如李漢之於退之。故二居士之詩，朝宗得之於德曜，德曜得之於懷峴，懷峴得之於臨漢。嘉泰癸亥四月丙辰，通議大夫、寶文閣待制致仕，廬陵楊萬里序。」可參證。

見南山集二十卷

《見南山集》二十卷，祕閣修撰吳興劉燾無言撰。館臣案：劉燾字無言，原本作「劉燾言」，誤，今改正。

廣棪案：《宋史》卷二百八、〈志〉第一百六十一、〈藝文〉七、〈別集類〉著錄：「《劉燾詩集》二十卷。」應同屬一書。燾，《宋史》無傳。《宋詩紀事》卷三十二「劉燾」條載：「燾字無言，長興人，誼之子。元祐三年進士，仕為祕閣修撰，有《見南山集》。」下引《上庠錄》：「元祐閒，馬涓、張庭堅等四人擅名太學，時號四俊。劉燾，湖州人，年少亦自負。初補太學生，聞而慕之，以刺謁曰：『不識可當一俊否？』涓等詭計以困之，曰：『每誡當預為一字，限于程試中用之，善者乃預。』既而程試，燾請字，涓等曰：『第一句用將字。』其時策問《神宗實錄》，燾對曰：『秉史筆者權猶將也，雖君命有所不受，而況其他乎？』後果為第一，聞者服之，因目燾曰『挨屍俊』。」均可參考。

灊山集三卷

《灊山集》三卷，中書舍人龍舒朱翌新仲撰。

廣棪案：《宋史》卷二百八、〈志〉第一百六十一、〈藝文〉七、〈別集類〉著錄：「《朱翌集》四十五卷，又《詩》三卷。」《解題》所著錄者即「《詩》三卷」也。翌，《宋史翼》卷二十七、〈列傳〉第二十七、〈文苑〉二有傳。《宋詩紀事》卷三十九「朱翌」條載：「翌字新仲，舒州人，號灊山居士。政和閒進士。南渡後，寓家桐廬，為中書舍人。忤時宰，謫曲江。晚召還，卜居鄞，自號省事老人，有《集》。」《文獻通考》卷二百四十五、〈經籍考〉七十二、〈集詩集〉著錄此條下載周平園〈序〉，署曰：「藝之至者不兩能，故唐之詩人或暑於文。兼之者杜牧之乎？苦心為詩，自其所長。至於議論，切當世之務；制誥，得王言之體；賦、序、碑、記，未嘗苟作。予每讀其書，愛之，恨不同時。今吾先友桐鄉朱公似之。公世文儒，少年登政和進士第，時人諱言詩，公獨沉涵六義，思繼作者。南渡後，登館閣，掌書命，文章寖顯於朝中。忤時宰，謫居曲江十有四年。昌其詩，放厥詞，蓋斥久窮極，益自刻苦於山水間。迨北歸，則詩益老，文益奇，遂以名家。其子軹等類公遺藁，凡四十四卷，屬余序之。」可參考。

曾文清集十五卷

《曾文清集》十五卷，_{廣棪案：盧校注：「聚珍版。」}禮部侍郎章貢曾幾吉父撰。_{館臣案：曾幾字吉父，原本作「士父」，誤，今改正。}

> 廣棪案：《宋史》卷二百八、〈志〉第一百六十一、〈藝文〉七、〈別集類〉著錄：「《曾幾集》十五卷。」即此書。幾字吉甫，其先贛州人，徙河南府。高宗時權禮部侍郎。《宋史》卷三百八十二、〈列傳〉第一百四十一有傳。

本朝曾氏三望，最初溫陵宣靖公公亮明仲；

> 案：公亮字明仲，泉州晉江人。《宋史》卷三百一十二、〈列傳〉第七十一有傳。神宗元豐元年卒，年八十一。贈太師、中書令，諡曰宣靖。

次南豐舍人鞏子固兄弟，

> 案：鞏字子固，建昌南豐人。神宗時拜中書舍人。《宋史》卷三百一十九、〈列傳〉第七十八有傳。弟布，幼弟肇。

然其祖致堯起家，又在溫陵之先矣；

> 案：致堯，《宋史》卷四百四十一、〈列傳〉第二百、〈文苑〉三有傳。其〈傳〉曰：「曾致堯字正臣，撫州南豐人。太平興國八年進士，解褐符離主簿、梁州錄事參軍，三遷著作佐郎、直史館，改祕書丞，出為兩浙轉運使。嘗上言：『去歲所部秋租，惟湖州一郡督納及期，而蘇、常、潤三州悉有逋負，請各按賞罰。』太宗以江、淮頻年水災，蘇、常特甚，所言刻薄不可行，詔戒致堯毋擾。俄徙知壽州，轉太常博士。致堯性剛率，好言事，前後屢上章奏，辭多激訐。真宗即位，遷主客員外郎、判鹽鐵勾院。張齊賢薦其才，任詞職，命翰林試制誥，既而以輿議未允而罷。李繼遷擾西鄙，靈武危急，命張齊賢為涇、原、邠、寧、環、慶等州經略使，選致堯為判官，仍遷戶部員外郎。既受命，因抗疏自陳，願不受章紱之賜，詞旨狂躁。詔御史府鞫其罪，黜為黃州副使，奪金紫。未幾，復舊官，改吏部員外郎，歷知泰、泉、蘇、揚、鄂五州。大中祥符初，遷禮部郎中，坐知揚州日冒請一月奉，降掌昇州榷酤，轉戶部郎中。五年，卒，年六十六。」是致堯起家在太宗、真宗時，確在溫陵之先矣。

其後則幾之族也，自贛徙河南，與其兄楙叔夏、開天游皆嘗貳春官。

案：《宋史》幾本傳載：「兄楙、開皆嘗貳春官，幾復爲之，人以爲榮。」可參證。

楙至尚書，開沮和議得罪，並有名於世。

案：楙，《宋史》無傳。《宋人傳記資料索引》載：「曾楙（懋），字叔夏，贛州人。元符三年第進士，累官禮部尚書，出知洪、福、澤、信四州，仕終吏部尚書。有《內外制》及《東宮日記》。」考李正民《大隱集》卷一、〈制〉有〈曾楙禮部尚書制〉云：「勅：文昌兼總六聯，宗伯實典三禮。禘祠祭祀之事，既繫於司存；學校選舉之文，悉掌其政令。比屬干戈之擾，靡間典籍之傳，必求其人，俾領厥事。具官風猷莊重，德宇粹溫，學該六藝之醇，文擅四科之美。早馳聲於庠序，旋任職於詞垣。浸升延閣之班，出奉名藩之寄。朕遭罹變故，躬總師徒，既垂橐於爾邦，遂駐蹕於近甸。首修朝貢，深嘆忠勤。念久去於周行，適來還於翰苑。宜陟春官之長，進聯八座之崇。時屬多虞，朝方右武。軍旅以同邦國，亦惟爾職之脩；方岳以朝諸侯，更講時巡之制。益殫忠藎，圖濟艱難。可。」張綱《華陽集》卷三、〈外集〉亦有〈曾楙除禮部尚書制〉，云：「周監二代，備庶事于彌文；漢鄙兩生，起朝儀于綿蕝。朕承祖宗積累之德，悼禮樂散亡之餘。名物雖具于有司，制作靡遵于故典。欲振迺職，必惟其人。具官某有厚重長者之風，能通達當世之務。蚤由時望，亟被明揚。浸更二省之嚴，旋賓六卿之列。詞章雅健，極代言視草之工；議論宏深，見憂國愛民之志。自違朝著，久逸真祠。益聞譽處之休，深渴老成之助。屬春官之虛位，惟舊人之是圖；已試日能，肆今命汝。夫籩豆玉帛，宜兼節于情文；若朝覲會同，必因時而隆殺。庶使威儀復正，姦宄自消，靡聞擊柱之爭，是謂播刑之迪。往服朕訓，無愧古人。」是楙官至禮部尚書。開字天游，《宋史》有傳，附其弟〈曾幾〉。其〈傳〉載：「遷禮部侍郎兼直學士院。時秦檜專主和議，開當草國書，辨視體制非是，論之不聽，遂請罷，改兼侍讀。檜嘗招開，慰以溫言，且曰：『主上虛執政以待。』開曰：『儒者所爭在義，苟爲非義，高爵厚祿弗顧也。願聞所以事敵之禮。』檜曰：『若高麗之於本朝耳。』開曰：『主上以聖德登大位，臣民之所推戴，列聖之所聽聞。公當彊兵富國，尊主庇民，奈可自卑辱

至此，非開所敢聞也。』又引古誼以折之。檜大怒曰：『侍郎知故事，檜獨不知耶？』他日，開又至政事堂，問：『計果安出？』檜曰：『聖意已定，尚何言！公自取大名而去，如檜，第欲濟國事耳。』然猶以梓宮未還，母后、欽宗未復，詔侍從、臺諫集議以聞。開上疏略曰：『但當修德立政，嚴於為備。以我之仁，敵彼之不仁；以我之義，敵彼之不義；以我之戒懼，敵彼之驕泰。真積力久，如元氣固而病自消，太陽升而陰自散，不待屈己，陛下之志成矣。不然，恐非在天之靈，與太后、淵聖所望於陛下者也。』檜曰：『此事大係安危。』開曰：『今日不當說安危，只當論存亡。』檜矍然。會樞密編修胡銓上封事，痛詆檜，極稱開，由是罷，以寶文閣待制知婺州。開言：『議論妄發，實緣國事。』力請歸。檜議奪職，同列以為不可，提舉太平觀、知徽州。以病免，居閒十餘年。黃達如請籍和議同異為士大夫升黜，即擢達如監察御史，首劾開，褫職。引年請還政，僅復祕閣修撰，卒，年七十一。檜死，始復待制，盡還致仕遺表恩數。」是開沮秦檜和議得罪之證。

又有長兄弼為湖北提舉學士，廣棪案：《文獻通考》「學士」作「學事」。盧校本同。**渡江溺死。幾以其遺澤補官，銓試第一，賜上舍出身。**

案：《宋史》幾本傳載：「兄弼，提舉京西南路學事，按部溺死，無後，特命幾仕郎。試吏部，考官異其文，置優等，賜上舍出身，擢國子正兼欽慈皇后宅教授。遷辟雍博士，除校書郎。」可參證。

清江二孔之甥也。

案：《宋史》幾本傳載：「幾三仕嶺表，家無南物，人稱其廉。早從舅氏孔文仲、武仲講學。」考《宋史》卷三百四十四、〈列傳〉第一百三有〈孔文仲〉附弟武仲、平仲。〈孔文仲〉傳載：「孔文仲字經父，臨江新喻人。……初，文仲與弟武仲、平仲皆以文聲起江西，時號『三孔』。」可參證。

紹興末，幾已老，廣棪案：《文獻通考》「老」作「考」。**始擢用。乾道中，年八十三以死，號茶山先生。**

案：《宋史》幾本傳載：「幾承平時已為館職，去三十八年而復至，須鬢皓白，衣冠偉然。每會同舍，多談前輩言行、臺閣典章，薦紳推重焉。詔修

《神宗寶訓》，書成，奏薦，帝稱善。權禮部侍郎。兄楙、開皆嘗貳春官，幾復爲之，人以爲榮。吳、越大水、地震，幾舉唐貞元故事反覆論奏，帝韙其言。他日謂幾曰：『前所進陸贄事甚切，已遣漕臣振濟矣。』引年請謝，上曰：『卿氣貌不類老人，姑爲朕留。』謝曰：『臣無補萬一，惟進退有禮，尚不負陛下拔擢。』上閔勞以事，提舉玉隆觀，紹興二十七年也。除集英殿修撰，又三年，升敷文閣待制。金犯塞，中外大震，帝召楊存中偕宰執對便殿，諭以將散百官，浮海避之。左僕射陳康伯持不可。存中言：『敵空國遠來，已闖淮甸，此正賢智馳騖不足之時。臣願率先將士，北首死敵。』帝喜，遂定議親征，下詔進討。有欲遣使詣敵求緩師者，幾疏言：『增幣請和，無小益，有大害，爲朝廷計，正當嘗膽枕戈，專務節儉，經武外一切置之，如是雖北取中原可也。且前日詔諸將傳檄數金君臣，如叱奴隸，何辭可與之和耶？』帝壯之。孝宗受禪，幾又上疏數千言。將召，屢請老，乃遷通奉大夫，致仕，擢其子逮爲浙西提刑以便養。乾道二年卒，年八十二，謚文清。」可參證。《宋元學案》卷三十四、〈武夷學案·武夷門人〉有〈文清曾茶山先生幾傳〉，是幾號茶山。

其子逢、逮皆顯於時。

案：《宋史》幾本傳載：「二子：逢仕至司農卿，逮亦終敷文閣待制，而逢最以學稱。」可參證。

天台集十卷、外集四卷、長短句三卷附

《天台集》十卷、《外集》四卷、《長短句》三卷附，臨海陳克子高撰。
廣棪案：《宋史》卷二百八、〈志〉第一百六十一、〈藝文〉七、〈別集類〉著錄：「陳克《天台詩》十卷，又《外集》四卷。」未著錄《長短句》三卷。克，《宋史》無傳，《宋元學案補遺》卷五、〈古靈四先生學案補遺·叔彝家學〉「陳先生克」條載：「陳克字子高，奉議叔彝之子。博學能詩，薦爲刪定官。呂尙書祉帥建康，辟致爲屬。後祉參督府謀議，復從爲淮西之行。建炎間酈瓊之變，先生奮勇出戰，兵敗就擒，賊叱令屈膝，先生曰：『吾爲宋臣，學忠信之道，寧爲珠碎，不爲瓦全。』賊怒，積薪焚之。先生罵不絕口，聲如震雷，賊懼羅拜，舉酒酹曰：『公，忠臣也，吾輩無知，誤公命爾。』軍民聞先生死，號慟如喪所親。」可知其生平。

李庚子長跋其後云：_{廣校案：《文獻通考》「李庚」作「李更」。}「刪定，鄉人
也，少時侍運判公貽序，_{廣校案：《文獻通考》「少時」作「少小」，盧校本同。}
宦學四方，曾慨《詩選》敘為金陵人，蓋失其實。今考《集》中首末
多在建康，且嘗就試焉，當是僑寓也。《詩選》又言不事科舉，以呂安
老薦入幕府得官。按《集》有〈聞榜〉二絕，則嘗應舉矣。又有甲午
歲所作詩，云三十四，則其生當在元豐辛酉，得官入幕，蓋已老矣。
詩多情致，詞尤工。」

> 案：庚，《宋史》無傳。《宋詩紀事》卷四十七「李庚」條載：「庚字子
> 長，臨海人。紹興十二年進士，歷官監察御史，知袁州。有集號《詅
> 癡符》。」刪定，指陳克，蓋克嘗任刪定官。庚與克同為臨海人，故稱
> 「鄉人」。克父貽序，《宋史》無傳。《宋元學案補遺》卷五、〈古靈四
> 先生學案補遺・伯模學侶〉「運判陳先生貽序」條載：「陳貽序字叔彝，
> 治平元年進士。性剛介，有才學，以詩名，為東坡、南豐所知。官終
> 湖南運判，所著有《天台集》。《臨海志》。」呂安老即呂祉，建州建陽人。
> 《宋史》卷三百七十、〈列傳〉第一百二十九有傳。甲午，指徽宗政和
> 四年（1114）；元豐辛酉，即神宗元豐四年（1081）。克建炎間（1127
> ～1130）入呂祉幕，年近半百，故《解題》謂其「得官入幕，蓋已老
> 矣」。

簡齋集十卷

《簡齋集》十卷，參政洛陽陳與義去非撰。

> 廣校案：《宋史》卷二百八、〈志〉第一百六十一、〈藝文〉七、〈別集類〉
> 著錄：「《陳與義詩》十卷。」即此書。與義字去非，紹興七年正月參知
> 政事。《宋史》卷四百四十五、〈列傳〉第二百四、〈文苑〉七有傳。

其先蓋蜀人，東坡所傳陳希亮公弼者，其曾祖也。

> 案：《宋史》與義本傳載：「陳與義字去非，其先居京兆，自曾祖希亮始
> 遷洛，故為洛人。」考《蘇軾文集》卷十三、〈傳〉有〈陳公弼傳〉，曰：
> 「公諱希亮，字公弼，姓陳氏，眉之青神人。其先京兆人也，唐廣明中
> 始遷于眉。」是與義之先為京兆人，唐時遷眉為蜀人，至曾祖希亮又遷
> 洛，故為洛陽人。

崇、觀間尚王氏經學，風雅幾廢絕，而去非獨以詩鳴，中興後遂顯用。

案：崇寧、大觀，徽宗年號。《宋史》與義本傳載：「（紹興）七年正月，參知政事，唯師用道德以輔朝廷，務尊主威而振綱紀。時丞相趙鼎言：『人多謂中原有可圖之勢，宜便進兵，恐他時咎今日之失機。』上曰：『今梓宮與太后、淵聖皆未還，若不與金議和，則無可還之理。』與義曰：『若和議成，豈不賢於用兵，萬一無成，則用兵必不免。』上曰：『然。』三月，從帝如建康。明年，扈蹕還臨安。以疾請，復以資政殿學士知湖州，陛辭，帝勞問甚渥，遂請閒提舉臨安洞霄宮。十一月，卒，年四十九。與義容狀儼恪，不妄笑言，平居雖謙以接物，然內剛不可犯。其薦士於朝，退未嘗以語人，士以是多之。尤長於詩，體物寓興，清邃紆餘，高舉橫厲，上下陶、謝、韋、柳之間。嘗賦〈墨梅〉，徽宗嘉賞之，以是受知于上云。」可參證。

西溪居士集五卷

《西溪居士集》五卷，館臣案：姚寬集號《西溪居士》，原本作「西漢」，誤，今改正。剡川姚寬令威撰。待制舜明廷輝之子。

廣棪案：《宋志》未著錄此書。寬，《宋史》無傳。《宋史翼》卷二十八、〈列傳〉第二十八、〈文苑〉三有傳，載：「姚寬字令威，嵊縣人。以父舜明任補官。……所著有《西溪集》十卷、《注司馬遷史記》一百三十卷、《補注戰國策》三十一卷、《五行祕記》一卷、《西溪叢語》一卷、《玉璽書》一卷、《注韓文公集》未畢，尚數卷。寬每語人曰：『古稱圖書豈可偏廢。』故其注《史記》、《戰國策》，辭有所不盡，必畫而為圖。於文最得於詩，葉適云：『寬古樂府流麗哀思，頗雜近體詩，絕去尖巧，乃全造古律，加於作者一等矣。』為當世推重如此。」可參證。是寬所撰詩文合集凡十卷，此為詩集，僅五卷。姚舜明，《宋史》亦無傳。《宋詩紀事》卷三十五「姚舜明」條載：「舜明字廷輝，嵊縣人。紹聖四年進士，除直祕閣，提點兩浙刑獄。高宗朝，充江淮荊浙都督府隨軍轉運使，權戶部侍郎，進徽猷閣待制。」可參考。

兄宏令聲為刪定官，得罪秦檜，死大理獄。

案：《宋史翼》寬本傳載：「兄宏字令聲，少有才名。呂頤浩為相，薦為刪定官。後忤秦檜，死大理獄。」可參證。

寬為六部監門，逆亮入寇，寬言木德所照，必無虞。言驗，將除郎，召對，得疾仆殿上卒。遂用其弟憲令則，後至執政。

　　案：《宋史翼》寬本傳載：「少有令望，筮仕之始，一時名流爭禮致之。呂頤浩、李光帥江東，皆招置幕中。傅崧卿繼至，以主管機宜文字辟之，辭不就。崧卿移書交舊，有愧恨之語。秦檜執政，以舊怨抑而不用，寬亦不屈己求進。後以賀允中、徐林、張孝祥等薦，入監進奏院六部門，權尚書戶部員外郎，兼權金倉工部屯田郎，樞密院編修官。寬博學強記，於天文推算尤精。完顏亮入寇，中外皆以為憂，具云：『虜百萬，何可當？惟有退保爾！』寬獨抗論沮止，且上書執政，言：『今八月歲入翼，明年七月入軫，又其行在己巳者，東南屏蔽也。昔越得歲，而吳伐越，吳卒以亡。晉得歲，而苻堅伐晉，堅隨以滅。今狂虜背盟犯歲，滅亡指日可待。』又推太一熒惑所次，皆賊必滅之兆。未幾，亮果自斃。從上幸金陵，以其言驗，令除郎。召對，上首問歲星之詳。寬敷奏移晷。復論當世要務，奏未畢，疾作，仆於榻前。上面諭令優假將理，俟愈復入對。後一日卒。上甚念之，特官一子，且用其弟憲於朝。_{王明清《揮麈後錄》參《國史》。}」可參證。考姚憲，《宋史》無傳。《宋人傳記資料索引》載：「姚憲（1119～1178）字令則，會稽嵊縣人，寬弟。乾道八年進士，歷權戶工部侍郎，進端明殿學士簽書樞密院事，淳熙元年四月拜參知政事。六月罷，改端明殿學士在外宮觀，尋責居南康軍。起知江陵，淳熙五年卒，年六十三。」可參考。

集句詩三卷

《集句詩》三卷，江陰葛次仲亞卿撰。勝仲之兄。兄弟皆為大司成。

　　廣梭案：《宋史》卷二百八、〈志〉第一百六十一、〈藝文〉七、〈別集類〉著錄：「葛次仲《集句詩》三卷。」與此同。次仲，《宋史》無傳。《宋詩紀事》卷三十四「葛次仲」條載：「次仲字亞卿，江陰人。勝仲之兄。兄弟皆大司成，有《集句詩》三卷。」可參證。勝仲字魯卿，丹陽人。登紹聖四年進士第，後除國子祭酒。《宋史》卷四百四十五、〈列傳〉卷二百四、〈文苑〉七有傳。大司成即國子祭酒。

盧溪集七卷

《盧溪集》七卷，直敷文閣盧陵王庭珪民瞻撰。

廣棪案：《宋史》卷二百八、〈志〉第一百六十一、〈藝文〉七、〈別集類〉著錄：「王庭珪《盧溪集》十卷。」卷數不同。蓋《宋志》所著錄為別集，此為詩集也。庭珪，《宋史翼》卷七、〈列傳〉第七有傳，惟字作「民珪」，疑誤。乾道七年除直敷文閣。《宋史翼》謂有《盧溪集》五十卷，與《宋志》著錄不同，未悉何據？

政和八年進士。仕不合，棄去，隱居數十年，坐作詩送胡邦衡除名，徙辰州，年已七十矣。阜陵初政，召為國子監主簿，九十餘乃終。寄祿纔承奉郎，澤竟不及後。

案：《宋史翼》庭珪本傳載：「王庭珪字民瞻，江西安福人。崇寧癸未三舍法行，一試即為首選。政和八年成進士，調衡州茶陵丞。猾胥文雅者勢傾一邑，前政不能去。庭珪持其宿負，白於郡，黥徒之舉，邑稱快。茶陵田稅不均，富者田多稅寡以規役。庭珪令凡執役者，邑毋得秋毫擾，使安於鄉。民既不病役，田復元稅，由是產與稅不頗矣。丞舊兼造船場，憲臺初與薦，牘久之，欲役船工造家具，庭珪卻其薦。憲怒甚，遂拂衣歸。年未五十，茸草堂於盧溪之上，執經來者屨滿戶外，人不稱其官，曰盧溪先生。紹興十二年，胡銓以諫議和，謫嶺表，士皆刺舌。庭珪獨以詩送行，有『癡兒不了公家事，男子要為天下奇』之句。銓鄉人歐陽安永告訐，以為謗訕朝政，詔下虔、吉兩郡切究。守臣曾慥、王珉，提刑李芝、林大聲，皆寢其事。至十九年，知洪州沈明遠始鞫治以聞。庭珪坐勒停，送昭州編管。檜死，許自便。孝宗即位，改承奉郎，除國子監主簿。庭珪以年老乞祠，主管台州崇道觀。乾道六年，以胡銓薦，復召；固辭不聽。明年始到闕，引對免拜，賜坐問勞。詔曰：『王庭珪年九十餘，而智識未衰，行義益固，賜對便坐，富有嘉言，除直敷文閣，領祠如故。』乾道某年卒，年九十三。」可參證。

周益公在位，欲委曲成就之，卒不可。

案：周必大《文忠集》卷二十九、〈行狀‧左承奉郎直敷文閣主管台䢼崇道觀王公廷珪行狀〉載：「子（王）頔卜以十年正月丙午，葬公本縣清化鄉長賦之原，使來速〈行狀〉，將求〈銘〉于胡公。憶昔伯父暨先君與公

同爲政和戊戌進士，故知公詳。其再召也，某適對禁中，坐定，上問：『銓薦詩人朱熹、王某，卿識之乎？』某既奏熹出處，具言：『公年德文章，在今未易多得，且登第五十三年矣。』上曰：『官卑何故？』某曰：『斯人早忤上官，晚復流竄，官薄所以不進。陛下若安窮悼屈，厚加品秩，錫之章服，足以勸善。』上曰：『俟其至議之。』明年公至，上命寓直西清，蓋待以卿監，去朝禮。某嘗白丞相：『濟公王某，百年故老，扶杖造朝，意欲掛其冠神武門，丞相能爲上言，俯聽所請，而官其一子，非美事與？』丞相曰：『君言是也，上必不爲老人惜一子官。』明日又言之。丞相曰：『決矣。』已而乃不報，天其或者欲公子孫自以儒業發聞于世乎！敢具列之，敬俟筆削。謹狀。」可參證

韋齋小集一卷

《韋齋小集》一卷，朱松喬年撰。

　　廣棪案：《宋史》卷二百八、〈志〉第一百六十一、〈藝文〉七、〈別集類〉著錄：「《朱松《韋齋集》十二卷，又《小集》一卷。》是《小集》爲詩集。松，《宋史》卷四百二十九、〈列傳〉第一百八十八、〈道學〉三附其子〈朱熹〉，曰：「朱熹字元晦，一字仲晦，徽州婺源人。父松字喬年，中進士第。胡世將、謝克家薦之，除祕書省正字。趙鼎都督川、陝、荊、襄軍馬，招松爲屬，辭。鼎再相，除校書郎，遷著作郎。以御史中丞常同薦，除度支員外郎，兼史館校勘，歷司勳、吏部郎。秦檜決策議和，松與同列上章，極言其不可。檜怒，風御史論松懷異自賢，出知饒州，未上，卒。」可參考。

玉瀾集一卷

《玉瀾集》一卷，朱槔逢年撰。韋齋之弟，晦庵之叔父也。嘗夢爲玉瀾堂之游，甚異，有詩紀之。

　　廣棪案：《宋志》未著錄此書。槔，《宋史》無傳。《宋元學案補遺》卷三十九、〈豫章學案補遺·朱氏先緒〉「承事朱先生森附子槔」條載：「朱森世居歙之黃墩。先生少務學，不事進取，戒飭諸子諄諄以忠孝和友爲本。且曰：『吾家業儒，積德五世矣，後必有顯者，當勉勵謹飭，無墜先業。』

卒，贈承事郎。生三子，長松，季橒，負軼才，不肯俯仰于世。有詩，
高遠近道，號《玉瀾集》。蔡氏《九儒書》。」《宋詩紀事》卷三十九「朱橒」
條載：「橒字逢年，韋齋之弟，有《玉瀾集》。」韋齋即朱松，朱熹父。《宋
人傳記資料索引》載：「朱橒字逢年，婺源人，松弟。少有軼才，自負其
長，不肯隨俗俯仰，厄窮蹭蹬，有人所難堪，而其節愈厲，其氣愈高。
其詩閒暇，略不見悲傷憔悴之態。因夢，名堂曰玉瀾。有《玉瀾集》。」
均可參證。

雲壑隱居集三卷

《雲壑隱居集》三卷，廣棪案：《文獻通考》作二卷。南城蔡柟堅老撰。宣
和以前人，沒於乾道庚寅。曾公卷、呂居仁輩皆與之倡和。

　　廣棪案：《讀書附志》卷下、〈別集類〉四著錄：「《雲壑隱居集》三卷、
　　《浩歌集》一卷。右蔡柟堅老之作也。柟嘗為宜春別駕云。」《宋史》
　　卷二百八、〈志〉第一百六十一、〈藝文〉七、〈別集類〉僅著錄：「蔡
　　柟《浩歌集》一卷。」柟，《宋史》無傳。《宋詩紀事》卷四十一「蔡
　　柟」條載：「柟字堅老，南城人。嘗為宜春別駕。宣和以前人，歿于乾
　　道庚寅。曾公卷、呂居仁輩皆與倡和。有《雲壑隱居集》、《浩歌集》。」
　　可參證。乾道庚寅為乾道六年（1170）。曾公卷，即曾紆，字公袞，一
　　作公卷，曾布第四子。《宋史翼》卷二十六、〈列傳〉第二十六、〈文苑〉
　　一有傳。呂居仁，即呂本中，《宋史》卷三百七十六、〈列傳〉第一百
　　三十五有傳。

陳正獻集十卷

《陳正獻集》十卷，丞相福正獻公莆田陳俊卿應求撰。

　　廣棪案：《宋志》未著錄此書。俊卿字應求，興化人。乾道五年為左相，
　　卒賜正獻。《宋史》卷三百八十三、〈列傳〉第一百四十二有傳。

紹興八年進士第二人。

　　案：《宋史》俊卿本傳載：「紹興八年，登進士第，授泉州觀察推官。」
　　可參證。

乾、淳間名相，與虞并父異論去國。_{廣棪案：《文獻通考》「并父」作「并甫」。}

_{盧校注：「《宋史》虞允文字彬甫。」}

案：《宋史》俊卿本傳載：「虞允文宣撫四川，俊卿薦其才堪相。_{（乾道）}五年正月，上召允文爲樞密使，至則以爲右相，俊卿爲左相。允文建議遣使金以陵寢爲請，俊卿面陳，復手疏以爲不可。……曾覿官滿當代，俊卿預請處以浙東總管。上曰：『覿意似不欲爲此官。』俊卿曰：『前此陛下去二人，公論甚愜。願捐私恩，伸公議。』覿怏怏而去。樞密承旨張說爲親戚求官，憚俊卿不敢言，會在告，請於允文，得之。俊卿聞敕已出，語吏留之。說皇恐來謝，允文亦愧，猶爲之請，俊卿竟不與，說深憾之。吏部尚書汪應辰與允文議事不合，求去，俊卿數奏應辰剛毅正直，可爲執政。上初然之，後竟出應辰守平江。自是上意鄉允文，而俊卿亦數求去。明年，允文復申陵寢之議，上手札諭俊卿，俊卿奏：『陛下痛念祖宗，思復故疆，臣雖疲駑，豈不知激昂仰贊聖謨，然於大事欲計其萬全，俟一二年間，吾之事力稍充乃可，不敢迎合意指誤國事。』即杜門請去，以觀文殿大學士帥福州。陛辭，猶勸上遠佞親賢，修政攘敵，泛使未可輕遣。既去，允文卒遣使，終不得要領。曾覿亦召還，建節鉞，躋保傅，而士大夫莫敢言。」可參證。

靜泰堂集十卷

《靜泰堂集》十卷，參政莆田龔茂良實之撰。

廣棪案：《宋史》卷二百八、〈志〉第一百六十一、〈藝文〉七、〈別集類〉著錄：「龔茂良《靜泰堂集》三十九卷。」是《別集》三十九卷，《詩集》十卷。茂良字實之，興化軍人。孝宗時拜參知政事。《宋史》卷三百八十五、〈列傳〉第一百四十四有傳。

黃公度以莆人魁天下，陳正獻次之。故事：拜黃甲，推最老者一人，最少者一人。是歲茂良年最少，莆人以爲盛事。

案：黃公度即黃瑊，《宋史》無傳。《宋人傳記資料索引》載：「黃瑊字公度，浦城人。震子。以蔭補太廟齋郎，累除國子博士，出知撫州，罷秩。蔡襄知監院，言瑊才器明敏，資性公廉，嘉祐末以薦爲廣濟都大輦運司，卒，年六十二。」陳正獻即陳俊卿。茂良，紹興八年進士第，與俊卿同

年。黃甲，科舉甲科進士及第者之名單，因用黃紙書寫，故名。明彭大翼《山堂肆考‧科第‧登第》載：「黃甲由省中降下，唱名畢，以此升甲之人，附于卷末，用黃紙書之，故曰黃甲。是日貢院設香案于庭下，狀元引五甲內士人拜香案，禮部亦遣官來贊導，置黃甲于案中，而望闕引拜。」可悉拜黃甲之一斑。

後參大政，相位久虛，實行相事，坐撻曾覿直省官，忤阜陵意，用謝廓然賜出身入臺擊罷之，遂謫英州以沒。其風節凜凜，為世名臣。

案：《宋史》茂良本傳載：「葉衡罷，上命茂良以首參行相事。……茂良之以首參行相事也，踰再歲，上亦不置相，因諭茂良：『史官近奏三台星不明，蓋實艱其選耳。』淳熙四年正月，召史浩於四明，茂良亦覺眷衰，因疾力求去。上曰：『朕以經筵召史浩，卿不須疑。』時曾覿欲以文資祿其孫，茂良以文武官各隨本色蔭補格法繳進。覿因茂良入堂道間，俾直省官賈光祖等當道不避。街司叱之，曰：『參政能幾時！』茂良奏：『臣固不足道，所惜者朝廷大體。』上諭覿往謝，茂良正色曰：『參知政事者，朝廷參知政事也。』覿慚退。上諭茂良先遣人於覿，衝替而後施行。茂良批旨，取賈光祖輩下臨安府撻之。手詔宣問施行太遽，茂良待罪。上使人宣諭委曲，令繳進手詔，且謂：『卿去雖得美名，置朕何地？』茂良即奉詔。謝廓然賜出身，除殿中侍御史，廓然附曾覿者也。中書舍人林光輔繳奏，不書黃，遂補外。茂良力求去，上諭曰：『朕極知卿，不敢忘，欲保全卿去，俟議恢復，卿當再來。』是日，除職與郡，令內殿奏事，乃手疏恢復六事，上曰：『卿五年不說恢復，何故今日及此？』退朝甚怒，曰：『福建子不可信如此！』謝廓然因劾之，乃落職放罷，尋又論茂良擅權不公，矯傳上旨，輒斷賈光祖等罪，遂責降，安置英州。父子卒于貶所。」可參證。

寓山集三卷

《寓山集》三卷，館臣案：《文獻通攷》作三十卷。　廣棪案：盧校本同。吳興沈仲喆明遠撰。廣棪案：「沈仲喆」應作「沈作喆」。《文獻通考》亦誤。丞相該之姪。紹興五年進士，改官為江西運管。嘗為〈悲扇工〉詩，忤魏良臣，陷以深文，奪三官，不得志以卒。

廣校案：《宋志》未著錄此書。作喆，《宋史》無傳。元韋居安《梅磵詩話》卷上載：「沈作喆字明遠，吳興人，守約丞相之姪，自號寓山。登紹興進士第，嘗爲江右漕屬。作〈哀扇工〉詩，掇怒洪帥魏道弼，捃深文劾之，坐奪三官。其後從人使虜，南澗韓無咎遺之詩曰：『但如王粲賦〈從軍〉，莫爲班姬詠〈團扇〉。』有旨哉！洪有士子與寓山往來相款洽，一日清晨來訪，寓山猶在寢，遂徑造書室，翻篋中紙，詩稿在焉，由是達魏之聽。陳直齋《吳興氏族志》云：『〈哀扇工〉詩，罵而非諷，非言之者罪也。』其詩不傳。」《宋詩紀事》卷四十四「沈作喆」條載：「作喆字明遠，吳興人。丞相該之姪。紹興五年進士，嘗爲江右漕屬，作〈哀扇工歌〉忤洪帥魏良臣道弼，据深文劾之，奪三官，有《寓山集》。」《宋詩紀事》「据」字乃「捃」之訛。〈哀扇工歌〉載《宋詩紀事》，曰：「黃州竹扇名字著，織扇供官困追捕。史君開府未浹旬，欲戴綸巾揮白羽。新模巧製旋剪裁，百中無一中程度。犀革鑴柄出蟲魚，麝煤熏紙生煙霧。戢山老姥羞翰墨，漢宮佳人掩紈素。衙內白取知何名，帳下雄挐不知數。供輸不辦箠楚頻，一朝赴水將誰訴。史君崇重了不聞，嗚呼何以慰黎庶。聞道園家賣菜翁，又說江南打魚戶。號令亟下須所無，官不與錢期限遽。歸來痛哭辭妻兒，宿昔投繯挂枯樹。一雙婉婉良家子，吏兵奪取名爲顧。弟兄號叫鄰里驚，兩家吞聲喪其嫗。死者已矣可奈何，冤魂成羣空號呼。去聲。殺人縱欲勢位尊，貪殘無道天所怒。邦人蓄憤不敢言，君其拊馬章臺路。《清波別志》。」詩後有厲鶚按語曰：「韋居安《梅磵詩話》云：『〈哀扇工詩〉不傳。』今從《清波別志》檢得無名子〈哀扇工歌〉一首，當即是沈詩，佚其姓名爾。陳直齋云：『〈哀扇工詩〉，罵而非諷。』今讀之良然，仍以還沈。」是此詩作喆所撰，未佚。《解題》此條闕「罵而非諷」四字，《四庫全書》本恐有脫文。

劍南詩藁二十卷、續藁六十七卷

《劍南詩藁》二十卷、《續藁》六十七卷，陸游務觀撰。

　　廣校案：《解題》卷十八、〈別集類〉下著錄：「《渭南集》三十卷、《劍南詩藁》、《續藁》八十七卷。」所著錄《詩藁》、《續藁》卷數共八十七卷，與此合。《宋史》卷二百八、〈志〉第一百六十一、〈藝文〉七、〈別集類〉

著錄：「陸游《劍南續藁》二十一卷。」所著錄者應爲不完之本。游字務觀，越州山陰人。孝宗時起知嚴州，過闕，陛辭，上諭曰：「嚴陵山水勝處，職事之暇，可以賦詠自適。」嘉定二年卒，年八十五。《宋史》卷三百九十五、〈列傳〉第一百五十四有傳。

初為嚴州，刻《前集》藁，廣棪案：《文獻通考》此句作「刻所藁」。盧校本「前」後無「集」字。**止淳熙丁未。自戊申以及其終，當嘉定庚午，二十餘年為詩益多，其幼子遹復守嚴州，**廣棪案：《文獻通考》此句作「其幼子子遹後守嚴州」。盧校本「嚴」下無「州」字。**續刻之。篇什之富以萬計，古所無也。**

案：黃丕烈《士禮居藏書題跋記續編》卷五、〈集類〉著錄：「《放翁先生劍南詩藁》十八卷，殘宋刻本。陳氏《書錄解題・別集類》下云：『《劍南詩藁續藁》八十七卷。』〈詩集類〉下云：『《劍南詩藁》二十卷、《續藁》六十七卷。』蓋兩載之。而初爲嚴州，刻《前集》藁，止淳熙丁未；自戊申以及其終，當嘉定庚午，二十餘年，爲詩益多，其幼子遹復守嚴州，續刻之。則《劍南詩藁》與《續藁》，固判然二刻矣。余家舊藏《新刊劍南詩藁》殘宋刻，無總目，其卷第之可考者，有一至四、八至十，其卷第之剜改而猶可約略者，有十四至十六，所謂嚴州刻是也。頃訪書玉峰吳氏，復得殘宋本《放翁先生劍南詩藁》目錄三冊，爲目錄一至十二、十九至三十、三十一至四十五，《放翁先生劍南詩藁》卷四十二至四十四、五十八、五十九、六十至六十二，亦三冊，其第一冊板心卷第可攷，餘二冊俱剜去，約略而得其卷第之次序矣。四十二卷中有〈己未冬至〉詩，六十二卷中有〈乙丑重五〉詩，合諸陳氏所云，必在《續藁》中，此皆題曰《劍南詩藁》者，必非幼子遹復守嚴州續刻之本。就乙丑數至庚午，尚隔有五年，惜目錄與詩卷第俱不全，無從得其究竟爲何恨耳。以余搜訪幾三十年，先後獲《渭南》、《渭南集》五十卷，宋刻全。《劍南》宋刻，雖不盡全，何幸而如此耶！復翁記。」又云：「余向從郡故家收得殘宋刻《劍南詩藁》十冊，卷第多剜改，以毛刻勘之，得其原本卷第。而毛刻於各卷下注宋本者，往往與殘宋本合。然此十卷外，尚有注宋本字樣者，余所收中卻無，未解其何謂。及續收此別本宋刻，存卷有八，覆取毛刻證之，與其注宋本字樣者適合，乃歎遇合之奇，無過於是。蓋汲古當日所據以付梓者，本非宋刻，偶得殘本十八卷校勘之，因各記於卷尾，而不明言所得宋刻之全否以示後人，豈知後世有勤於搜訪

者，次第得之以重爲印證乎？茲取兩宋刻合之，其標題各異，非一本，前所得十卷，當即《劍南詩藁》二十卷本，後所得八卷，當即《續藁》六十七卷本，雖本各不同，而行款字數，兩刻適合，從此會歸一處，依然延平劍合矣。余前收此書時，未及將毛本一核。毛氏遇之于前，余復遇之于後，其一段因緣，有足爲書林佳話者。甲戌仲春，養疴杜門，日盤桓于樓下西廂，隨檢各書，重加繙閱，甫題于此。書魔書福，余兩兼之，自笑竊自喜也。復翁。」同書同卷著錄：「《新刊劍南詩藁》。《劍南詩藁》二十卷，《續藁》六十七卷，《書錄解題》並載之。而此宋刻殘本《劍南詩藁》，前有淳熙十有四年臘月幾望門人迪功郎、監嚴州在城都稅務、括蒼鄭師尹〈序〉一通，即陳氏所云初爲嚴州刻《前集》者也。蓋放翁爲新定郡守，始刻淳熙丁未以前藁，其後幼子遹復守嚴州續刻者，又在嘉定庚午。《詩藁》、《續藁》，本非一刻，毛氏合而刻之，面目無可考見。此本有一至四、八至十、十五至十七，雖未能復二十卷之舊，然毛刻所據者，止此殘本，故于宋刻存卷皆注云毛子晉校，餘則不然，此其明驗，惟字句仍不能悉遵宋刻爲異耳！」考《北京圖書館善本書目》卷六、〈集部〉著錄：「《新刊劍南詩藁》二十卷。宋陸游撰。宋淳熙十四年嚴州郡齋刻本。十冊。存十卷，一至四，八至十，十四至十六。」同書同卷著錄：「《放翁先生劍南詩藁》六十七卷目錄□卷。宋陸游撰。宋刻本。黃丕烈跋並題詩，李放跋。六冊。存十四卷，四十二至四十四，五十八至六十二；目錄一至二，四至七。」又考《北京圖書館中國版刻圖錄》著錄：「《新刊劍南詩藁》。宋陸游撰。宋淳熙十四年嚴州郡齋刻本。建德。匡高一九‧四釐米，廣一三‧二釐米。十行，行二十字。白口，左右雙邊。淳熙十四年放翁知嚴州時刻於州治。刻工李忠、張明、金敦、翁祐時，又刻嚴州小字本《通鑑紀事本末》與《古文苑》、《酒經》等書。明末毛氏汲古閣刻本，即據此本翻版。存十卷。」均可參證。是則陸游《劍南詩藁》、《續藁》之殘宋嚴州刻本仍存此霄壤間。陸遹，《宋史》無傳，生平無可考。

雪巢小集二卷

《雪巢小集》二卷，東魯林憲景思撰。

　　廣棪案：《宋史》卷二百八、〈志〉第一百六十一、〈藝文〉七、〈別集類〉

著錄：「林憲《雪巢小集》二卷。」與此同。憲，《宋史》無傳。《宋元學案》卷二十七、〈和靖學案・惇立門人〉「林雪巢先生憲」條載：「林憲，字景思，魯人也。」《宋元學案補遺》卷二十七、〈和靖學案補遺・徐氏門人〉「補林雪巢先生憲」條云：「雲濠謹案：先生字景思，魯人。《文獻通考》作『東魯林景憲』，舊《浙江通志》又作『林憲章』，未詳孰是。」考《文獻通考》仍作「東魯林憲景思」，雲濠案誤。《浙江通志》作「林憲章」亦誤。《宋史翼》卷三十六、〈列傳〉第三十六、〈隱逸〉有〈林憲〉，云：「林憲字景思，吳興人。」殆據其寓吳興而言也。東魯與魯同。

初寓吳興，從徐度敦立游，後為參政賀允中子忱孫壻，寓臨海。其人高尚，詩清澹，五言四韻古句尤佳，殆逼陶、謝。梁谿尤延之、誠齋楊廷秀皆為之〈序〉，且為〈雪巢賦〉及〈記〉。

案：《宋元學案》「林雪巢先生憲」條載：「林憲，字景思，魯人也。初寓吳興，後寓臨海。從徐惇立遊。工詩，學韋蘇州。尤延之、楊廷秀嘗極稱之。所著《雪巢小集》二卷。先生貧甚，壻于賀氏，顧辭奩田不受，則有得于和靖之教者矣。 _{補。}」《宋史翼》林憲本傳載：「林憲字景思，吳興人。少從侍郎徐度遊，度得句法於魏衍，實後山嫡派也。《梅磵詩話》。卓犖有大志，參政賀子忱奇其才，以孫女妻之。臨終，復遺以米數百斛，謝不取。賀既亡，挈其孥居蕭寺，屢瀕於餒而不悔。讀書著文，不改其樂。喜哦詩，落筆立就，渾然天成，一時名流皆願交之。若徐敦立、芮國器、莫子及、毛平仲，相與為莫逆。尤袤〈雪巢小集序〉。楊誠齋、樓攻媿皆稱其詩似唐人。《誠齋集》參《攻媿集》。其人高尚清談，五言四韻古句，殆逼陶、謝。《書錄解題》。淳熙五年，尤袤為作〈雪巢記〉，又為〈雪巢小集序〉。《瀛奎律髓》。」可參證。尤袤所作〈雪巢小集序〉，載《梁谿遺稿》卷二，云：「余友林憲景思，吳興人。年少時，卓犖有大志。賀參政子忱奇其才，以孫女妻之。臨終復與米數百斛，謝不取。賀既亡，挈其孥居蕭寺，屢瀕于餒而不悔。讀書著文，不改其樂。頃嘗隨賀使北，同行中，後有鼎貴者會赴大比試，來都城，因游西湖上。新貴人于馬上覘識之，使人傳言請見，亟遁去。其操守如此。獨喜哦詩，初不煅煉，而落筆立就，渾然天成，無一語蹈襲。如：『柔櫓晚潮上，寒燈深樹中。』『汲水延晚花，推窻數新竹。』『中夜鶖鶬喧，誰家海船上。』唐人之精于詩者不是過。一時名流皆願交之，若徐敦立、芮國器、莫子及、毛

平仲，相與爲莫逆。其後諸公彫喪略盡，君亦運蹇不偶，至無屋可居，無田可耕，其貧益甚，其節益固，而其詩益工。嗚呼！士患無才，而有才者困窮類若此，豈發造化之祕，天殆惡此耶？抑嘗謂富與貴，人之所可得；而才者，天之所甚靳。景思取天之所甚靳者多，則不能兼人之所可得，固宜然。則才者實致窮之具，人何用有此，而天亦何用靳此，此未易以理曉也。君所居室名曰雪巢，嘗屬余記之。故其詩若干篇，自號《雪巢小集》云。」楊萬里亦作〈雪巢小集序〉，載《誠齋集》卷八十二、〈序〉，云：「《雪巢小集》，天台林憲景思之詩也。梁溪先生尤延之既序之矣，景思復徵余序其後。景思之詩似唐人，信矣，延之之論也。然至如『桃花飛後楊花飛，楊花飛後無花飛』；『天空霜無影』等句，超出詩人準繩之外，其邈不可追，其卓不可跂矣！使李太白在，必一笑領此句也；似唐人而已乎？然延之深愛景思之才，而憫其窮，至謂：『豈發造化之祕，而天惡此耶！』又謂：『富貴者，人之所可得；而才者，天之所甚靳；既取所甚靳，則不兼其所可得。』又謂：『才者，致窮之具；人何用得此，而天亦何用靳此，有未易以理曉者。』予嘗摘此語以唁景思曰：『子何必以才而致窮耶？子何必發天之所祕，而逢天之所怒耶？子何必爭天之所靳，而不即人之所可得者耶？』景思笑曰：『子不見唐人孟郊、賈島乎？郊、島之窮，才之所致固也。然同時之士，如王涯、賈餗，豈不富且貴哉？當郊、島以飢死寒死，涯、餗未必憐之也。及甘露之禍，涯、餗雖欲如郊、島之飢死寒死，不可得也。使郊、島見涯、餗之禍，涯、餗憐郊、島乎？郊、島憐涯、餗乎？未可知也。子不見本朝黃、秦乎？魯直貶死宜州，少游貶死藤州，而蔡京、王黼相繼爲宰相，貴震天下。當黃、秦之死，王、蔡必幸其死。及王、蔡之誅，黃、秦不見其誅，亦必不幸之也。然黃、秦不幸王、蔡之誅，而天下萬世幸之；王、蔡幸黃、秦之死，而天下萬世惜之。然則黃、秦之貧賤，王、蔡之富貴，其究何如也？且彼四子之富貴，其得者幾何？而今視之，不啻如糞土；而此四子之貧賤，所得者如此，今與日月爭光可也。然則，孰可願，孰不可願乎？亦未可知也。今吾不才，豈敢擬郊、島、黃、秦，而吾之窮有甚於郊、島、黃、秦，吾何幸得與郊、島、黃、秦同其窮，而不與涯、餗、王、蔡同其達，而子爲我願之乎？且吾與詩人同爭夫天之所靳，是天之橫民，同犯天之所惡，是又天之橫民也。治橫民宜以橫

攻，既與詩人同爲橫民，又欲不與詩人同受橫政，可乎？』余賀之曰：
『子既無遺力以取所靳，無懼心以犯所惡，無怨言以安所致，然則延之
爲君惜，延之爲過也。余舉延之語以唁君，亦過也。然君心欲專享詩人
所謂才之所致者，而不顧不悔，以不辭造物之橫政，亦過也。子盍持此
語，再見延之，爲余問之。』」至萬里所撰〈雪巢賦〉，載《歷代賦彙》
卷八十三、〈室宇〉，曰：「天台林君景思之廬，字以雪巢，尤延之爲作
〈記〉，廬陵楊某復賦。其辭曰：『赤城兮霞外，天台兮雲表。有美兮先
生，相宅兮木杪。厭人寰兮喧卑，薄市門兮囂啾。壑谷奧潡，蝸廬褊小。
陟彼懸崖，天紳之涯。奇峰日拂，怪松霄排。飛上萬仞之巔，旁無一寸
之階。我營我巢，維條伊枚。命黃鵠而衍枝，驅玄鶴而曳柴。斧辛夷以
爲柱，刈山桂以爲棟。蘭撩椒其芬芳，荷蓋岌其不動。將旁招樵夫，朋
盍溪友以落之。且有士其善頌矣。夜半風作，頓撼林薄。天駭地愕，山
跳海躍。已而寂然，四無人聲。黯天黑而月落，忽八窗之夜明。恍身墮
於水谷，羌刮骨其寒生。窮猿嘯噪，飢鳥獨鳴。先生夙興而視之，但見
千里一縞，羣山失碧。翔玉妃以萬舞，飄天葩之六出。皓皓的的，繽繽
籍籍。蓋翔雪十丈，乾沒吾巢，而無人迹矣。先生舉酒酬曰：「巢成雪
至，雪與巢會。式瑤我室，式珠我廦。空無一埃，點我勝槩。繼自今匪
仙客其易近，匪詩友其勿對。」洒檮水漿與雪汁，飲兔鬙於墨瀋。大書
其楣曰雪巢，標客子出諸大門之外。』」延之所撰〈雪巢記〉，載《梁谿
遺稿》卷二，曰：「吳興林君景思，寓居天台城西之蕭寺，破屋數椽，
不庇風雨，榜其燕坐之室曰雪巢，日哦詩於其間。客有問君所以名巢之
意。君曰：『天下四時之佳景，宜莫如雪；而幻化變滅之遠，亦無甚于
雪者。方其凝寒立水，夜氣晶屭，紛紛皓皓，萬里一色。瑤臺銀闕，亦
現於俄頃間。然朝陽晞暉，則向之所覩，蕩然滅沒而不留矣。自吾來居
天台，時王公貴人，比里而相望；朱門甲第，擊鐘而鼎食；童顏稚齒，
羣聚而嬉戲。今未二十年，其昔之貴者則已死，向之宕者則已貧，而往
之少者悉已耄，回視二十年，直俄頃爾，其幻化變滅之速，不猶愈於雪
乎？知其非堅實也。於其俄頃起滅之中，乃復顛冥於利害，交戰於寵辱，
汩汩至於老死而不自知，非惑歟？今吾以是名吾巢，且將視其虛以存吾
心，視其白以見吾性，視其清以勵吾節，視其幻以觀吾生，則知少壯之
不足恃，富貴之不足慕，貧與賤者不足以爲戚；非持以此自警，而且以

警夫世之人，使凡游吾之巢者，躁者可使靜，險者可使平，而污者可使之潔，不亦休乎？』余聞而嘆曰：『浩哉斯巢，雖方丈之地，其視廣廈萬間而不與易也。夫樂莫樂於富貴，憂莫憂於貧賤。然有馬千駟，不如西山之餓夫；紆朱懷金，不如陋巷之瓢飲。孰知夫匹夫之樂，有賢於王公大人之憂畏也哉？世之附炎之徒，方思炙手權門，焦頭爛額而不悔；求而不得則躁，得而患失則戚，戚與躁相乘，則心火內焚，日夜焦灼，聞君之風亦可少媿矣。』君少嘗從高僧問祖師西來意，又於方士得養生術，其清玉潔，其真行烈，其窮不堪忍，而其樂侃侃然。余來天台始識君，一見如平生歡。時方困郡事，卒卒無須臾閒。每從君語，輒爽然自失。顧視鞭朴滿前，牒訴盈几，便欲捨去。今得歸休林泉之下，每一思君，發於夢想，則雪巢之境恍然在吾目圍中矣。因述君之說，使書于其壁，以為之〈記〉。」可參證。

余為南城，其子遊謁至邑，以《家集》見示，愛而錄之，及守天台，則板行久矣，視所錄本稍多。然其暮年詩似不逮其初，往往以貧為累，不能不衰索也。

案：振孫宰南城，約為嘉定十四年（1221）至寶慶三年（1227），可參拙者《陳振孫之生平及其著述研究》第三章、〈陳振孫之仕履與行誼〉第四節、〈宰南城〉。是則林憲子持《家集》謁振孫應在此數年間。

王季夷北海集二卷

《王季夷北海集》二卷，廣棪案：盧校本此條解題為：「北海王崌季夷撰。集賢院學士子融之後，沂公之弟，初名暐，著《唐餘錄》者也。寓居吳興，紹、淳間知名於時。三子甲、田、申皆登科。」校注曰：「『初』字衍，『寓』當作『崌』。暐後因元昊為寇，乃以字行。館本同《通攷》本。」北海王崌季夷撰。紹、淳間名士，寓居吳興，陸務觀與之厚善。三子甲、田、申皆登科。

廣棪案：《宋志》未著錄此書。崌，《宋史》無傳。《全宋詞》「王崌」條載：「崌字季夷，北海（今山東濰縣）人。紹興、淳熙間名士，寓居吳興，少與陸游同學。卒於淳熙九年（1182）。有《北海集》，今不傳。」可參證。崌三子，甲、田不可考。王申，《宋會要輯稿》第一百十六冊、〈選舉〉二二之一三載：「（慶元）二年正月二十五日，命吏部尚書葉翥

知貢舉。吏部侍郎倪思，右諫議大夫劉德秀，同知貢舉左司郎中張濤，
國子司業高文虎，吏部郎中鄭公顯，吏部郎官張貴謨，吏部員外郎官
衛涇，監察御史胡紘、姚愈，著作郎王奭，著作郎兼司封郎官顏拭，
著作佐郎兼刑部郎官李壁，參詳大宗正丞范蓀，大理正羅克開，大理
寺丞陳樸、宋思遠，司農寺丞楊大全，秘書郎費士寅，太常博士劉誠
之，樞密院編修官陳廣壽，秘書省校書郎余復、陳峴，太常寺主簿張
經，大理寺主簿陳希點，主管官告院黃聞，幹辦諸司審計司商飛卿，
幹辦諸司糧料院周年，太學博士沈繼祖，國子正曾漸，武學諭楊寅，
國子錄潘友端，太學錄陳晅，主管戶部架閣文字吳仁傑，主管禮兵部
架閣文字王申，主管刑工部架閣文字鍾必萬，監左藏封椿下庫葉挺，
點檢試卷避親別試宗正丞兼倉部郎官雷孝友，考試太府寺丞傅伯成，
國子博士陳宗召，宗正寺主簿楊克忠，太學正易校點檢試卷。」是申
嘗主管禮兵部架閣文字。《宋詩紀事小傳補正》卷四載：「王申，福建
莆田人，慶元二年特奏名，迪功郎監南嶽廟。又尤溪人，嘉定四年進
士。」則恐非此王申。

易足居士自鳴集十五卷

《易足居士自鳴集》十五卷，鄱陽章甫冠之撰。居吳下，自號轉庵，作
易足堂，韓無咎為之〈記〉。

廣棪案：《宋志》未著錄此書。甫，《宋史》無傳。《宋元學案補遺》卷
四十一、〈衡麓學案補遺・于湖門人〉「章先生甫」條載：「章甫字冠之，
鄱陽人。徙居眞州，自號易足居士，著《自鳴集》六卷。張端義《貴耳
集》云：『有《文集》十卷，少從于湖交游，豪放飄蕩，不受拘羈云。』
《四庫書目提要》。」所言卷數不同。于湖即張孝祥。韓無咎，元吉字。元
吉《南澗甲乙稿》卷十六、〈記〉有〈易足堂記〉，云：「楚有士好遊躡
衡廬之巓，泛洞庭，下彭蠡，凡林藪之幽、川澤之奧，無不走也。意未
云足，聞有三神山，在東海之中。其上多奇禽異卉，人之壽而仙者居焉。
意乃甚慕，庶幾可一至也。殫其產以治舟，竭其力以聚糧，沒歲窮年，
莫能見也。恐懼于波濤之淵，既憊而歸。里之父老從而笑之曰：『曩子
之志甚銳也，吾未可以言焉；今其倦矣，吾語子遊。子獨不見夫吾之居

乎？依于數仞之丘，而闢爲尋丈之室，隱几而臥，屢未始�乎閫也。瞑目而游于smells中，而四方萬里之遠，子所未至者也，吾皆至焉。何哉？子之游者事乎外，而吾之遊者事乎內也。顧安用僕僕然東西行爲？昔者，秦、漢之侈也，貴爲天子，富有四海，力固已并諸侯，威固已服四夷，而惟以其身之未能升天也，且且而求之。有方士者，嘗爲之幻，導之而升，其所見宮室之美，嬪嬙服御之盛，若有以異于人世閒也，恨莫能留。涉筆而志其墉，明日視之，則盡己之宮也。是何哉？由其心之未舒，則縱其耳目之欲者未制，故希于外者無已焉。由是而言，禍莫大于不知足，而富常在於知足，況子以匹夫之賤，規規以好游名天下，亦安往而後足哉？』友人章冠之聞而嘆曰：『吾非好游者也，借是以推天下之事，其不類于游者幾希。彼富與貴，是人之所欲也。今吾有數畝之田可耕，數椽之屋可庇矣，雖萬錢之廚，千閒之廈，不是過也，豈不爲甚富矣乎！邑之士以吾爲可親，賢卿大夫以吾爲可與游，開卷執笑而詠焉。古今事物之情，舉無所遁，俯仰于天地閒，蓋亦無媿，豈不爲甚貴矣乎？故吾嘗自以爲足，而人常恨吾之不足，特未知世之所謂既富且貴者，其心果能如吾之足哉？今吾僅營一堂矣，將以易足名焉，則何如？』夫冠之，詩人也，與予兄弟交最厚且久，其清苦貧窶，予亦常恨其不足者，而聞其說若此，犁然有當于予心，遂書以爲堂之〈記〉。其山川之勝、風景之佳，冠之必能自見于詩爾，予尚何所言哉？淳熙十一年正月，潁川韓元吉記。」可參證。《四庫全書總目》卷一百六十、〈集部〉十三、〈別集類〉十三著錄：「《自鳴集》六卷，《永樂大典》本。宋章甫撰。考宋有二章甫，一字端叔，浦城人，熙寧三年進士，官至都官郎中。著有《孟子解義》十四卷。楊時爲作〈墓誌〉，其文今載《龜山集》中。一字冠之，鄱陽人。徙居眞州，自號易足居士。即撰此書者也。甫行事不概見。惟張端義《貴耳集》有云：『張冠之名甫，有《文集》十卷。少從于湖交游，案于湖乃張孝祥之別號。豪放飄蕩，不受拘羈。淳熙閒，淮有三士：舒之張用晦、和之張進卿、眞之張冠之也。』據其所述，可略見其爲人。其以章爲張，蓋刊本字譌耳。又陸游〈入蜀記〉稱：『乾道六年八月一十八日，同章冠之秀才甫登石鏡亭，訪黃鶴樓故址。』則甫蓋舉秀才矣。其《集》不見於《宋史・藝文志》。《文淵閣書目》雖有其名，而傳本久絕。其得見於世者，惟《名賢小集拾遺》所載〈湖上吟〉一首、《詩家

鼎鑾》所載〈寄荊南故人〉一首而已。今檢《永樂大典》，所收《自鳴集》詩句頗多。其格律雖稍近江湖一派，而骨力蒼秀，亦具有研鍛之功。觀其〈別陸游詩〉，有『人生相知貴知心，道同何必問升沈』之句。〈謝韓元吉寄茶〉，有『別公宛陵今五春，渴心何啻生埃塵』之句。〈次韻呂祖謙見寄詩〉，有『山林舊約都茫茫，憶君著書看屋梁』之句。是其所與酬贈者，皆一時俊傑之士。故耳擩目染，尚能脫化町畦，自成杼軸，頗爲不墜雅音。謹衰次釐訂，析爲六卷。至〈雜說〉三篇，以禪家機鋒論道仁義之旨，援儒入墨，是殆不得志於時者之肆志放言。然其害理已甚，今故附其說於《集》末。而特加糾正，以著其失焉。」錄之以資參考。

屏山七者翁十卷

《屏山七者翁》十卷，廣棪案：盧校本作《屏山七者翁集》。是《解題》脫「集」字。從事郎崇安劉琿平父撰。子翬彥沖之子也。

廣棪案：《宋志》未著錄此書。劉琿，或作劉玶。《宋史》無傳。《宋元學案》卷四十三、〈劉胡諸儒學案・屏山家學〉「從事劉七者先生玶」條載：「劉玶，字平甫，屏山之子。仕爲從事郎。自號七者翁，每與朱晦庵諸名賢倡和，有《詩集》十卷。參《姓譜》。梓材謹案：先生，少傅公子羽之幼子也。以公命，爲屏山先生後，娶范直閣如圭之女。」平甫即平父。《宋元學案補遺》卷四十三、〈劉胡諸儒學案補遺・屏山家學〉「補從事劉七者先生玶」條載：「梓材謹案：《直齋書錄解題》有《屏山七者翁集》十卷，云：『從事郎崇安劉琿平父撰。子翬彥仲廣棪案：應作彥沖。之子也。』殆先生一名琿耶？」子翬字彥沖，贈太師韐之仲子。《宋史》卷四百三十四、〈列傳〉第一百九十三、〈儒林〉四有傳。其〈傳〉曰：「子翬始執喪致羸疾，至是以不堪吏責，辭歸武夷山，不出者凡十七年。間走其父墓下，瞻望徘徊，涕泗嗚咽，或累日而返。妻死不再娶，事繼母呂氏及兄子羽盡孝友。子羽之子珙，幼英敏嗜學，子翬教之不懈，珙卒有立。」是珙、玶皆子羽之子，珙又玶之兄也。《宋史》卷二百八、〈志〉第一百六十一、〈藝文〉七、〈別集類〉著錄有劉子翬《屏山集》二十卷。

玉雪小集六卷、外集七卷

《玉雪小集》六卷、《外集》七卷，太常博士龍泉何偁德揚撰。隆興初，在朝言和議，觸時相，去後遂不復召，<small>廣校案：《文獻通考》闕「遂」字。</small>歷**廛節而卒。**

> 廣校案：《宋志》未著錄此書。偁，《宋史》無傳。《宋詩紀事》卷四十六「何偁」條載：「偁字德揚，龍泉人。紹興甲科，為吏部郎官，除福建提舉。有《玉雪堂小集》。」《宋人傳記資料索引》載：「何偁（1121～1178），字德揚，龍泉人。紹興甲科，為吏部郎官，除福建提舉，官至太常博士。卒於淳熙五年，年五十八。有《玉雪堂小集》。」可參證。《續括蒼金石志》有〈贈太師鄭國公何公神道碑〉，是偁卒後，孝宗贈太師、封鄭國公。

雪山集三卷

《雪山集》三卷，富川王質景文撰。質游太學，治《詩》有聲，仕為樞屬。

> 廣校案：《宋史》卷二百八、〈志〉第一百六十一、〈藝文〉七、〈別集類〉著錄：「王質《雪山集》三卷。」與此同。質，《宋史》卷三百九十五、〈列傳〉第一百五十四有傳。其〈傳〉曰：「王質字景文，其先鄆州人，後徙興國。質博通經史，善屬文。游太學，與九江王阮齊名。阮每云：『聽景文論古，如讀酈道元《水經》，名川支川，貫穿周匝，無有間斷，咳唾皆成珠璣。』」又曰：「天子心知質忠，而忌者共讒質年少好異論，遂罷去。會虞允文宣撫川、陝，辟質偕行。一日令草檄契丹文，援毫立就，辭氣激壯。允文起執其手曰：『景文天才也。』入為敕令所刪定官，遷樞密院編修官。允文當國，孝宗命擬進諫官，允文以質鯁亮不回，且文學推重於時，可右正言。時中貴人用事，多畏憚質，陰沮之，出通判荊南府，改吉州，皆不行，奉祠山居，絕意祿仕。淳熙十五年卒。」可參證。

嘗著《詩解》三十卷，<small>廣校案：盧校注：「質所著《詩總聞》實止二十卷。」張宗泰《魯巖所學集》跋云：「《詩總聞》即《詩解》。」</small>未之見也。

> 案：直齋實曾見《詩解》。張宗泰《魯巖所學集》卷六、〈再跋書錄解題〉云：「《書錄解題》有岐出未能畫一者，……《雪山集》下云：『富川王

質景文，嘗著《詩解》三十卷，未之見也。』按直齋編王氏《詩總聞》於〈詩類〉，而不知其即王氏之《詩解》，轉云未見，亦失之眉睫也。但《詩總聞》二十卷，而〈詩類〉作三卷，不知何以懸殊至此？而此作三十卷，疑亦二十卷之誤也。」考《解題》卷三、〈詩類〉著錄《王氏詩總聞》三卷，云「不知名氏及時代」。其實此即王質撰之《詩總聞》，凡二十卷，與《詩解》爲同一書。宗泰所考不誤。

景物類要詩十卷

《景物類要詩》十卷，東陽曹冠宗臣撰。隨物爲題，類事成詩，廣棪案：《文獻通考》脫「成」字。凡二百餘篇。冠爲秦檜客，與其孫壎同登甲科。廣棪案：《文獻通考》作「塤」，與「壎」同。未幾秦亡，奪前名恩數，再赴廷試，仕至知郴州。廣棪案：《文獻通考》作「彬州」。

廣棪案：《宋志》未著錄此書。冠，《宋史》無傳。《宋詩紀事補遺》卷四十六「曹冠」條載：「字宗元，東陽人。以鄉貢入太學，秦檜以諸孫師事之。登紹興中進士，廷唱第二，擢太常博士，兼檢正諸房公事。檜死，□□去官。孝宗時有言許再試，又登乾道己丑進士，知彬州，轉朝奉大夫，賜金紫致仕。著有《寓言》等書。」《宋人傳記資料索引》載：「曹冠字宗臣，一字宗元，號雙溪，東陽人。以鄉貢入太學，秦檜以諸孫師事之。登紹興二十四年進士，擢太常博士，兼檢正諸房公事，檜死去官。尋被論放科名，孝宗時許再試，復登乾道五年進士，知彬州，轉朝奉大夫賜金紫致仕，年八十卒。有《燕喜詞》、《忠誠堂集》。」可參證。秦壎即秦塤，《宋史》無傳。陳騤《南宋館閣錄》卷八、〈官聯〉下載：「實錄院編修，紹興以後九人：秦塤，字伯和，建康人，張孝祥榜進士及第。二十四年四月以敷文閣待制兼，二十五年十月除敷文閣直學士，提舉宮觀。」《宋人傳記資料索引》載：「秦塤（1137～？），字伯和，建康人，熺子。爲敷文閣待制。紹興二十四年試進士，省殿試皆爲第一，士論不平。及廷試，塤策皆其祖檜及父熺語，遂降第三。歷修撰實錄院，檜病，詔塤提舉江州太平興國宮。」是冠與壎於紹興二十四年同登甲科。熺，秦檜子。

同庵集一卷

《同庵集》一卷，吳興施士衡德求撰。嘗試中教官，為宣州簽幕，坐廢，
雖牽復，仕竟不進。

> 廣棪案：《宋志》未著錄此書。士衡，《宋史》無傳。《宋詩紀事》卷五十
> 七「施士衡」條載：「士衡字德求，湖州人。嘗為宣州簽幕，有《同庵集》。」
> 可參證。《宋詩紀事》收士衡〈挽張于湖〉一首，云：「十年帥鉞倦馳驅，
> 適意方謀一壑居。賈誼有才終太傅，薛收無壽處中書。傷心風月江山在，
> 過隙光陰夢幻虛。紅紫飄零春色盡，後凋松柏獨蕭疎。《錦繡萬花谷》。」此
> 殆《同庵集》佚詩也。于湖，張孝祥號。

栟山老人集八卷

《栟山老人集》八卷，龍泉季相文成撰。

> 廣棪案：此書及撰人均不可考。

三逕老人碔砆集十三卷

《三逕老人碔砆集》十三卷，福建提舉常平昭武杜圯受言撰。

> 廣棪案：《宋史》卷二百八、〈志〉第一百六十一、〈藝文〉七、〈別集類〉
> 著錄：「杜受言《碔砆集》十三卷。」即此書。圯，《宋史》無傳。《宋元
> 學案補遺》卷三、〈高平學案補遺・偉長家學〉「杜先生圯」條載：「杜圯
> 字受言，炤次子。以父任，官至朝請大夫，提舉江南西路茶鹽常平事。
> 事母以孝聞，築室邵武，自儀真徙居之。先生常師事時相，紹興間以祠
> 官家居者十六年，嘗戒子孫曰：『仕宦當審取舍，汝等勉之！』所著有《碔
> 砆集》十二卷。《姓譜》。」所著錄《碔砆集》作十二卷，誤。

胡憲原仲為之〈序〉。

> 案：憲字原仲，居建之崇安，從父胡安國學。《宋史》卷四百五十九、〈列
> 傳〉第二百一十八、〈隱逸〉下有傳。所撰〈碔砆集序〉，已佚。

其上世龍圖閣直學士鎬本常州無錫人，

> 案：鎬字文周，常州無錫人。真宗景德四年（1007）拜右諫議大夫、龍

圖閣直學士，賜襲衣、金帶，班在樞密院直學士下。時特置此職，儒者
榮之。《宋史》卷二百九十六、〈列傳〉第五十五有傳。

其孫天章閣待制杞，於坯為曾祖。

案：杞，《宋史》卷三百、〈列傳〉第五十九載：「杜杞字偉長。父鎬，蔭
補將作監主簿，知建陽縣。」誤。「父鎬」應作「祖鎬」。考《宋史・杜
鎬》載：「（大中祥符）六年冬，卒，年七十六，錄其子渥為大理寺丞及三
孫官。」是知鎬子渥，杞乃渥之子，即鎬之孫。《宋史》杞本傳又云：「明
年，徙河北，拜天章閣待制、環慶路經略安撫使，知慶州。」是杞嘗拜
天章閣待制。

穀城集五卷

《穀城集》五卷，建安黃銖子厚撰。

廣棪案：《宋志》未著錄此書。銖，《宋史》無傳。《宋元學案》卷四十三、
〈劉胡諸儒學案・屏山門人〉「隱君黃穀城先生銖附門人陳以莊」條載：「黃
銖，字子厚，建安人也。隱居不仕，從劉屏山遊。屏山門下，朱子最為
大儒，而先生亦其眉目也。屏山歿，遺文散落，晦翁與先生讎校以傳。
固窮而卒，所著有《穀城集》五卷，朱子序之，謂其文學太史公，詩學
屈、宋、曹、劉，隸、古皆得魏晉以前筆意。而西山〈後序〉述其詩曰：
『先生有遺訓，憂道不憂貧。』又曰：『私意苟未克，放心何由馴！』此
不媿為屏山之徒矣。」可參證。

晦庵作〈序〉，極稱之。

案：朱熹《晦庵集》卷七十六、〈序〉有〈黃子厚詩序〉，曰：「余年十
五六時，與子厚相遇於屏山劉氏之齋館，俱事病翁先生。子厚少余一歲，
讀書為文略相上下，猶或有時從余切磋，以進其所不及。後三、四年，
余猶故也，而子厚一旦忽踴躍驟進，若不可以尋尺計。出語落筆，輒驚
坐人，余固歎其超然不可追逐，而流輩中亦鮮有能及之者。自爾二十餘
年，子厚之詩文日益工，琴書日益妙，而余日益昏惰，乃不能及常人。
亦且自念其所曠闕，又有急於此者，因遂絕意，一以頑鄙自安，固不暇
復與子厚度長絜大於文字間矣。既而子厚一再徙家，崇安、浦城，會聚
稍希闊，然每得其詩文筆札，必為之把玩賞歎，移日不能去手。蓋子厚

之文學太史公，其詩學屈、宋、曹、劉，而下及於韋應物，視柳子厚猶以爲雜用，今體不好也。其隸、古尤得魏晉以前筆意，大抵氣韻豪爽，而趣味幽潔，蕭然無一點世俗氣。中年不得志於場屋，遂發憤謝去，杜門讀書，清坐竟日。間輒曳杖行吟田野間，望山臨水以自適。其於騷詞，能以楚聲古韻爲之節族，抑揚高下、俛仰疾徐之間，凌厲頓挫，幽眇回鬱，聞者爲之感激慨歎，或至泣下。由是其詩日以高古，遂與世亢，至不復可以示人。或者得之，亦不省其爲何等語也。獨余猶以舊習未忘之故，頗能識其用意深處，蓋未嘗不三復而深悲之，以爲子厚豈眞坐此以窮，然亦不意其遂窮以死也。衰莫疾痛，餘日幾何，而交舊零落，無復可與語此者。方將訪其遺藁，櫝而藏之，以爲後世必有能好之者。而一日，三山許閎生來訪，袖出子厚手書所爲詩若干篇，別抄又若干篇以示余，其間蓋又有余所未見者，然後益知子厚晚歲之詩，其變化開闔，恍惚微妙，又不止余昔日之所知也，爲之執卷流涕，而識其後如此。子厚名銖，姓黃氏，世家建之甌寧，中徙潁昌，且再世。母孫讀書能文，昆弟皆有異材，而子厚所立卓然，尤足以自表見，顧乃不遇而阨窮以死，是可悲也。許生嘗學詩子厚，得其戶牖，收拾遺文，其多乃至於此，拳拳綴緝，師死而不忍倍之，是又可嘉也已。慶元己未七月壬子，雲谷老人書。」是朱子於子厚詩，固推崇備至者矣。

松坡集七卷、樂府一卷

《松坡集》七卷、《樂府》一卷，丞相豫章京鏜仲遠撰。

廣棪案：《宋史》卷二百八、〈志〉第一百六十一、〈藝文〉七、〈別集類〉著錄：「《京鏜詩》七卷，又《詞》二卷。」與此同屬一書。惟《樂府》卷數不同。鏜字仲遠，豫章人。寧宗時爲左丞相。《宋史》卷三百九十四、〈列傳〉第一百五十三有傳。

鏜使金執節，廣棪案：《文獻通考》「使金」作「使虜」。驟用。

案：《宋史》鏜本傳載：「金遣賀生辰使來，上居高宗喪，不欲引見，鏜爲儐佐，以旨拒之。使者請少留闕下，鏜曰：『信使之來，以誕節也。誕節禮畢，欲留何名乎？』使行，上嘉其稱職。轉中書門下省檢正諸房公事。金人遣使來弔，鏜爲報謝使。金人故事，南使至汴京則賜宴。鏜

請免宴，郊勞使康元弼等不從，鎧謂必不免宴，則請徹樂，遺之書曰：
『鎧聞鄰喪者舂不相，里殯者不巷歌。今鎧銜命而來，緊北朝之惠弔，
是荷是謝。北朝勤其遠而憫其勞，遣郊勞之使，蕆式宴之儀，德莫厚焉，
外臣受賜，敢不重拜。若曰而必聽樂，是於聖經爲悖理，於臣節爲悖義，
豈惟貽本朝之羞，亦豈昭北朝之懿哉？』相持甚久。鎧即館，相禮者趣
就席，鎧曰：『若不徹樂，不敢即席。』金人迫之，鎧弗爲動，徐曰：『吾
頭可取，樂不可聞也。』乃帥其屬出館門，甲士露刃向鎧，鎧叱退之。
金人知鎧不可奪，馳白其主，主歎曰：『南朝直臣也。』特命免樂。自
是恆去樂而後宴鎧。孝宗聞之喜，謂輔臣曰：『士大夫平居孰不以節義
自許，有能臨危不變如鎧者乎？』使還，入見，上勞之曰：『卿能執禮
爲國家增氣，朕將何以賞卿？』鎧頓首曰：『北人畏陛下威德，非畏臣
也。正使臣死於北庭，亦臣子之常分耳，敢言賞乎？』故事，使還當增
秩。右相周必大言於上曰：『增秩常典爾，京鎧奇節，今之毛遂也，惟
陛下念之。』乃命鎧權工部侍郎。」可參證。

其在相位，當韓侂冑用事，無所立。

案：《宋史》鎧本傳載：「寧宗即位，甚見尊禮，由政府累遷爲左丞相。
當是時，韓侂冑權勢震天下，其親幸者由禁從不一二歲至宰輔；而不附
侂冑者，往往沉滯不偶。鎧既得位，一變其素守，於國事 無所可否，
但奉行侂冑風旨而已。又薦引劉德秀排擊善類，於是有僞學之禁。」是
鎧在相位無所立之證。

白石道人集三卷

《百石道人集》三卷，鄱陽姜夔堯章撰。

廣棪案：《宋史藝文志補・集部・別集類》著錄：「姜夔《白石道人詩集》
一卷，字堯章，鄱陽人，流寓吳興。」所著錄卷數不同。《四庫全書總目》卷
一百六十二、〈集部〉十五、〈別集類〉十五著錄：「《白石詩集》一卷、
附《詩說》一卷，編修汪如藻家藏本。宋姜夔撰。……陳振孫《書錄解題》
載《白石道人集》三卷，今止一卷，殆非完本。」夔字堯章，鄱陽人。《宋
史翼》卷二十八、〈列傳〉第二十八、〈文苑〉三有傳。

千巖蕭東夫識之於年少客游，以其兄之子妻之。石湖范至能尤愛其詩，楊誠齋亦愛之，嘗稱其〈歲除舟行〉十絕，以為有裁雲縫月之妙思，敲金戛玉之奇聲。

案：《宋史翼》夔本傳載：「姜夔字堯章，鄱陽人。先世出九眞唐中書門下侍郎公輔之裔。八世祖泮，官饒州教授。父噩，紹興進士，以新喻丞知漢陽縣。夔從父宦游，流落古沔，沖淡寡欲，不樂時趨，氣貌若不勝衣。工書法，著《續書譜》，以繼孫過庭，頗造翰墨閫域。詩律高秀，琢句精工，詞亦清虛騷雅，如野雲孤飛，去留無迹。尤嫻音律，初從蕭斛學詩，斛攜之苕上，妻以兄子。一時張鎡、楊萬里輩，皆折節與交，而樓鑰、范成大更相友善。」可參證。考蕭東夫乃蕭德藻，《宋史翼》卷二十八、〈列傳〉第二十八、〈文苑〉三有傳。其〈傳〉曰：「蕭德藻字東夫，福建閩清人，紹興二十一年進士。初調湖州烏程令，遂家焉。歷知峽州，終福建安撫司參議。德藻長於詩，造語苦硬頓挫，而極其工，與范成大、尤袤、陸游齊名。官湖湘時，楊萬里一見獎異，嘗曰：『近世詩人若范石湖之清新、尤梁谿之平淡、陸放翁之敷腴、蕭千巖之工緻，皆余所畏也。』德藻所居屛山，千巖競秀，故自號千巖老人云。著有《千巖擇稿》。《書錄解題》。參楊萬里《薦士錄》、〈千巖擇稿序〉。」近人陳思《白石年譜》云：「《四庫全書總目提要》：『《白石詩集》一卷，附《詩說》一卷，宋姜夔撰。羅大經《鶴林玉露》稱夔學詩於蕭斛。』案《鶴林玉露》原作學詩於蕭千巖。又案《元史》，蕭斛字惟斗，其先北海人。父仕秦中，遂爲奉元人。侯均謂元有天下百年，惟蕭惟斗爲識字人。大德十一年，拜太子右諭德，俄除集賢學士、國子祭酒，卒年七十八。《提要》改蕭千巖爲斛，未知何據？承燾案：蕭千巖遺事及佚詩，清人《有不爲齋隨筆》考之甚詳。《四庫提要》以蕭斛當千巖，大誤。」《宋史翼》夔本傳亦謂夔「初從蕭斛學詩」，或承《四庫全書總目》之訛也。至范、楊所稱之〈歲除舟行〉十絕，《宋詩紀事》卷五十九「姜夔」條載之，詩題作〈除夜自石湖歸苕溪〉，其詩云：「細草穿沙雪半銷，吳官烟冷水迢迢。梅花竹裏無人見，一夜吹香過石橋。其一。美人臺上昔歡娛，今日臺空望五湖。殘雪未融青草死，苦無麋鹿過姑蘇。其二。黃帽傳呼睡不成，投篙細細激流冰。分明舊泊江南岸，舟尾春風颭客燈。其三。千門列炬散林鴉，兒女相思未到家。應是不眠非守歲，小窗春色入燈花。其四。三生定是陸

天隨，只向吳淞作客歸。已拚新年舟上過，倩人和雪洗征衣。其五。沙尾風回一權寒，椒花今夕不登盤。百年草草都如此，自琢春詞竆燭看。其六。笠澤茫茫雁影微，玉峰重疊護雲衣。長橋寂寞春寒夜，祇有詩人一舸歸。其七。桑閒簟火卻宜蠶，風土相傳我未諳。但得明年少行役，祇裁白苧作春衫。其八。少小知名翰墨場，十年心事祇淒涼。舊時曾作〈梅花賦〉，研墨于今亦自香。其九。環玦隨波冷未銷，古苔雷雪臥牆腰。誰家玉笛吹春怨，看見鵝黃上柳條。其十。」陳思《白石年譜》題作〈雪中訪石湖除夜自石湖歸苕溪〉，繫於紹熙二年辛亥（1191），時白石三十四歲。

夔頗解音律，進樂書免解。不第而卒。

案：《宋史翼》夔本傳載：「嘗患樂典久墜，欲正容臺樂律。甯宗慶元三年詣京師，上《大樂議》一卷、《琴瑟考古圖》一卷，詔付有司收掌，特予免解。時有疾其能者，以議不合而罷，五年，作〈鐃歌鼓吹曲〉一十四章，上於尚書省。書奏，詔付太常。周密以爲言辭峻潔，意度高遠，有超越驊騮之意。非虛譽也。居與白石洞天爲鄰，因號白石道人。時往來西湖館水磨方氏，後以疾卒，葬西馬塍。」可參證。

詞亦工。

案：《宋史翼》夔本傳，陸心源謹案：「夔與西秦張炎齊名，爲南宋詞家正軌，猶唐詩人之有李、杜。」可參證。

轉庵集一卷

《轉庵集》一卷，閤門舍人永嘉潘檉德久撰。

廣棪案：《宋志》未著錄此書。潘檉，《宋史》無傳。《宋元學案補遺》卷十二、〈濂溪學案補遺〉下、〈濂溪私淑〉「進士潘先生文饒附從子檉」條載：「潘文饒字明則，永嘉人。與弟文孝、文禮，先後登紹興第。先生學本濂洛，尤爲多士所宗。從子檉字德久，以父任補右職。召試，爲閤門舍人，授福建兵馬鈐轄。喜爲詩，下筆立成，永嘉言唐詩自檉始。有《轉庵集》。《溫州府志》。」可參證。

王祕監集四卷

《王祕監集》四卷，永嘉王柟木叔撰。

廣校案：《宋志》未著錄此書。王柟字木叔，號合齋，故順州人。《宋史翼》卷十四、〈列傳〉第十四有傳。其〈傳〉謂柟「工於文，所著有《王祕監詩文集》共二十卷。《葉水心集》。」所載卷數與《解題》不同，《宋史翼》所載殆全集也。《宋詩紀事》卷五十三「王柟」條載：「柟字木叔，永嘉人。乾道二年進士，累官監進奏院，坐僞學罷。知江陰軍，遷大理丞，歷吏部郎中、祕書少監，知贛州。有《合齋集》。」柟號合齋，任祕書少監，故《王秘監集》即《合齋集》。

平庵悔藁十五卷、後編六卷

《平庵悔藁》十五卷、《後編》六卷，館臣案：《宋史‧藝文志》作《丙辰悔藁》四十七卷。太府卿松陽項安世平父撰。

廣校案：《宋史》卷二百八、〈志〉第一百六十一、〈藝文〉七、〈別集類〉著錄：「項安世《丙辰悔藁》四十七卷。」與此著錄不同。安世字平父，其先括蒼人，後家江陵。寧宗時升太府卿。《宋史》卷三百九十七、〈列傳〉第一百五十六有傳。

「悔藁」者，以語言得罪，悔不復為也。

案：《宋史》安世本傳載：「寧宗即位，詔求言。……時朱熹召至闕，未幾予祠，安世率館職上書留之，言：『御筆除熹宮祠，不經宰執，不由給舍，徑使快行，直送熹家。竊揣聖意，必明知熹賢不當使去，宰相見之必執奏，給舍見之必繳駁，是以為此駭異變常之舉也。夫人主患不知賢爾，明知其賢而明去之，是示天下以不復用賢也。人主患不聞公議爾，明知公議之不可而明犯之，是示天下以不復顧公議也。且朱熹本一庶官，在二千里外，陛下即位未數日，即加號召，畀以從官，俾侍經幄，天下皆以為初政之美。供職甫四十日，即以內批逐之，舉朝驚愕，不知所措。臣願陛下謹守紀綱，毋忽公議，復留朱熹，使輔聖學，則人主無失，公議尚存。』不報。俄為言者劾去，通判重慶府，未拜，以僞黨罷。」《解題》所謂「以語言得罪，悔不復為」者，殆指此事。

〈自序〉當慶元丙辰，《後編》自丁巳終壬戌。

案：安世〈自序〉已佚。慶元丙辰爲二年（1196），丁巳爲三年（1197），壬戌爲嘉泰二年（1202）。考阮元《揅經室外集》卷三、〈四庫未收書提要〉著錄：「《平安悔稿》十二卷，宋項安世撰。安世有《周易玩辭》，《四庫全書》已著錄。案《文淵閣書目》日字號載《丙辰悔稿》十五冊；又月字號載《悔稿》三冊，又一部六冊；並殘缺之本。《宋史·藝文志》載《丙辰悔稿》四十七卷。近日傳本殊希。厲鶚《宋詩紀事》僅從《后村詩話》、《方輿勝覽》、《后村千家詩》蒐采數首。此則依舊鈔過錄，合前、後集，凡一千二百八十五首，分卷與《宋志》不合。即《后村詩話》所錄〈春日〉、〈堤上〉、〈吹帽臺〉、〈抛毬〉、〈糟蟹〉、〈永州〉諸作，皆未見于是編。卷六以下乃慶元丙辰謫居江陵後所作。缺佚雖多，然就存者觀之，固紹熙、嘉泰間一作者也。」可參考。惟阮元著錄此書作《平安悔稿》，「平安」實「平庵」之誤。

醒庵遺珠集十卷

《醒庵遺珠集》十卷，臨川俞國寶撰。淳熙前人。

廣棪案：《宋志》未著錄此書。國寶，《宋史》無傳。《宋詩紀事》卷五十六「俞國寶」條載：「國寶，臨川人。淳熙太學生。有《醒菴遺珠集》。」下引《武林舊事》：「淳熙間，德壽三殿遊幸湖山。一日，御舟經斷橋，旁有小酒肆，頗雅潔，中飾素屏，書〈風入松〉一詞于上。光堯駐目稱賞久之。宣問何人所作？乃太學生俞國寶醉筆也。其詞云：『一春長費賞花錢，日日醉湖邊。玉驄慣識西湖路，驕嘶過，沽酒樓前。紅杏香中歌舞，綠楊影裏鞦韆。　東風十里麗人天，花壓鬢雲偏。畫船載取春歸去，餘情在湖水湖烟。明日再攜殘酒，來尋陌上花鈿。』上笑曰：『此調甚好，但末句未免儒酸。』因爲改定，云：『明日重扶殘醉。』則迴不同矣。即日命解褐。』」可參考。

東平集二十七卷

《東平集》二十七卷，廣棪案：盧校注：「《通攷》入〈別集〉。」鞏豐仲至撰。淳熙甲辰進士。廣棪案：盧校本無「淳熙甲辰進士」句。校注曰：「《通攷》有。陳氏無此例。」

廣棪案：《宋志》未著錄此書。豐，《宋史》無傳。《宋詩紀事》卷五十五
「鞏豐」條載：「豐字仲至，號栗齋，其先鄆州須城人。渡江爲婺州武義
人。少游呂東萊之門。淳熙十一年進士，嘗知臨安縣，稍遷提轄左藏庫，
卒。有《東平集》。」豐，《宋史翼》卷二十八、〈列傳〉第二十八、〈文
苑〉三有傳。淳熙甲辰，即淳熙十一年（1184）。

白石丁藁一卷

《白石丁藁》一卷，三山黃景說嚴老撰。淳熙辛丑進士。<small>廣棪案：盧校本</small>
<small>無此句。校注曰：「《通攷》此下云『淳熙辛丑進士』。」</small>

　　廣棪案：《宋史》卷二百八、〈志〉第一百六十一、〈藝文〉七、〈別集類〉
著錄：「黃景說《白石丁藁》一卷。」與此同。景說，《宋史》無傳。《宋
詩紀事》卷五十三「黃景說」條載：「景說字嚴老，號白石，閩人。乾道
五年進士。嘉定中直秘閣，知靜江府。有《白石丁藁》。」所記中進士之
年與《解題》不同。考曾豐《緣督集》卷十八、〈序〉有〈白石叢藁序〉，
曰：「吾邑令君三山黃嚴老，隨牒效官二十有五年，公私之際，用力於詩。
歲在乙巳，見遺一卷，與古容有未合者。至壬子，見遺一編，合矣。詩
生于聲，聲生於氣，氣渾而夷，雅聲出焉。〈牛尾〉之歌是也。氣薰而洽，
頌聲出焉。〈卿雲〉之歌是也。氣肅而沉，風聲出焉。〈麥秀〉之歌是也。
古詩有雅、頌、風，而雅、頌、風之名未立，其體未成也。一經孔子刪
焉，朝廷之詩謂之雅，郊廟之詩謂之頌，鄉黨之詩謂之風。名於是始立。
雅、頌多用賦，風多用比興，體於是始成。三代時，四夷類能詩，鄉飲、
蜡祭之類，視其君之教化，參以國之風俗，節文而歌之，以相勞苦，以
相酬酢，刪除釐爲十五國風，此鄉黨之詩也。君前後三涖邑，於古爲子
男之國，所至隨土視氣，隨氣視聲，隨聲視律，其勢止及爲鄉黨之詩，
故其體多風，其用多比興。進賢有徐孺子，耒陽有杜少陵，吾邑有文忠
歐陽公，故家餘韻猶存，君收而入於詩，不失爲思無邪者，要未免以土
風爲風爾。邑家每歲常行，具饌勸耕，近乎蜡祭；張筵燕士，類乎鄉飲。
繼茲行禮，其黜爾。俗主吾教，自爲詩歌之。君倡於上，氣出於道德而
協，聲入於律呂而諧，士民和於下，諧聲鼓之，轉相動協，氣蒸之轉相
化，詩至於此，吾知君以三代之風爲風，所謂止乎禮義者歟！古者，王

人采詩，子男之國，有史。凡一詩出，王人采而上之，史錄而藏之，今亡是。故於《白石吟藁》序其概，詔民使傳焉。賜環去，朝廷須雅，郊廟須頌，章成，有太師氏刊協之。燕欲格人，饗欲格天，討論勿厭細，擴充勿厭大，禮成，有太史氏錄藏之。後藁不必序，自傳也。嚴老名景說云。」可參考。

復齋漫藁二卷

《復齋漫藁》二卷，知台州黃嘗子耕撰。

> 廣梭案：《宋史》卷二百八、〈志〉第一百六十一、〈藝文〉七、〈別集類〉著錄：「黃嘗《復齋漫錄》二卷。」與此同。嘗字子耕，隆興分寧人。嘗知台州，所著有《復齋集》。《宋史》卷四百二十三、〈列傳〉第一百八十二有傳。

梅山詩藁六卷、續藁五卷

《梅山詩藁》六卷、《續藁》五卷，館臣案：《文獻通攷》，《續藁》作十五卷。廣梭案：盧校本同。括蒼姜特立邦傑撰。

> 廣梭案：《宋志》未著錄此書。特立字邦傑，麗水人。《宋史》卷四百七十、〈列傳〉第二百二十九、〈佞幸〉有傳。《宋詩紀事》卷五十七「姜特立」條載：「特立字邦傑，麗水人。靖康中，父綬死難，甫承信郎。孝宗召為太子春坊。光宗即位，除知閤門事，累官浙東馬步軍副總管、慶遠軍節度使。有《梅山藁》、《續藁》。」可參證。

以父死事得西班，累舉不第。晚為閣職，廣梭案：盧校本「閣」作「閒」。校注曰：館本「閒」作「閣」，《通攷》作「閣」，是。春坊攀附，已酉龍飛，恩至節度使，周益公、留衞公皆為其所間。

> 案：留衞公即留正，周益公即周必大。《宋史》特立本傳載：「姜特立字邦傑，麗水人。以父綬恩，補承信郎。淳熙中，累遷福建路兵馬副都監。海賊姜大獠寇泉南，特立以一舟先進，擒之。帥臣趙汝愚薦于朝，召見，獻所為詩百篇，除閤門舍人，命充太子宮左右春坊兼皇孫平陽王伴讀，由是得幸於太子。太子即位，除知閤門事，與譙熙載皆以春坊舊人用事，

恃恩無所忌憚，時人謂曾、龍再出。留正爲右相，執政尙闕人，特立一日語正曰：『帝以丞相在位久，欲遷左揆，就二尙書中擇一人執政，孰可者？』明日，正論其招權納賄之狀，遂奪職與外祠。帝念之，復除浙東馬步軍副總管，詔賜錢二千緡爲行裝。正引唐憲宗召吐突承璀事，乞罷相，不許。正復言：『臣與特立勢難兩立。』帝答曰：『成命已班，朕無反汗，卿宜自處。』正待罪國門外，帝不復召，而特立亦不至。寧宗受禪，特立遷和州防禦使，再奉祠，俄拜慶遠軍節度使，卒。」是特立與留正有間。考周必大《文忠集》卷十四、〈題跋·家藏御書〉有〈御筆掌記跋〉，云：「上勤勞萬幾，每臨朝，以方寸紙作掌記。微偃兩旁，而中摺之，置在御手。若內殿，則留香案上。三省密院各奏事畢，即視所記，一一宣諭乃收之，率以爲常。淳熙十一年八月七日，後殿坐，親以此紙授臣，蓋記陳有功顯大，舉趙善誦三人姓名，字畫頗類御筆，以小楷不能深辨。玉音云：『此是去年臣僚薦可爲奉使接送伴副使者，卿選擇誰可？』又問：『劉端仁、姜特立如何？』臣奏皆其選也。退而寶藏于家，樞密使臣周某謹記。」是必大於特立有推薦恩。至必大爲特立所間，其事未可曉。

特立詩亦虦佳，韓无咎、陸務觀皆愛之。本亦士人也，塗轍一異，儼然璫御之態，豈其居使之然耶？

案：韓无咎即韓元吉，其與特立往還，文獻不足徵。特立與務觀，則有詩歌唱和。《宋詩紀事》卷五十七「姜特立」條收有〈和陸放翁見寄〉，云：「遙知三徑長荒苔，解組東歸亦快哉。津岸紛紛羣吏去，船頭袞袞好山來。平時佳客應相過，勝日清尊想屢開。若許詩篇數還往，直須共挽古風回。」又有〈和陸郎中放翁〉，云：「午庭風雨撼高槐，一洗城頭十丈埃。老子坐閒尋句好，故人門外寄詩來。勁鋒久服穿楊妙，鈍思深慚擊鉢催。清佩左符君未可，要聽吟思發春雷。」詩均粗佳也。

冷然齋集十二卷

《冷然齋集》十二卷，山陰蘇泂召叟撰。丞相子容四世孫，師德仁仲之孫。

廣梭案：《宋志》未著錄此書。泂，《宋史》無傳。《四庫全書總目》卷一

百六十三、〈集部〉十六、〈別集類〉著錄:「《泠然齋集》八卷,《永樂大典》本。宋蘇泂撰。泂字召叟,山陰人。右僕射頌之四世孫。《宋史·頌傳》不詳列其後裔,故泂始末無可考。陳振孫《書錄解題》有泂《泠然齋集》二十卷,亦久亡佚。惟宋無名氏《詩家鼎臠》中尚存其二詩而已。今從《永樂大典》所載採輯排比,共得詩八百五十餘篇,釐為八卷。即詩中所自紀參互考之,知泂少時即從其祖遊宦入蜀,長而落拓走四方,曾再入建康幕府。其〈書懷詩〉有云:『昨蒙宗公置牙齒,事下丞相當審覈。駑才不堪駕十乘,爝火或可繼殘夕。』則嘗以薦得官,而終偃蹇不遇以老。生平所與往來唱和者,如辛棄疾、劉過、王柟、潘檉、趙師秀、周文璞、姜夔、葛天民等,皆一時知名士。《集》中又有〈送陸游赴修史之命〉詩云:『弟子重先生,丱角以至斯。文章起嬰慕,德行隨蕭規。』是泂本從學於游,詩法流傳,淵源有自。故其所作,皆能鐫刻淬鍊,自出清新,在江湖詩派之中,可謂卓然特出。其〈金陵雜咏〉多至二百首,尤為出奇無窮。周文璞為作〈跋〉、以劉禹錫、杜牧、王安石比之。雖稱許不免過情,要其才力富贍,實亦一時之秀也。惜其原集久湮,錄宋詩者至不能舉其姓名。其〈輓姜夔〉一詩,元陸友仁《硯北雜志》引之,以為蘇石所作。近時厲鶚作《宋詩紀事》,遂分蘇泂、蘇石為兩人。今考是詩,猶在《泂集》中。殆必原書題作蘇召叟,傳寫者脫去叟字,又誤召為石,遂致輾轉沿譌,莫能是正。倘非《集》本復出,竟無由訂定其紕繆。則晦而復著,亦可云泂之至幸矣。」可參證。惟《四庫全書總目》謂「陳振孫《書錄解題》有泂《泠然齋集》二十卷」,實應作十二卷,其後《宋元學案補題》卷九十八、〈荊公新學略補遺·放翁門人〉「蘇先生泂」條沿其誤。丞相子容即蘇頌,《宋史》卷三百四十、〈列傳〉第九十九有傳。哲宗元祐時為相。師德字仁仲,《宋史翼》卷四、〈列傳〉第四有傳。

曾惇父詩詞一卷

《曾惇父詩詞》一卷,知台州曾惇惇父撰。紆之子也,皆在台時所作。

廣棪案:《宋史》卷二百八、〈志〉第一百六十一、〈藝文〉七、〈別集類〉著錄:「《曾惇詩》一卷。」應與此同。惇,《宋史》無傳。《宋詩紀事》

卷四十六「曾惇」條載：「惇字宏父，紆之子。紹興中守台州、黃州。有《詩集》。」《宋人傳記資料索引》載：「曾惇字竑（宏）父，南豐人，紆子。紹興中歷知台州、黃州、鎮江、光州。曾以壽詞詒秦檜。有《曾竑父詩詞》一卷。」可參證。惇父紆，字公袞，號空青，曾布第四子。《宋史翼》卷二十六、〈列傳〉第二十六、〈文苑〉一有傳。是則惇亦布之孫。

瓦全居士詩詞二卷

《瓦全居士詩詞》二卷，太常博士寧海王澡身甫撰。初名津，字子知。

　　廣棪案：《宋志》未著錄此書。《嘉定赤城志》卷三十三、〈人物門〉二、〈本朝〉「紹熙元年余復榜」條載：「王澡，寧海人。字身甫，歷監進奏院，國子太常博士。今以朝散郎通判平江府。」《全宋詞》「王澡」條載：「澡字身甫，號瓦全。生於乾道二年（1166）。紹熙元年（1190）進士。嘉定十二年（1219），監都進奏院。十三年（1220），國子博士。《庶齋老學叢談》云：『澡，四明人，有《瓦全集》。』《文獻通考》：『王澡，寧海人。初名津，字子知。』」均可參證。

疎寮集三卷

《疎寮集》三卷，四明高似孫續古撰。

　　廣棪案：《宋史藝文志補·集部·別集類》著錄：「高似孫《疎寮集》一卷。」所著錄卷數不同。似孫字續古，《宋史翼》卷二十九、〈列傳〉第二十九、〈文苑〉四有傳。

少有俊聲，登甲辰科，不自愛重，為館職，上韓侂冑〈生日詩〉九首，皆暗用「錫」字，為時清議所不齒。廣棪案：《文獻通考》無「時」字。晚知處州，貪酷尤甚。其讀書以隱僻為博，其作文以怪澀為奇，至有甚可笑者，就中詩猶可觀也。

　　案：《宋人傳記資料索引》載：「高似孫字續古，號疎寮，餘姚人，文虎子。淳熙十一年進士，歷官校書郎，徽州倅，處州守。少有俊聲，不自愛重，為館職，上韓侂冑〈生日詩〉九首，皆暗用錫字，寓九錫之意，為清議所不齒，知處州時尤多貪酷。其讀書以隱僻為博，其作文以怪澀為奇，詩猶可觀。有《疎寮小集》、《剡錄》、《子略》、《蟹略》、《騷略》、

《緯略》、《硯箋》、《文苑英華鈔》、《文選句圖》。」可參證。似孫登甲辰科，即淳熙十一年（1184）進士。

徐照集三卷

《徐照集》三卷，永嘉徐照道暉撰。自號山民。館臣案：《文獻通攷》「山民」作「天民」。　廣棪案：盧校本同。應誤。

廣棪案：《宋史藝文志補·集部·別集類》著錄：「徐照《芳蘭軒詩》五卷，今一卷，字靈暉。」卷數不同。照，《宋史翼》卷二十八、〈列傳〉第二十八、〈文苑〉三載：「徐照字道暉，永嘉人，自號山民。嗜苦茗，上下山水，穿幽透深，拾其勝會。有詩數百，斷思尤奇，皆橫絕欻起，冰懸雪跨，使讀者變踔懍慄，肯首吟歎不自已。發今人未悟之機，回百年已廢之學，使後復言唐詩自照始，亦一快也。葉適《徐照墓誌》。」《宋詩紀事》卷六十三「徐照」條載：「照字道暉，一字靈暉，號山民，永嘉人。有《芳蘭軒集》。四靈之一。」可參證。考《四庫全書總目》卷一百六十二、〈集部〉十五、〈別集類〉十五著錄：「《芳蘭軒集》一卷，浙江鮑士恭家藏本。宋徐照撰。照字道暉，一字靈暉，永嘉人。與徐璣、翁卷、趙師秀，號曰永嘉四靈。照即四靈之首也。嘗自號曰山民，故其集又曰《山民集》。趙師秀《清苑齋集》有〈哀山民詩〉，可以為證。陳振孫《書錄解題》獨稱照自號天民，未知何據。當屬傳刻之譌也。葉適作照〈墓誌〉，稱其詩數百，琢思尤奇。皆橫絕欻起，冰懸雪跨，使讀者變掉懍慄，可首吟歎，不能自已。然無異語，皆人所知也，人不能道耳。所以推獎之者甚至。而吳子良《荊溪林下偶談》則謂適雖不沒其所長，而亦終不滿之。故其跋劉潛夫詩卷，又有進乎古人而不已，何必四靈之語。後人不知，以為水心宗晚唐者，誤也。蓋四靈之詩，雖鏤心鉥腎，刻意雕琢。而取徑太狹，終不免破碎尖酸之病。照在諸家中尤為清瘦。如其〈寄翁靈舒詩〉中『樓高望見船』句，方回以為眼前事，道著便新。又〈冬日書事詩〉中『梅遲思閏月，楓遠誤春花』，方回亦以為思字誤字，當是推敲不一乃得之。是皆《集》中所稱佳句，要其清雋者在此，其卑靡者亦即在此。風會升降之際，固有不能自知者矣。照《集》原本三卷。此本祇一卷，不知何人所併。又從《瀛奎律髓》得詩六首，《東甌詩集》得詩二首，《東甌續集》得詩一首，併為補遺，附之於後焉。」可參考。

道暉又字靈暉，致中又字靈淵，紫芝又字靈秀，翁卷又字靈舒，是為「四靈」。水心為選詩。_{隨齋批注。}

案：張宗泰《魯巖所學集》卷六〈跋陳振孫書錄解題〉云：「《徐照集》下，隨齋批注云『致中又字靈暉』，按《宋詩紀事》，徐璣字文淵，一字致中，非『又字靈暉』也。」

徐璣集二卷

《徐璣集》二卷，徐璣致中撰。

廣棪案：《宋史》卷二百八、〈志〉第一百六十一、〈藝文〉七、〈別集類〉著錄：「徐璣《泉山詩藁》一卷。」《宋史藝文志補·集部·別集類》著錄：「徐璣《二薇亭詩》四卷，_{今一卷，字靈淵。}」著錄均與《解題》不同。璣，《宋史翼》卷二十八、〈列傳〉第二十八、〈文苑〉三載：「徐璣字致中，一字靈淵，仕長泰令，工詩，著有《山泉集》。」《宋詩紀事》卷六十三「徐璣」條載：「璣字文淵，一字致中，號靈淵，永嘉人。官長泰令。有《泉山集》、《二薇亭集》。四靈之二。」是璣所撰詩應名《泉山集》，《宋史翼》所載倒乙也。《四庫全書總目》卷一百六十二、〈集部〉十五、〈別集類〉十五著錄：「《二薇亭集》一卷，_{浙江鮑士恭家藏本。}宋徐璣撰。璣字文淵，一字致中，號靈淵。《趙師秀集》作靈困。困字即古淵字，蓋偶以別體書之。永嘉四靈之二也。《宋元詩會》載：『璣官建安主簿，龍游丞，武當長泰令，嘉定七年卒，年五十九。』而陳振孫《書錄解題》則曰：『四人者惟師秀嘗登科改官。』意謂三人皆未嘗出仕。曹學佺亦謂二徐皆隱居不仕。今觀此卷中，璣有〈監造御茶〉五言古詩，蓋為主簿時作。其〈贈趙師秀〉詩有『游宦歸來幾度春』之句，七言絕句又有〈移官南浦〉一首，則陳振孫所言偶然失考，學佺又誤因之也。《書錄解題》載《璣集》一卷，與此本相符。其名《二薇亭集》、則《通考》未載，或亦偶遺也。《集》後有補遺三首，從《瀛奎律髓》、《東甌詩集》、《東甌續集》中鈔出。厲鶚《宋詩紀事》載璣又有《泉山集》，今未之見。或《東甌詩集》所載為《泉山集》中詩歟？」可參考。惟《解題》載《徐璣集》作二卷，《四庫全書總目》誤。

翁卷集一卷

《翁卷集》一卷，翁卷靈舒撰。

> 廣棪案：《宋史藝文志補・集部・別集類》著錄：「翁卷《葦碧軒詩》四卷，字靈舒。」與此不同。《宋史翼》卷二十八、〈列傳〉第二十八、〈文苑〉三載：「翁卷字續古，一字靈舒，樂清人。著有《西巖集》，一名《葦碧軒集》。《溫州府志》。」《宋詩紀事》卷六十三「翁卷」條載：「卷字續古，一字靈舒，永嘉人。有《西巖集》、《葦碧軒集》，四靈之三。」考《四庫全書總目》卷一百六十二、〈集部〉十五、〈別集類〉十五著錄：「《西巖集》一卷，浙江鮑士恭家藏本。宋翁卷撰。卷字續古，一字靈舒。永嘉四靈之三也。嘗登淳祐癸卯鄉薦，終於布衣。葉適序其詩，稱爲『自吐性情，靡所依傍。』劉克莊《後村集》亦有〈贈卷詩〉云：『非止擅唐風，尤於選體工。有時千載事，祇在一聯中。』張端義《貴耳集》曰：『翁卷，四靈也。有〈曉對詩〉云：『梅花分地落，井氣隔簾生。』〈瀑布詩〉云：『千年流不盡，六月地長寒。』〈春日〉云：『一階春草碧，幾片落花輕。』〈游寺〉云：『分石同僧坐，看松見鶴來。』〈吾廬〉云：『移花連舊土，買石帶新苔。』其所取者，大抵尖新刻畫之詞。蓋一時風氣所趨，四靈如出一手也。卷別有《葦碧軒集》，今未見其本。厲鶚《宋詩紀事》載卷詩四首，皆註出《葦碧軒集》。以校此《集》，惟〈寄遠〉一首不載，餘皆相同，可知二《集》之詩，實互相出入。至張端義所舉五聯，鶚但列之逸句中，不能得其全篇。是又在《葦碧軒集》之外，殆當時所刊原非一本，尚不止此二《集》歟？」是則《西巖集》與《葦碧軒集》非同一書，《宋史翼》誤。

趙師秀集二卷、別本《天樂堂集》一卷

《趙師秀集》二卷、別本《天樂堂集》一卷，趙師秀紫芝撰。四人者，號「永嘉四靈」，皆為晚唐體者也。廣棪案：《文獻通考》無「為」字。惟師秀嘗登科改官，亦不顯。

> 廣棪案：《宋史藝文志補・集部・別集類》著錄：「趙師秀《清苑齋詩》四卷，字靈秀。」又〈總集類〉著錄：「趙師秀《眾妙集》一卷。」與此不同。《宋史翼》卷二十八、〈列傳〉第二十八、〈文苑〉三載：「趙師秀字紫芝，永嘉人。登紹興第，浮沈州縣，僅一改秩而卒。自乾、淳來，濂

洛之學方行，諸儒類以窮經相尚。詩或言志，取足而止，固不暇如昔人
體驗聲病，律呂相宣也。潘檉出，始創爲唐詩，而師秀與徐照、翁卷、
徐璣，繹尋遺緒，日鍛月鍊，一字不苟下，由是唐體盛行，著有《天樂
集》。《兩浙名賢錄》。」《宋詩紀事》卷八十五「師秀」條載：「師秀字紫芝，
號靈秀，永嘉人。太祖八世孫。紹熙庚戌進士，浮沈州縣，改秩而卒。
有《天樂堂集》、《清苑齋集》。四靈之四。」可參證。《四庫全書總目》
卷一百六十二、〈集部〉十五、〈別集類〉十五著錄：「《清苑齋集》一卷，
浙江鮑士恭家藏本。宋趙師秀撰。師秀字紫芝，號靈秀，永嘉人。太祖八世
孫。紹熙元年進士。浮沈州縣，終於高安推官。永嘉四靈之四也。其詩
亦學晚唐。然大抵多得於武功一派，專以鍊句爲工，而句法又以鍊字爲
要。如《詩人玉屑》載師秀〈冷泉夜坐〉詩『樓鐘晴更響，池水夜知深』
一聯，後改更字爲聽字，改知字爲觀字。〈病起詩〉『朝客偶知承送藥，
野僧相保爲持經』一聯，後改承字爲親字，爲字爲密字。可以知其門徑
矣。又《梅磵詩話》：『杜小山問句法於師秀。答曰：「但能飽喫梅花數斗，
胸次玲瓏，自能作詩」云云。』故其詩主於野逸清瘦，以矯江西之失，
而開寶遺風，則不復沿溯也。陳振孫《書錄解題》載《師秀集》二卷，
別本《天樂堂集》一卷，今皆未見。此本僅一卷，而題曰《清苑齋集》，
未審即爲《天樂堂集》之別名否？趙與虤《娛書堂詩話》載〈送謝耘游
淮詩〉二句，又《東甌續集》載師秀詩五首，《瀛奎律髓》載師秀詩四首，
今竝附錄《集》末，題曰《拾遺》。似乎別有《天樂堂集》，而《詩人玉
屑》所論〈冷泉夜坐〉及〈病起〉二首稱曰《天樂》者，今皆載此《集》
中，似乎又即《天樂堂集》。今未能盡睹其全，莫之詳也。厲鶚《宋詩紀
事》稱師秀有《清苑齋集》，有《天樂堂集》，分爲二種。而所錄皆此《集》
之詩，則鶚亦未見《天樂堂集》矣。古書散佚，闕所不知可也。」可參
考。永嘉四靈，即徐照靈暉、徐璣靈淵、翁卷靈舒、趙師秀靈秀四人也。

李孟達集一卷

《李孟達集》一卷，宗正丞宣城李兼孟達撰。唐末李咸用《披沙集》者，
即其遠祖也。嘗知台州，時稱善士。

廣棪案：《宋志》未著錄此書。兼，《宋史》無傳。《宋元學案補遺》卷三
十五、〈陳鄒諸儒學案補遺·韓氏門人〉「知州李先生兼」條載：「李兼字

口口，宣城人。朝請宏之孫。謹厚好學，從韓子雲游，嘗官迪功郎，進監縣丞。《南澗甲乙稿》。梓材謹案：《台州府志》載先生云：『博學工詩，楊萬里推許之。知台州，簡重有清操。既卒，民為巷哭罷市。』又載其〈跋陳古靈勸學文〉，言『為州之二年，始克以斯文鏤板，傳示學者』云云。則先生亦古靈續傳也。」《宋詩紀事補遺》卷之六十二「李兼」條載：「字孟達，甯國人。孝先曾孫。博學工詩，楊萬里推許之。開禧三年，以朝請郎出知台州。居官有守。明年九月除宗正丞，未行卒。所著有《雪嚴集》。」是則此書又名《雪嚴集》。至李咸用，兩《唐書》無傳。《全唐詩》卷六百四十四「李咸用」條載：「李咸用，與來鵬同時，工詩。嘗應辟為推官，有《披沙集》六卷，今編為三卷。」考《解題》卷十九、〈詩集類〉上著錄：「《李推官披沙集》六卷，唐李咸用撰。其八世孫兼孟達居宛陵，亦能詩，嘗為台州，出其《家集》，求楊誠齋作〈序〉。」可參證。

柯東海集十五卷

《柯東海集》十五卷，莆田柯夢得東海撰。嘗試春官不第。廣棪案：盧校本無此句。校注曰：「《通攷》與館本同。」

　　廣棪案：《宋史》卷二百八、〈志〉第一百六十一、〈藝文〉七、〈別集類〉著錄：「柯夢得《抱甕集》十五卷。」應同屬一書。夢得，《宋史》無傳。《宋詩紀事》卷六十「柯夢得」條載：「夢得字東海，莆陽人，屢上春官不第。後以特科入仕。有《抱甕集》。」可參證。

山中集一卷

《山中集》一卷，莆田趙庚夫仲白撰。兩上春官不第，以取應得右選，不得志而沒。劉潛夫志其墓，擇其詩百篇，屬趙南塘序而傳之。

　　廣棪案：《宋志》未著錄此書。庚夫，《宋史》無傳。《宋詩紀事》卷八十五「庚夫」條載：「庚夫字仲白，寓居興化軍，魏王八世孫。舉進士不第，以宗子取，應得右選。趙紫芝為晚唐詩，名冠四靈，而仲白亞紫芝。劉後村擇百篇為《山中集》，并誌其墓。」可參證。劉潛夫即克莊，《後村集》卷三十七、〈墓誌銘〉有〈趙仲白墓誌銘〉，曰：「仲白諱庚夫，宗室潁川郡王之後。曾大夫某，知鄂州。大父某，父某，始為閩人。仲白少玉立，

風度如仙。書一覽，默記盡卷，不脫一字。爲文章神速，兩試禮部不中第用取，應補官，久之不調。畿漕辟嘉興府海鹽縣。酒務府公王舍人介，檄權青龍鎮，勢家或爲大商，地匿稅鉅萬。仲白捕治之急，勢家誣訴於外臺，下吏鍛鍊成其罪，坐停官。王舍人抗論力爭於朝，不報。仲白既廢，杜門苦學，貫穿百氏，特邃於《老》、《易》。喜緯書，坐一榻，下籌布蓍不已。以爲世道隆替，人事成敗，皆繫乎數。從方氏受水丹心，獨神其術。談禪尤高，朋友莫能詰難。其平生志業無所洩，一寓之詩。叢藁如山，和平沖淡之語，可咀而味；憤懣悲壯之詞，可愕而怒；流離顛沛之作，可怨而泣也。會中朝有知仲白前事冤者，得復元官。於是淮蜀交辟，而仲白死矣。仲白性不妄交，與潘檉、趙師秀論詩，曾極論《參同契》，輒暗合。遇貴公張鎡，廣座命題，眾賓方顣呻營度，仲白已飛筆滿軸，神色自得。蓋其所挾高，未嘗靳壓人，而每出人上。故愛仲白者寖少，嚴而忌之者眾矣。仲白家貧，不屑治生，烏帽唐衣，自號山中翁。所居隙地纔丈許，而花竹水石之翫皆備。古梅一株，終日吟嘯其下。其歸自海鹽也，新脫酷吏手，行李蕩失，妻子奔踣藍縷，猶以兩夫舁一鶴自隨。晚客京城，聞鶴死，惋惜不食，賦詩甚哀，其情致風味如此。嗚呼！斯人不可復見矣。予觀昔之文人，若相如、李白，世稱薄命。然所爲文，親蒙天子賞識，給札捧硯之事，極一時之榮焉。近世林逋、魏野，皆以匹夫，名字流入禁中，數下詔書徵聘。仲白才追昔人，會開禧、嘉定間，天下多事，三邊用武，君相所急多才健功名之士，而山林特起之禮，其廢已久。由是仲白阨窮終身，其文不達於天子，徒爲閒人、退士、衲僧、羽客誦詠歎息之具而已。仲白卒於嘉定己卯二月壬戌，年四十七。十一月庚申，葬於城西七里甘露山。配顧氏，國子博士杞女，有高才，與仲白如賓友。男時願，女二人。時願哭謂予：『子幸銘吾先人。』念昔與仲白遊二十年，嘗約歲晚入山讀書。仲白棄予而夭，行而無所詣也，疑而無所訂也，瑕而莫予攻也，怠而莫予鞭也。嗚呼悲夫！仲白既明數前知，死日訪其友寺丞方公信孺求棺，及死，方公捐美櫝殮之。仲白詩最多，自刪取五百首。所著有《周易老子注》、《山中客語》、《青裳集》。予早知仲白，顧今學退才盡，銘其墓有愧色。至於拊其家，教其孤，行其文字於世，方公責也。銘曰：萬山四圍，君藏於斯。所埋者骨，不埋者詩。後千百年，陵谷或夷。讀君《集》者，必封崇之。」可參證。趙南塘即汝談，所撰〈序〉已佚。

磬沼集一卷

《磬沼集》一卷，崇仁羅鑑正仲撰。樞密春伯之從弟。「磬沼」者為池，因地曲折如磬然。

> 廣棪案：此書及撰人均不可多考。春伯，羅點字，撫州崇仁人。寧宗時拜端明殿學士，簽書樞密院事。《宋史》卷三百九十三、〈列傳〉第一百五十二有傳。

茅齋集二卷

《茅齋集》二卷，南城鄧繼祖撰。

> 廣棪案：此書及撰人均不可考。

梔林集十卷

《梔林集》十卷，吳郡沈繼祖撰。慶元初有為察官者，家富川，豈即其人耶？廣棪案：《文獻通考》無「耶」字。人固不足道，廣棪案：《文獻通考》脫「人」字。詩亦無可觀者。廣棪案：盧校本無「人固不足道，詩亦無可觀者」二句。

> 廣棪案：《宋志》未著錄此書。繼祖，《宋史》無傳。《宋元學案》卷九十七、〈慶元黨案·附攻慶元偽學者〉載：「沈繼祖字□□，興國人。監察御史。以胡紘奏稿劾晦庵。」《宋詩紀事》卷五十九「沈繼祖」條載：「繼祖，富川人。慶元中御史，有《梔林集》。」考《宋詩紀事小傳補正》卷四載：「沈繼祖字述之，興國軍永興人。乾道五年進士，知富陽縣。《平菴悔稿》有〈送沈述之知當陽詩〉。」恐非同一人。

花翁集一卷

《花翁集》一卷，開封孫惟信季蕃撰。在江湖中頗有標致，多見前輩，多聞舊事，善雅談，長短句尤工。嘗有官，棄去不仕。

> 廣棪案：《宋史藝文志補·集部·詞曲類》著錄：「孫惟信《花翁詞》一卷，字季蕃。」恐非同一書。《宋史翼》卷三十六、〈列傳〉第三十六、〈隱逸〉載：「孫惟信字季蕃，婺人。工詩，喜談謔。嘉定初，嘗於大雪中登

廬阜絕頂，盡得其景物之詳，作〈記游卷〉，棄官不仕，隱居武林湖山間，自號花翁。滬祐三年卒。安撫使趙與篯葬之湖上。《兩浙名賢錄》。」《宋詩紀事》卷五十八「孫惟信」條載：「惟信字季蕃，號花翁，開封人，居婺州。光宗時，棄官隱西湖，有《集》。」後附劉後村〈花翁墓誌〉曰：「季蕃貫開封，少受祖澤，調監當不樂，棄去。始昏于婺，後去婺游，囂蘇杭最久。一榻之外無長物，躬爨而食，書無〈乞米〉之帖，文無〈逐貧〉之賦，終其身如此。名重江浙，公卿閒聞花翁至，爭倒屣。所談非山水風月，一不挂口。長身緼袍，意度疎曠，見者疑爲俠客異人。其倚聲度曲，公瑾之妙；散髮橫笛，野王之逸；奮袖起舞，越石之壯也。」均可參證。

惠崇集十卷

《惠崇集》十卷，淮南僧惠崇撰。與潘閬同時，在九僧之數，亦善畫。
　　廣棪案：《宋史》卷二百八、〈志〉第一百六十一、〈藝文〉七、〈別集類〉
　　著錄：「《僧惠崇詩》三卷。」卷數不同。惠崇，《宋史》無傳。《宋詩紀事》
　　卷九十一「惠崇」條載：「惠崇，淮南人。一作建陽人。九僧之七，有《集》。」
　　《宋人傳記資料索引》載：「釋惠崇，建陽僧，一作淮南人，九僧之七，
　　善詩，工畫。有〈百句圖〉，刊石於長安。」可參證。潘閬，《宋史》無傳。
　　《宋詩紀事》卷五「潘閬」條載：「閬字逍遙，大名人。嘗居錢塘，太宗
　　召對，賜進士第。王繼恩與之善，繼恩下獄，捕閬弗得。咸平初來京，尹
　　收繫之。眞宗釋其罪，以爲滁州參軍。後卒于泗上。小說中謂閬坐盧多遜
　　黨追捕，非也。有《詩集》。」是則惠崇亦太宗、眞宗時人。

天竺靈苑集三卷、採遺一卷

《天竺靈苑集》三卷、《採遺》一卷，錢塘僧遵式撰。所謂「式懺主」
者也。廣棪案：盧校本無「所謂『式懺主』者也」句。校注曰：「《通攷》同館本。」
　　廣棪案：《宋志》未著錄此書。遵式，《宋史》無傳。明河《補續高僧傳》
　　卷第二、〈義解篇〉有〈慈雲懺主遵式傳〉。《宋詩紀事》卷九十一「遵式」
　　條載：「遵式字知白，天台葉氏子。居下天竺寺，著《淨土懺法金光明觀
　　音諸本懺儀》行世，號慈雲懺主。天聖中滅度。紹興中，賜號懺主禪慧
　　大法師。有《天竺靈苑集》。」可參證。

渚宮集三卷

《渚宮集》三卷，錢塘僧文瑩道溫撰。及識蘇子美，嘗題其詩後，欲挽致於歐陽永叔，而瑩辭不往，老於荊州之金鑾。鄭毅為作〈序〉。

　　廣棪案：《宋史》卷二百八、〈志〉第一百六十一、〈藝文〉七、〈別集類〉
　　著錄：「鄭準《渚宮集》四卷。」非同一人、同一書。《解題》卷十一、
　　〈小說家類〉著錄文瑩撰《玉壺清話》十卷。瑩，《宋史》無傳，檢《郡
　　齋讀書志》卷第十三、〈小說類〉著錄：「《湘山野錄》四卷。右皇朝熙
　　寧中僧文瑩撰，記國朝故事。」同卷、同類又著錄：「《玉壺清話》十卷。
　　右皇朝僧文瑩元豐中撰。〈自序〉云：『文瑩收國初至熙寧中文集數千卷。
　　其間神道、墓誌、行狀、實錄、奏議之類，輯其事成一家言。』玉壺者，
　　其隱居之潭也。」則瑩乃神宗時人。《宋詩紀事》卷九十一「文瑩」條
　　載：「文瑩字道溫，錢塘僧。及識蘇子美，欲挽致于歐陽公，瑩辭不往，
　　老于荊州之金鑾寺。有《湘山野錄》、《玉壺清話》、《渚宮集》。」可參
　　證。蘇子美，即蘇舜欽，《宋史》卷四百四十二、〈列傳〉第二百一、〈文
　　苑〉四有傳。仁宗時為集賢校理。鄭毅，《宋史》無傳，生平不可知。
　　至所撰〈序〉，亦不可考。

揀金集一卷

《揀金集》一卷，螺江僧可尚撰。有送徐鉉詩，蓋國初人。

　　廣棪案：《宋史》卷二百八、〈志〉第一百六十一、〈藝文〉七、〈別集類〉
　　著錄：「僧可尚《揀金集》九卷。」卷數不同。此書撰人不可考。徐鉉字
　　鼎臣，揚州廣陵人。仕南唐，後隨李後主歸宋。《宋史》卷四百四十一、
　　〈列傳〉第二百、〈文苑〉三有傳。

螺江集一卷

《螺江集》一卷，僧有朋撰。號困山禪師，廣棪案：盧校本此解題至「困山
禪師」止。校注曰：「《通攷》此下云『族陳氏，閩帥嚴六世孫。』」族陳氏，閩帥
巖六世孫。廣棪案：《文獻通考》「巖」作「嚴」，誤。

　　廣棪案：《宋志》未著錄此書。有朋，《宋史》無傳。《宋詩紀事》卷九十
　　二「有朋」條載：「有朋，閩帥陳巖六世孫，號困山禪師，有《螺江集》。」

可參證。嚴，《宋史》無傳。《水心集》卷十三、〈墓誌銘〉有〈陳君墓誌銘〉，曰：「平陽陳嚴字仲石，自其成童，智之所開，師友問學而已。年進志立，識通性明，服所知於家，而宗族慕焉。信所行於里，而鄉黨賓焉。意愈高，力愈下，督責其身，不使一日縱於慢游也；奉持其心，不使一思慮雜於邪妄也。訓於經，講於禮者，必欲周於事，達於物。不計事之異同，時之先後也。其可見者若此。嗚呼嚴也！父之鉅子，弟之任兄，師之傳人，出而從宦，國之脩士也。夫如木升而爲材可掄，如玉琢而爲器可纘藉也。夫不幸，年三十有五，淳熙十五年十二月四日卒。明年三月，葬於安仁。其弟崇，致其父及師之請曰：『願有銘。』夫悲哀其志意之不及於成就，此師友之所以爲君痛也。道喪久矣，士不修其實職，而皆以必用爲貴，偶不獲用爲憾，志意之卓，祗重累焉。三代之時，道嘗行矣，彼家淑其道，人有其善，孰從而盡用之。然則壽夭一也，用捨一也，君子自得以正其命，宜有人之所不及知者。銘曰：卹爾婦，撫爾子，父母之力止矣。止而弗止，斯石紀之。」可參考。

參寥集十二卷

《參寥集》十二卷，僧道潛撰。唐人舊有號參寥子者，用《莊子》語也。廣梭案：《新唐書·藝文志》未著錄此書。道潛，《十國春秋》第八十九、〈吳越〉十三、〈列傳·僧道潛〉載：「僧道潛，河中人也。本姓武氏。少詣臨川僧淨慧，一見以爲法器。曰：『吾道東矣。』已又謁法眼禪師文益，文益曰：『子向後有五百毳徒，爲王侯所重。』尋結廬衢州古寺，閱《大藏經》。顯德初，忠懿王迎入西府受菩薩戒，賜號慈化定慧禪師，居慧日永明院。道潛常欲從忠懿王求羅漢銅容，未白也。王忽夢十八巨人隨行，《五燈會元》作十六尊者。明日，道潛以請，王奇而許之。仍於道潛賜號中加『應眞』二字，以表異焉。道潛坐永明時，登堂問法者恆五百人。文益之言，至是逐驗。」贊寧《大宋高僧傳》卷第十三、〈習禪篇〉第三之六、〈周廬山佛手巖行因傳〉亦附道潛傳。參寥子，道潛號，用《莊子·大宗師》「玄冥聞之參寥，參寥聞之疑始」語。考《四庫全書總目》卷一百五十四、〈集部〉七、〈別集類〉七著錄：「《參寥子集》十二卷，兵部侍郎紀昀家藏本。宋僧道潛撰。道潛，於潛人。蘇軾守杭州，卜智果精舍居之。《墨莊漫錄》載其本名曇潛，軾爲改曰道潛。軾南遷，

坐得罪，返初服。建中靖國初，詔復祝髮。崇寧末，歸老江湖，嘗賜號妙總大師。國朝吳之振《宋詩鈔》云：『《參寥集》，杭本多誤，採他詩未及與析。今所傳者凡二本。一題三學院法嗣廣宵寫訂，智果院法嗣海惠閱錄。前有參寥子小影，即海惠所臨。首載陳師道〈餞參寥禪師東歸序〉。次載宋濂、黃諫、喬時敏、張睿卿四〈序〉。鈔寫頗工。一本題法嗣法穎編。卷帙俱同，而敘次迥異，未知孰爲杭本。按《集》中詩有同法穎韻者，則法穎本授受有緒，當得其眞。惟所載陳師道〈序〉，題曰〈高僧參寥集序〉，與〈序〉語頗相乖刺，豈傳寫者所妄改歟？《冷齋夜話》稱：『參寥性褊，憎凡子如讐。』今觀其詩，如〈湖上〉二首之類，頗嫌語少含蓄，足爲傲僻寡合之驗。然其落落不俗，亦由於此。吳可《藏海詩話》曰：『參寥〈細雨〉云：「細憐池上見，清愛竹間聞。」荊公改憐作宜。又「詩成暮雨邊。」秦少游曰：「雨中雨旁皆不好，只雨邊最妙。」又云：「流水聲中弄扇行。」俞清老極愛之。此老詩風流醞藉，諸詩僧皆不及。』韓子蒼云：『若看參寥詩，則惠洪詩不堪看也』云云。蓋當時極推重之。曹學佺《石倉歷代詩選》惟錄其〈游鶴林寺〉詩一首、〈夏日龍井書事詩〉一首，以當北宋一家。殆從他書採摭，未見此本歟？』」是則道潛與蘇軾、陳師道等同時。

物外集三卷

《物外集》三卷，僧德洪覺範撰。

廣棪案：《宋史》卷二百八、〈志〉第一百六十一、〈藝文〉七、〈別集類〉著錄：「僧惠洪《物外集》三卷。」卷數同。德洪又名惠洪，《宋詩紀事》卷九十二「惠洪」條載：「惠洪字覺範，俗姓彭。筠州人。以醫識張天覺。大觀中入京，乞得祠部牒爲僧。又往來郭天信之門。政和元年，張、郭得罪，覺範決配朱崖，有《石門文字禪》、《筠溪集》、《天廚禁臠》、《冷齋夜話》。」可參證。

瀑泉集十二卷

《瀑泉集》十二卷，僧祖可正平撰。蘇養直之弟，有惡疾，號癩可。

廣棪案：《宋史》卷二百八、〈志〉第一百六十一、〈藝文〉七、〈別集類〉

著錄：「《僧祖可詩》十三卷。」卷數不同。《宋詩紀事》卷九十二「祖可」
條載：「祖可字正平，丹陽人。蘇伯固之子，養直之弟。住廬山，被惡疾，
人號癩可。詩入江西派，有《東溪集》、《瀑泉集》。」可參證。養直，蘇
庠字。庠，《宋史》卷四百五十九附〈王忠民〉，載：「時又有蘇庠者，丹
陽人，紳之後，頌之族也。少能詩，蘇軾見其〈清江曲〉，大愛之，由是
知名。徐俯薦其賢，上特召之，固辭；又命守臣以禮津遣，庠辭疾不至，
以壽終。」可參考。

真隱集三卷

《真隱集》三卷，僧善權巽中撰。靖安人。落魄嗜酒。

　　廣棪案：《宋志》未著錄此書。善權，《宋史》無傳。《宋詩紀事》卷九
十二「善權」條載：「善權字巽中，靖安高氏子。人物清癯，人目為瘦
權。落魄嗜酒，入江西派。有《真隱集》。」可參證。靖安，今江西南
昌。

化庵湖海集二卷

《化庵湖海集》二卷，僧法具圖復撰。吳興人。

　　廣棪案：《宋志》未著錄此書。法具，《宋史》無傳。《宋詩紀事》卷九十
二「法具」條載：「法具字圓復，吳興僧。後寂于毘陵馬跡山，有《化庵
湖海集》。」

浯溪集二十一卷

《浯溪集》二十一卷，僧顯萬撰。洪景盧作〈序〉。廣棪案：盧校本此解題
至「作序」止。校注曰：「《通攷》此下與館本同。」前二卷為賦，餘皆詩也。

　　廣棪案：《宋志》未著錄此書。顯萬，《宋史》無傳。《宋詩紀事》卷九十
二「顯萬」條載：「顯萬字致一，浯溪僧。嘗參呂居仁，有《浯溪集》。」
可參證。洪景盧即洪邁，號容齋，《宋史》卷三百七十三、〈列傳〉第一
百三十二附其父〈洪皓〉。所撰〈序〉，疑佚。

女郎謝希孟集二卷

《女郎謝希孟集》二卷，閩人謝景山之妹，嫁陳安國，年三十三而死。其詩甚可觀，歐公為之〈序〉，言有古淑女幽閒之風雅，非特婦人之言也。廣校案：《文獻通考》「言」上有「能」字。

廣校案：《宋史》卷二百八、〈志〉第一百六十一、〈藝文〉七、〈別集類〉著錄：「《謝希孟詩》二卷。」與此同。希孟，《宋史》無傳。《宋詩紀事》卷八十七「謝希孟」條載：「希孟字母儀，晉江人。景山之妹，嫁陳安國，早卒。」《宋人傳記資料索引》載：「謝希孟字母儀，晉江人，伯初妹，進士陳安國妻。與兄並工詩賦，歐陽修稱其隱約深厚，守禮不釋，有古幽閒淑女之風。卒年二十四。（一云卒年三十三）」可參證。歐陽修撰〈謝氏詩序〉，見《居士集》卷四十二。其〈序〉云：「天聖七年，予始遊京師。得吾友謝景山，景山少以進士中甲科，以善歌詩知名。其後，予於他所，又得今舍人宋公所為景山母夫人之〈墓銘〉，言夫人好學通經，自教其子。乃知景山出於甌閩數千里之外，負其藝於大眾之中，一賈而售，遂以名知於人者，繫其母之賢也。今年，予自夷陵至許昌，景山出其女弟希孟所為詩百餘篇，然後又知景山之母，不獨成其子之名，而又以其餘遺其女也。景山嘗學杜甫、杜牧之文，以雄健高逸自喜。希孟之言，尤隱約深厚，守禮而不自放，有古幽閒淑女之風，非特婦人之能言者也。然景山嘗從今世賢豪者遊，故得聞於當時；而希孟不幸為女子，莫自章顯於世。昔衛莊姜、許穆夫人，錄於仲尼而列之〈國風〉。今有傑然巨人，能輕重時人而取信後世者，一為希孟重之，其不泯沒矣，予固力不足者，復何為哉！復何為哉！希孟嫁進士陳安國，卒時年二十四。景祐四年八月一日，守峽州夷陵縣令歐陽修序。」可參考。景山，伯初字，《宋史》無傳。《宋詩紀事》卷十一「謝伯初」條載：「伯初字景山，晉江人。天聖二年進士，許州法曹。」安國，陳輔字，《宋史》亦無傳。《宋元學案補遺》卷三、〈高平學案補遺·劉氏師承〉「縣令陳先生輔父大雅」條載：「陳輔字安國，象山人。父大雅。天性明敏，工於詩。趙清獻深器重焉。先生幼承庭訓，家貧力學，夜置足水中以警寐。嘉祐進士，歷知武康、安吉。先生少受知東明劉溫，溫使其子槩師焉。後槩試禮部第一，名益重。丞相呂大防、范純仁薦於朝，以疾卒。《寧波府志》。」《宋人傳記資料索引》載：「陳輔（？～1089），字安國，明州

象山人，大雅子。嘉祐二年進士，歷濱州司理，遷義烏令，屢遷著作佐郎，知安吉縣，卹貧賑饑，有古循吏稱。使者交薦，遷太常博士，終知邛州。旋以疾致仕，元祐四年卒。」可參考。

景山者，按歐陽《詩話》，言「謝伯初字景山，<small>廣棪案：《文獻通考》無「言」字。</small>當天聖、景祐間，以詩知名。余謫夷陵，景山方為許州法曹，以長韻見寄，頗多佳句。仕不偶，困窮以卒，詩亦不見於世。」

　　案：《六一詩話》載：「閩人有謝伯初者，字景山。當天聖、景祐之間，以詩知名。余謫夷陵時，景山方為許州法曹，以長韻見寄，頗多佳句。有云：『長官衫色江波綠，學士文華蜀錦張。』余答云：『參軍春思亂如雲，白髮題詩愁送春。』蓋景山詩有『多情未老已白髮，野思到春如亂雲』之句，故余以此戲之也。景山詩頗多，如『自種黃花添野景，旋移高竹聽秋聲』、『園作換葉梅初熟，池館無人燕學飛』之類，皆無媿於唐賢。而仕宦不偶，終以困窮而卒。其詩今已不見於世，其家亦流落不知所在。其寄余詩，殆今三十五年矣，余猶為誦之。蓋其人不幸既可哀，其詩淪棄亦可惜，因錄於此。詩曰：『江流無險似瞿唐，滿峽猿聲斷旅腸。萬里可堪人謫宦，經年應合鬢成霜。長官衫色江波綠，學士文華蜀錦張。異域化為儒雅俗，遠民爭識校讎郎。才如夢得多為累，情似安仁久悼亡。下國難留金馬客，新詩傳與竹枝娘。典辭懸待修青史，諫草當來集皁囊。莫為明時暫遷謫，便將縈足濯滄浪。』」可參證。

此〈序〉又言景山少以進士一舉甲科。攷《登科記》，天聖二年甲科但有謝伯景，而謝伯初者乃在寶元元年。公謫夷陵，當景祐三年，景山已為法曹，則非寶元登第者。名字差麟如此，未可攷也。

　　案：歐陽修〈謝氏詩序〉云：「天聖七年，予始遊京師，得吾友謝景山。景山少以進士中甲科，以善歌詩知名。」《解題》殆據此而言。天聖，仁宗年號。二年（1024），歲次甲子。寶元，仁宗年號。元年（1038），歲次戊寅。景祐，仁宗年號。三年（1036），歲次丙子。是景山「非寶元登第」者，《登科記》誤。

處士女王安之集一卷

《處士女王安之集》一卷，廣棪案：《通考》作「《處女王安之集》」。盧校本同。
盧校注曰：「舊《通考》無『女』字，新《通考》與此同。」簡池王亢子倉之女尚
恭，字安之，年二十，未嫁而死，乾道戊子也。亢自志其墓。有任公鼎
者，為作〈集序〉，援歐公所序謝希孟為比，而稱其詩不傳。今余家有
之，任蓋未之見也。

　　廣棪案：《宋史》卷二百八、〈志〉第一百六十一、〈藝文〉七、〈別集類〉
　　著錄：「《王尚恭詩》一卷，王亢女。」即此書。尚恭及其父亢，《宋史》均
　　無傳。《宋會要輯稿》第一百一冊、卷三千八百九十一、〈職官〉七二之
　　二一載：「（淳熙五年）閏六月七日，知懷安軍宇文紹寅放罷；以本路帥臣
　　王亢按其性資憸巧，不謹庶隅，屢逐所部見任官，而以親舊充填窠闕，
　　用為腹心，以侵漁百姓，故有是命。」是亢乃孝宗時人，嘗任懷安軍帥。
　　同書第一百十五冊、卷一萬三千二百五十、〈選舉〉二一之一載：「（淳熙
　　四年）是歲四川類試，命潼川府路提點刑獄公事何耕監試，知漢州杜民表
　　考試，知利州黃鈞別試所監試，知嘉州王亢考試。」是亢於帥懷安軍前
　　又嘗知嘉州。至《解題》之「乾道戊子」，即四年（1168）。亢所撰〈墓
　　志〉不可得見。任公鼎及其所作〈集序〉，亦不可考。

英華集三卷

《英華集》三卷，李季萼死後為鬼仙事，見《夷堅志·縉雲人傳》。其
《集》亦怪矣。

　　廣棪案：《宋史》卷二百八、〈志〉第一百六十一、〈藝文〉七、〈別集類〉
　　著錄：「趙世逢《英華集》十卷。」卷數與此不同。考洪邁《夷堅甲志》
　　卷第十二、〈縉雲鬼仙〉載：「處州縉雲鬼仙名英華，姿色絕艷，肌膚綽
　　約，如神仙中人。居主簿廨中。建炎間，主簿王傳表弟齊生者與之相好，
　　交歡如夫婦。簿家亦時見之，以詰齊，齊笑不答。一日與英偶坐，而簿
　　至，英急入帳中。簿求見甚力，英曰：『吾容色迴出世人，若見我，必有
　　惑志。子有室家，恐嫌隙遂成，非令弟比，決不可得見也。』居無何，
　　簿妻病心痛，瀕死，更數醫莫能療。英以藥一劑授齊生云：『以飲爾嫂，
　　當有瘳。世間百藥不能起其疾，若不吾信，則死矣。』齊先以白簿，簿

曰：『人有疾而服鬼藥，何邪？』妻雖病困，然微聞其言，亟攘藥服之。
少頃即甦。明日而履地，舉室大感異之。踰年，齊辭歸，英送至臨安城
外，曰：『帝城多神明，不可入。』將告別，英泣曰：『相從之久，不忍
語離。觀子異日必死於兵，吾授子一炷香，願謹藏去，脫有難，焚之。
吾聞香煙，即來救子。但天數已定，恐不可免爾。』既別，而齊生從張
王_俊軍淮上，與李成戰，竟死。久之，他盜犯縉雲，吏民奔竄，及盜去堂，
吏某中奉者據主簿官舍，簿乃居山間。英至山間，問簿妻何以未反邑。
具以告。英曰：『吾能去之。』盛飾造中奉宅，自稱主簿侍兒，厲聲譙責，
忽不見。中奉大恐，急徙出。嘗有部使者至邑，威嚴凜然。官吏重足正
坐廳事，一婦人緩行廡下，歷階起而升，訝之。以詢從吏，皆不敢對。
會邑官白事，語之曰：『諸君婢媵，不爲隄防，乃令得至此。』眾以英爲
解，懼甚，即日治行。後轉之丞廳。丞爲所染，沿檄桉行經界，英亦同
塗。丞未幾死，邑令趙道之欲去其害，齋戒數日，將奉章上帝。英已知
之，語令曰：『吾非下鬼比也，若我何？』俄齋室振動，令家大小皆病，
遂不敢奏，至今猶存。_{閻邱寧、孫叔永說。}」可參證。